LE SIXIÈME HIVER

DOUGLAS ORGILL & JOHN GRIBBIN

LE SIXIÈME HIVER

roman

TRADUIT DE L'ANGLAIS
PAR MICHEL COURTOIS-FOURCY

UNE ÉDITION SPÉCIALE DE LAFFONT CANADA LTÉE,
EN ACCORD AVEC LES ÉDITIONS DU SEUIL

Titre original : *The Sixth Winter*.
© 1979, Douglas Orgill & John Gribbin.
The Bodley Head Ltd, Londres.
ISBN 0-370-30221-4.

© 1982, Éditions du Seuil pour la traduction française.
ISBN 2-02-006185-6.

ISBN 2-89149-226-9

Automne

Prologue

Le guetteur, tapi sur l'avancée rocheuse dominant le lac, déplaça ses cinquante-cinq kilos et, prenant appui sur ses pattes griffues, regarda fixement devant lui.

A quelque huit cents mètres, une masse en mouvement se détachait sur les maigres buissons jaunâtres de la toundra. Un troupeau brun approchait lentement.

De l'est, où une étroite étendue d'eau bleue étincelante se perdait parmi des aulnes et des frênes rabougris, parvenaient les cris, les piétinements réguliers et les clapotements des premiers caribous se jetant dans une eau peu profonde. Moitié marchant, moitié pataugeant, ils se dirigeaient vers la rive sud.

Maintenant, ils étaient bien plus près.

Alors que les animaux de tête luttaient pour se dégager des boues du rivage avant de s'enfoncer dans le ravin qui se trouvait en face, le guetteur passa rapidement sa longue langue sur ses babines noires. Des femelles se trouvaient parmi la troupe mais c'étaient les petits — souffrant de l'allure régulière et continue — qui retinrent son attention.

Le loup était à la limite de son territoire. Il l'avait marqué, dix semaines auparavant, de jets d'urine jaune à l'odeur forte. Et nul de sa race ne s'était encore aventuré à le traverser. Mais ce qu'il voyait était tout à fait nouveau pour lui et il voulait en tirer parti.

Faisant volte-face, il alla d'un pas souple se placer sur le flanc du troupeau. Il courait à une dizaine de kilomètres à l'heure sans prendre la peine de se cacher. Devant lui s'ouvrait un long défilé, creusé jadis par un glacier dans la sous-couche toujours gelée de la toundra du Nord-Ouest canadien. Les chefs de file s'y engageaient déjà, le remplissant de leurs bois innombrables. Les femelles et les petits, à la marche hésitante, les suivaient de près.

Le loup s'arrêta à mi-pente parmi des éboulis, jeta la tête en arrière et se mit à hurler.

A trois kilomètres de là, son cri n'était plus qu'un souffle. Un son parfaitement filé pour l'homme qui était en train de nettoyer minutieusement ses jumelles sur la table d'une petite hutte. La cabane était construite dans un bois de sapins qui suivait les méandres d'un

ruisseau alimentant le lac Ennadai. L'homme alla vers la fenêtre couverte de poussière et regarda en direction de la colline dénudée. Il émit alors un sifflement de surprise.

Un Esquimau se laissait glisser sur la pente boueuse. Il portait une veste de bûcheron défraîchie à carreaux, une chemise rouge et un pantalon en tweed épais. Son visage était rond et large, ses cheveux noirs et aplatis. Il tenait un fusil de chasse, et son sac à dos contenait un poste émetteur. Il se dirigeait vers la hutte. L'homme blanc s'avança vers le seuil.

— Diable ! dit-il. Tu es bien vite de retour, Atahou. Je ne m'attendais pas...

— Radio pas bonne, dit l'Esquimau. Je viens raconter.

— Raconter quoi ?

— *Tuktu-mie,* dit Atahou, faisant un geste pour indiquer l'autre côté des collines qui se trouvaient à l'horizon. *Tuktu-mie.* L'armée caribou.

— Quoi ? dit l'homme blanc d'un air incrédule en levant un doigt vers un ciel bleu sans nuages. La migration maintenant ? Jamais...

— *Tuktu-mie.* Bientôt vous verrez.

— Combien ?

— Ici... quatre cents, peut-être cinq cents. Plus loin beaucoup, je pense.

— Rien que cinq cents... Ce n'est pas la horde. Une partie seulement, devenue folle...

— Ça commence, dit Atahou.

Il traversa la petite pièce en direction du placard et s'empara d'une cartouchière :

— Il y avait un loup...

— Oui, je l'ai entendu, dit l'autre pensivement. Mais...

— Et vous aviez déjà entendu ça avant ? dit Atahou.

L'intonation était ironique.

— ... Vous avez déjà entendu un loup hurler pour le caribou quand la horde n'est pas en marche ?

— Mais, bon Dieu, dit l'homme, c'est terriblement tôt. Tu te trompes sûrement.

De derrière les collines, parvint de nouveau le son filé.

— Le loup ne se trompe jamais, dit Atahou.

1

William Stovin traversait le campus en plein soleil. Il marchait dans les sentiers ratissés, entre des pelouses que l'on tentait de garder vertes grâce à d'innombrables tourniquets. Il passa devant les bâtiments brunâtres du département de physique et d'astronomie, devant les tables disposées à l'extérieur où des étudiants assis étaient en train de lire, de discuter et de boire des Coca-Cola. Il se dirigea ensuite vers l'arrêt de bus près de l'École de journalisme.

Comme toujours, il avait calculé juste. Le bus Rio Grande descendit la grande avenue quelques secondes à peine après que Stovin eut atteint l'arrêt. Il grimpa à l'intérieur, acheta un ticket et regarda distraitement par la fenêtre le défilé désordonné d'hôtels, de motels, de pompes à essence, de grandes surfaces et d'arbres poussiéreux du centre d'Albuquerque.

Il descendit du bus près d'un grand magasin en béton et s'enfonça dans les rues ombragées et bourrées de touristes de la vieille ville. Sur la place, devant l'église San Felipe, il y avait un canon espagnol. Comme d'habitude, Stovin, légèrement superstitieux, lui donna une petite tape furtive. Puis il traversa la place pour gagner le restaurant où d'ordinaire il déjeunait. Il prit place, sur une chaise espagnole au dossier de cuir, à la table que la direction lui réservait pour ce jour-là de la semaine, face à la grande fresque murale représentant Don Juan de Oñate, l'homme qui colonisa le Nouveau-Mexique en 1598.

Stovin regarda sa montre. Diane n'était pas encore arrivée. Bon, rien d'étonnant à cela. Pourtant, il aurait aimé qu'elle fût là. Elle le plaisantait volontiers sur son attachement à toutes sortes d'habitudes. Peut-être était-ce vrai ; il aimait la routine mais ne le regrettait qu'à moitié. La routine lui permettait de consacrer son attention à des choses importantes.

Une serveuse bien en chair, au visage de paysanne, à la peau sombre, aux cheveux brillants, s'approcha. Elle portait un corsage blanc et une jupe rouge, retenue à la taille par une ceinture dorée. Stovin lui adressa un sourire et lui dit qu'il allait attendre.

Bien qu'il le connût presque par cœur, il sortit de sa serviette le rapport Lithman. Son contenu donnait du poids à Eddy, se dit-il pour la centième fois. Et, bon Dieu, à moi aussi ! Tout était là, vérifié et revérifié. Amplifié même... Le Minimum de Sporer, le Minimum de Maunder. Et maintenant ? Le Minimum de Stovin. Il suffit de jeter un

coup d'œil sur les observations et déductions de Lithman sur la croissance des arbres d'après leurs anneaux... Nous parvenons au point, pensa-t-il, où nous ne pouvons plus additionner deux et deux et dire que ça fait trois et demi. Et si le Minimum de Maunder et le Minimum de Sporer et le Minimum de Stovin n'étaient pas des anomalies ? Et si les quinze mille dernières années — avec des maxima bizarres et trompeurs du genre de ceux qu'on avait constatés au XIIIᵉ siècle, lorsque les Anglais firent pousser de la vigne dans le Kent — si la période interglaciaire qui dure depuis quinze mille ans était l'anomalie ? A l'échelle du temps géologique, quinze mille ans, ce n'est rien. Pourtant, toute la civilisation humaine a pris place dans ce laps de temps.

Stovin appuya son poing gauche dans la paume de sa main droite et regarda d'un air maussade Don Juan de Oñate. Si seulement ils avaient suffisamment de bon sens pour...

— Salut, Stovin.

Diane Hilder se tenait derrière sa chaise et lui souriait. C'était une fille solide, assez petite, aux épaules larges. Ses cheveux d'où émergeaient quelques mèches d'un blond platine étaient, comme toujours, en désordre. Elle portait une veste de cuir éraflée sur un chemisier rose et un pantalon de velours côtelé.

Stovin eut un petit pincement de plaisir au cœur. Il se leva maladroitement et offrit une chaise à la jeune femme.

— Je croyais que tu m'avais posé un lapin.

— Je ne rate jamais un bon déjeuner, Stovin. Sur les conseils de ma maman.

— Une femme intelligente, non ?

La serveuse s'approcha et prit la commande. Le menu de Stovin ne variait jamais... du poulet enchilada au riz avec une sauce aux piments et un demi-litre de vin blanc. Quant à la jeune femme, elle ne demanda qu'une salade et un fromage. Elle se versa un demi-verre de vin blanc et jeta un coup d'œil critique sur l'assiette de son compagnon.

— Tu n'es jamais fatigué de ça ? Dieu seul sait ce qu'en pense ton estomac.

Il haussa les épaules.

— Je te l'ai déjà dit, ça m'est égal. Ça m'évite un tas de tracasseries. Le jeudi, c'est le jour de l'enchilada, bon. Je ne perds pas de temps à m'occuper de ça. Mais toi, qu'est-ce que tu manges ?

Il jeta un coup d'œil sur sa salade :

— Ça ne nourrirait pas même un moineau.

— Je pense à ma ligne, dit-elle en riant.

Elle tapota ses hanches :

— J'ai grossi d'un kilo le mois dernier.

— Quelle horreur, dit Stovin en souriant.

Diane plissa les yeux pour le regarder tandis qu'il coupait minutieusement son poulet. Il ne risquait pas de prendre du poids, lui. Ces Anglais sans âge sont toujours comme ça. Ah, oui, il est américain maintenant... Mais, malgré ses papiers d'identité, il est le type même de l'Anglais. Quel âge peut-il bien avoir ? On doit trouver ça dans les fiches de l'université. Mais elle n'avait jamais pris la peine de les regarder. Quarante ? Quarante-cinq ? Pas facile de donner un âge à Stovin. Et pourquoi l'appelle-t-elle Stovin ? Tout le monde l'appelle Sto. Il déteste « William » presque autant que moi.

— Comment se porte le *Canis latrans* ?

— Florissant, dit-elle. Il y en a encore des tas. Je descendais des Pecos ce matin — j'étais là-au-dessus de Chico, ces trois derniers jours — et j'en ai trouvé un, mort sur la route. Un gros. Tué par un camion durant la nuit, j'imagine. Il est là, dans l'arrière de la camionnette.

Elle fit un geste en direction de la voiture rangée au bord de la place.

— Tu as chargé un coyote mort dans l'arrière de ta camionnette ? Mais, si c'est un adulte, il doit peser au moins vingt kilos !

— Elle, dit la jeune femme. C'est une femelle. Non, j'ai eu de la chance. Un flic qui faisait sa ronde est venu m'aider.

Elle prit l'accent traînant des Texans :

— « Dites, madame, vous savez ce que vous risquez d'attraper avec ça ? Des puces, madame, des puces. Vous comprenez, des puces. » Tu aurais vu sa tête quand je lui ai dit que c'était exactement ce que je cherchais.

— Pourquoi n'en tires-tu pas un ou deux à la carabine ? demanda Stovin légèrement agacé. On ne peut pas dire que ce soit une espèce en voie de disparition.

— Pas encore, répliqua-t-elle sèchement. Mais on y travaille, on y travaille... Non, Stovin, je ne tue pas quand je peux faire autrement.

— Comme tu veux, dit-il avec indifférence.

Distraitement, sa main tapotait la couverture rose du rapport Lithman. La jeune femme remarqua le geste.

— Qu'est-ce que tu as là ?

— Lithman.

Sa voix qui se voulait sans expression n'était pas naturelle. La jeune femme le regarda avec curiosité.

— Et tu es tout excité, non ? Qu'est-ce qu'il dit ?

Stovin haussa les épaules.

— A peu près la même chose que moi. Que ce que je n'arrête pas de dire depuis trois ans.

Elle siffla doucement.

— Lithman... Celui qui...

— C'est ça, dit-il sans inflexion. Il avait tort sur la question du cycle des volcans. Il avait donné trop d'importance au facteur poussière. Il s'était déjà trompé auparavant. Comme moi. Comme Einstein. Comme Copernic. Et, évidemment, on dit qu'il se trompe encore maintenant...

— Et... il se trompe ?

— Non.

— C'est vraiment dommage que Lithman soit si vieux, dit-elle pensivement. Plus personne n'écoute les vieillards de nos jours.

Stovin émit un petit rire et but une gorgée de vin.

— Il ne risque plus de vieillir maintenant.

— Ça veut dire quoi ?

— Lithman est mort... Je l'ai appris aux informations de neuf heures ce matin. Il avait quatre-vingt-sept ans. Probablement le climatologiste le plus original du monde. Tout au moins, c'est comme ça qu'on va l'appeler. Une insulte en quelque sorte. Un type aussi original doit forcément se tromper.

Elle le regarda, soudain soucieuse.

— Et toi, ça te met où ?

— Oh, dit-il plus gaiement, je porterai la bannière. Bien que je ne sois plus à vrai dire un jeune homme.

— Personne ne pense à toi en termes de vieillesse ou de jeunesse. Pas même en terme d'âge mûr.

Et c'est la stricte vérité, pensa-t-elle.

Stovin demanda l'addition. Elle le regarda fouiller dans sa poche. Il en sortit quelques billets froissés.

Pourquoi diable, se demanda-t-elle, n'utilise-t-il pas une carte de crédit comme tout le monde ?

— Ne lâche pas tes coyotes, dit-il comme ils se dirigeaient vers la porte.

Elle lui tendit la joue. Il y posa ses lèvres un court instant. On avait l'impression d'être embrassé par une tortue.

— Tu sais où tu en es avec les coyotes... Remarque... N'oublie pas...

— Quoi ?

— Eh bien, dit-il, n'oublie pas que si Lithman a raison, les coyotes ont l'avenir devant eux.

Il la regarda traverser la place. Elle sentait bon, pensa-t-il tout à fait

hors de propos. Il aimait toujours ce petit baiser. Mais, attention, il ne devait pas l'aimer trop.

Il repassa devant le canon en bronze et entra dans l'ombre fraîche de l'église San Felipe. C'était calme. L'un des rares endroits où il pouvait penser. Dehors, dans le jardin clos de murs, des colombes roucoulaient. Les flammes des cierges vacillaient... l'autel était couvert de fleurs. Deux lampes seulement brillaient dans la demi-pénombre. Il s'assit sur un banc peint en marron et commença à regarder autour de lui. Tout cela n'était qu'une superstition absurde, évidemment. Qu'il serait facile de démolir avec trois ou quatre questions auxquelles personne n'a jamais répondu. La principale étant : si Dieu existe, à quoi joue-t-il ? San Felipe n'en restait pas moins un endroit apaisant. Il ne quitta l'église qu'un quart d'heure plus tard.

De retour dans sa chambre à l'université, il sortit de nouveau le rapport Lithman de sa serviette. Il le parcourut rapidement, ne s'arrêtant qu'à l'essentiel. Puis, il alla à sa table de travail, enleva le couvercle en plastique noir de sa machine portative et se mit à taper avec deux doigts.

2

Comme une gigantesque libellule avec quatre ailes opaques et tronquées, pesant plus de deux tonnes, Big Bird survolait le nord-ouest de la Sibérie près du soixante-quatrième parallèle, très haut au-dessus du fleuve Orbi. Trois minutes plus tôt, il avait atteint le périgée de son orbite. Maintenant, il allait exécuter le programme établi pour lui par ceux qui l'avaient projeté dans l'espace depuis une aire de lancement située à Point Arguello sur la côte californienne. Un circuit bouclé. Les boucliers protégeant les objectifs des appareils photographiques, fixés sous le fuselage cylindrique, se soulevèrent, et Big Bird commença à photographier les installations pétrolières soviétiques qui se dressaient dans la taïga déserte, cent cinquante kilomètres plus bas, entre Igrim et Berozovo.

En quelques secondes l'opération était terminée. Trois autres circuits bouclés. Big Bird modifia son angle de vol et gagna son apogée, trois cents kilomètres au-dessus de la terre. Quarante-huit heures plus tard, les pellicules, bien à l'abri dans six containers résistant à la chaleur, étaient éjectées par une trappe. Au moment où

les containers entraient dans l'atmosphère, leurs parachutes s'ouvrirent. Ils descendirent ainsi lentement vers l'océan tandis que le soleil commençait à éclairer les eaux bleues du Pacifique au nord d'Hawaii. Les photographies se révélèrent être les plus importantes jamais prises par un satellite. Elles apportaient la preuve du commencement d'une ère nouvelle.

Un petit papillon aux reflets cuivrés tapait vainement à la vitre de la grande fenêtre du bureau de Yevgeny Soldatov qui l'observa un court instant. *Hippothoe,* pensa-t-il distraitement. Quel était donc le nom qu'on lui donnait dans la région ? Le papillon de l'adieu. Les autochtones l'appellent l'Adieu parce qu'il survit à peine à la fin du fugitif été sibérien. Et qui lui avait dit cela ? Valentina, évidemment. Elle aurait probablement été intéressée. Il lui en parlerait à la maison à l'heure du déjeuner.

Il regarda à travers les branches argentées des bouleaux et des mélèzes et aperçut, derrière les arbres, l'autre aile en brique rose de l'Institut Katukov d'Akademgorodok. Un homme et une femme, des étudiants qui se consacraient à la recherche, marchaient parmi les taches de lumière en se tenant par la main.

Avec un petit soupir, Soldatov retourna à son bureau et reprit l'article qu'il était en train de lire au moment de l'arrivée du papillon. Si l'échantillon de terrain prélevé en sous-sol à Kraznogorsk a un rapport avec ce qui s'est passé dans la région d'Ostahkkov il y a vingt-cinq mille ans, alors...

Le téléphone posé sur le bureau fit retentir une brève sonnerie. Soldatov décrocha l'appareil.

— Ici Soldatov.

A l'autre bout du fil, la voix était essoufflée et le débit rapide. C'était une voix que Soldatov connaissait bien, celle d'Andréi Bulavin, un des climatologues de Yakutsk.

— Yevgeny... Je suis content que tu sois là. Voilà... c'est arrivé de nouveau.

— Où ?

— Dans un endroit nommé Ziba. Là-haut dans le nord-est — un bled dont personne n'a jamais entendu parler. Il y a une usine de conditionnement de poissons en rapport avec le Plan d'aménagement local. Il doit y avoir quelque chose comme huit cents ou neuf cents habitants.

— Qu'est-ce qui est arrivé exactement ?

— La même chose qu'à Kalya.

— Et... est-ce qu'il y a des...

— Oui. C'est assez moche. C'est tombé sur un car de ramassage scolaire. On n'a pas encore réussi à sortir qui que ce soit. Apparemment l'école est près d'un lac à environ cinq kilomètres de Ziba. Par chance, il y avait une épidémie de grippe, et le bus n'était pas plein. Ç'aurait pu être pire...

— Tu dis que c'est exactement la même chose ?

— Autant qu'on puisse en juger. Un homme l'a vu. Il était en dehors de la zone dangereuse. Mais ça ne sert pas à grand-chose, il est encore en état de choc.

— C'était très localisé ? Je veux dire, ça n'a pas affecté tout un territoire ?

— Tu sais, nous n'avons pas encore beaucoup d'informations. Je t'ai appelé immédiatement parce que c'est la consigne. Mais les communications sont normales avec Ziba. Donc, ça n'a pas dû s'étendre beaucoup.

— Où es-tu en ce moment ?

— A Yakutsk... à l'Institut.

— Je crois que je ferais mieux de faire un saut. Je serai là-bas demain. Je te rappelle dès que j'ai trouvé un avion...

Soigneusement, pensivement, Yevgeny Soldatov mit dans une grande enveloppe bleue tous les papiers éparpillés sur son bureau. Puis il ouvrit le coffre-fort encastré dans le mur pour les y enfermer.

Comme il quittait l'Institut, il frissonna, surpris par le vent glacé qui agitait les branches des bouleaux violemment éclairées par le soleil. L'hiver arrive bien tôt cette année, pensa-t-il tristement. Une tache cuivrée sur le sol brun attira son attention. Le papillon était mort. Soldatov se dirigea vers le parking et prit le chemin de la maison pour retrouver Valentina.

A quelque dix mille kilomètres d'Akademgorodok, Frank Rhind roulait régulièrement sur la Nationale US 16. Il avait quitté Rapid City deux heures auparavant. Il grimpait maintenant vers les Black Hills du Dakota du Sud. La neige tombait dru... On commencerait à skier tôt cette année dans la région. Le frottement continu des chaînes contre la route irrégulièrement enneigée avait sur Frank un certain pouvoir hypnotique. Il y avait peu de circulation. De temps à autre, on croisait un énorme poids lourd se dirigeant vers Rapid City ou Pierre. Mais, dans ce sens-ci, la route était pratiquement déserte. Pour se tenir éveillé, Frank Rhind se mit à calculer l'heure probable de son arrivée. Le Wyoming était à une trentaine de kilomètres. Il

fallait compter ensuite cent soixante kilomètres jusqu'à Gillette avant de trouver la soupe chaude de Cathy et les programmes de télévision de la soirée. Il aurait peut-être même la chance de voir les enfants avant leur coucher. Bon, disons encore trois heures. Étant donné l'état de la route, on ne pouvait guère dépasser les soixante kilomètres à l'heure.

A l'embranchement de Pringle, il aperçut un panneau signalant une déviation. Il l'aurait à peine remarqué, tant la neige était dense, sans les feux rouges clignotants de la voiture de police garée tout près. Le gendarme, recroquevillé au volant, leva une main gantée au moment où Frank Rhind passait à côté de lui.

Rhind jeta un coup d'œil à la carte qui se trouvait sur le siège avant de la voiture. Avec un peu de chance, cette déviation n'aurait pas plus de trois ou quatre kilomètres. Sans doute un accident. Un camion se sera mis en travers de la route. Il y avait un bled par là. Il prit la carte et la regarda à la lueur du tableau de bord. Hays. C'était cela, Hays. Il n'y était jamais allé. Quelques maisons sans doute et une pompe à essence. De là partait une petite route qui rejoignait la Nationale. Ce serait sans doute à ce carrefour que s'arrêterait la déviation.

La température continuait de descendre. Même dans la voiture, avec le chauffage ouvert à fond, il ne faisait pas chaud. La neige s'amassait contre le pare-brise. Le ciel de fin d'après-midi était d'un blanc jaunâtre. Quelques kilomètres plus loin, Frank Rhind aperçut, à travers les rafales de neige, une demi-douzaine de lumières éparses. Ce devait être Hays. Si ça continuait comme ça, il ne verrait sûrement pas Cathy ce soir, ni les enfants. Est-ce qu'il y aurait un motel à Hays ? Je parierais que non... mais il peut y avoir...

Des collines noires, qu'on apercevait derrière Hays, arrivait quelque chose que Rhind n'avait jamais vu, quelque chose qu'il pensait ne pas pouvoir exister. Au milieu des tourbillons de neige, une colonne blanche, apparemment solide, tournoyant sur elle-même, dressée vers le ciel, se dirigeait à toute vitesse vers les lumières éparses de Hays, distantes d'un peu plus d'un kilomètre. Même à l'intérieur de la voiture hermétiquement fermée, Rhind pouvait entendre un grondement sourd et continu. Puis les lumières s'éteignirent d'un coup, comme si quelqu'un avait fermé un énorme interrupteur. La colonne tourbillonna un moment au-dessus de l'endroit où tout à l'heure scintillaient les lumières puis s'éloigna avant de disparaître du côté des Black Hills.

Stupéfait, Rhind avait arrêté sa voiture. Brusquement, il prit conscience qu'il faisait terriblement froid et que le moteur ne tournait plus. Bien que la neige se fût arrêtée de tomber, il lui fallut plusieurs

minutes avant de le remettre en marche. La route était très étroite. Il ne tenta pas de faire demi-tour mais continua de rouler vers Hays. Ou plutôt vers l'endroit où Hays existait encore une demi-heure auparavant. Juste à l'entrée du village, il y avait un pont et, au-delà du pont, se dressait un mur de neige d'au moins quinze mètres de haut. De Hays, il ne restait aucune trace. La route se terminait après le pont, coupée par le mur de neige. Terrifié à l'idée de quitter la chaussée, Rhind se préparait à faire demi-tour lorsqu'il découvrit quelque chose d'extraordinaire. Près du mur de neige il y avait une colonne de glace ressemblant à une stalagmite. Il s'approcha et ouvrit la vitre de la voiture.

C'était une femme. Ou tout au moins il pensa que c'était une femme. Elle était prise dans la glace, comme dans un cercueil, toute droite sur la route. Le scintillement empêchait de voir distinctement le visage. Il semblait être tourné vers Hays. Frank Rhind ne souhaitait qu'une chose, s'éloigner du mur de neige. Mais il ne manquait pas de courage. En se tenant courbé pour affronter le froid perçant, il ouvrit le coffre et en sortit une grande clef anglaise. Puis, de toutes ses forces, il tapa, tapa sur la stalagmite. Il avait l'impression de frapper sur du granite. Finalement, en sanglotant, il remonta dans sa voiture et se dirigea prudemment vers la Nationale.

Le policier, toujours recroquevillé, était encore là. Il regarda Frank Rhind garer sa voiture près de la sienne. Il lui fallut beaucoup de temps pour comprendre ce qu'on lui racontait. Mais une des phrases de Rhind se grava pour toujours dans sa mémoire.

— Ça ressemblait à quoi ? C'était comment ? demanda-t-il. Écoutez, je dois faire un appel radio... Il faut que je sache exactement à quoi ça ressemblait...

Rhind le regarda un moment en silence.

— Ça ressemblait à Dieu, dit-il. Mais ça n'avait rien à voir avec aucun des dieux dont j'ai entendu parler.

ULTRA-CONFIDENTIEL. Classe A.

Ce document ne doit être mis en mémoire dans aucun système de classement.

Les destinataires sont personnellement responsables de son contenu.

Nombre d'exemplaires : Sept.

Destinataires : Le président des États-Unis (un) ; les membres du

Conseil national de la science (cinq) ; Dr William F. Stovin, professeur de climatologie à l'université de New Mexico (un).

Auteur : Melvin H. Brookman.

Fonction : Président du Conseil national de la science ; directeur de l'Institut de technologie du Connecticut.

Contenu : Extrait du rapport 66/10/8, émanant des services du président du Conseil national de la science, adressé au président des États-Unis.

Titre : *Effets des hautes pressions bloquées répétées sur les fluctuations climatiques.*

1. En référence à votre note 88. Le schéma explicatif suivant peut vous être de quelque utilité.

2. Depuis 1940, la planète se refroidit. La chute moyenne de la température est de l'ordre d'un demi-degré.

3. Ce changement n'est en lui-même nullement préoccupant. En effet, les variations saisonnières et même journalières sont nettement plus importantes.

4. Pourtant, on remarque une augmentation de la quantité de neige et de glace en haute altitude dans l'hémisphère Nord. Cela, s'ajoutant à la baisse de température mentionnée plus haut, provoque ce qu'on appelle des zones de « haute pression bloquée répétée », qui apportent avec elles des conditions climatiques extrêmes. Ces conditions peuvent persister plusieurs mois dans beaucoup de régions de l'hémisphère Nord.

5. Le climat aux latitudes de l'Amérique du Nord, de l'Europe et de l'URSS est dépendant d'un courant en anneau en haute altitude qui ceinture le globe d'ouest en est, le « Jet Stream ». Durant les décennies chaudes, par exemple, celles se situant avant 1950, ce courant fait autour de la terre un cercle presque parfait. C'est lui qui crée la succession de saisons sèches et humides. Mais lorsque l'atmosphère se refroidit, le Jet Stream perd de sa régularité. Il zigzague, d'abord vers le nord puis vers le sud, en s'affaiblissant. Il devient ainsi plus sensible à la température des mers, des glaces et des continents.

6. Les récentes conditions météorologiques en Amérique du Nord et ailleurs sont imputables à cet affaiblissement et à cette irrégularité du Jet Stream. Des zones de haute pression se sont établies au-dessus de la côte sud-ouest des États-Unis. Renforcées par la baisse de température de l'océan, elles font dévier le courant. Trop faible, celui-ci est incapable de repousser la « zone de haute pression bloquée ». Le sens dominant du courant s'établit alors nord-ouest-sud-est, partout au travers des États-Unis, à l'est des montagnes Rocheuses. La tendance du courant à se diriger vers le sud entraîne un refroidissement d'importantes parties de l'océan au sud de Terre-Neuve. Les hivers très rigoureux de 1977, 1978 et 1979 marquent

le retour à ce système après plus de cent ans de conditions climatiques relativement stables.

7. Cette baisse de la température de la mer amène une nouvelle déviation du courant en anneau. Ce qui crée une zone de « haute pression bloquée » à la hauteur des Iles britanniques.

8. En hiver, cela donne d'abondantes chutes de neige et de fortes gelées sur toute la Grande-Bretagne. En été, ces mêmes hautes pressions créent des zones de sécheresse persistante. L'été de 1976 dans l'Europe du Nord en est l'exemple classique.

9. Il suffirait donc que le sens du courant devînt incertain durant cinq ou six hivers relativement proches les uns des autres — avec un ensoleillement insuffisant en été pour faire fondre la neige —, et il s'établirait à cause du blocage des hautes pressions une couverture de neige sur toute la partie nord-est de l'Amérique du Nord. Ce changement risque d'être irréversible.

10. D'une façon similaire, des zones de haute pression bloquée répétée vers l'est apporteraient avec elles des neiges éternelles dans le nord de l'URSS.

11. Il est bien entendu de mon devoir de vous informer que ce modèle n'est qu'un de ceux qui ont été élaborés concernant le retour possible d'un âge glaciaire.

12. Je ne peux trop insister sur le fait qu'il est encore beaucoup trop tôt pour tirer des conclusions dramatiques de cette succession inhabituelle de « zones de haute pression bloquée répétée ».

3

— Serait-il possible que ce fût une arme ? demanda le président des États-Unis.

Au mur, derrière lui, était accrochée la bannière étoilée avec ses cinquante étoiles dorées. Il regardait, assis à son bureau de la Maison-Blanche, les visages des hommes et des femmes, au nombre de cinq, qui constituaient le Conseil national de la science. Une seule, parmi les personnes qui se trouvaient là en demi-cercle autour de la table ovale, n'en faisait pas partie. Ce Conseil national de la science, pensa le président avec amusement, est l'une de mes créations. Au départ — il y avait maintenant trois ans de cela —, sa fondation n'avait été qu'une manœuvre électorale pour rassurer les intellectuels américains. On établissait ainsi clairement que l'ordre des priorités serait le

même, aux yeux du président, pour la science et pour la défense. Le Conseil national de la science avait exactement, en apparence tout au moins, la même importance que le Conseil national de la défense. Malheureusement, les scientifiques ne s'accordaient pas entre eux. Encore moins que les militaires. De plus, il était pratiquement impossible pour un profane de comprendre leurs disputes.

— Est-ce que cela peut être une arme ? demanda de nouveau le président. Ces clichés — il tapota une pile de photographies glacées qui se trouvaient sur son bureau — pris par ce satellite (Big Bird, n'est-ce pas ?) nous montrent ce qui s'est passé dans une région isolée de la Sibérie. Ce pourrait être un bon terrain pour quelque expérience nouvelle. Et voilà que, soudain, cela survient ici. Deux fois en Alaska et maintenant dans le Dakota. Auraient-ils réussi à déclencher quelque chose de ce côté ? Un moyen de provoquer des tempêtes de neige artificielles ? Palsambleu ! — c'était un juron inoffensif qu'il tenait d'Eisenhower — ce serait très, très ennuyeux.

Melvin Brookman, président du Conseil national de la science, remua sur sa chaise. Les politiciens, pensa-t-il, n'ont qu'une chose en tête, les armements...

— Je ne crois pas, dit-il fermement. Qu'en dis-tu, Sto ?

Le président dirigea ses yeux bleu clair vers « l'invité » qui était assis à l'un des bouts de la table, à gauche. C'était donc lui, Stovin, l'homme un peu rude. Celui contre qui un certain nombre de ses assistants l'avaient mis en garde en privé, un à un et confidentiellement cela va sans dire ; bon, ce n'était plus un jeune homme, et cela parlait déjà en sa faveur. Le président était las des jeunes hommes dynamiques qui savent comment gouverner le monde et sont impatients de le montrer. Il regarda de nouveau Stovin. Il remarqua la bouche fine, l'impassibilité voulue du visage, les épaules étroites et le dos légèrement voûté. L'index droit de Stovin frappait doucement la paume de sa main gauche. Ce simple geste révélait une grande tension.

— Je suis entièrement de cet avis, dit tranquillement Stovin, ce n'est pas une arme.

Neuf hommes sur dix, pensa le président, auraient certainement sauté sur l'occasion pour dire ce que *c'était* à leur avis. Pas cet homme-là. Il faudrait lui poser la question.

— Alors, qu'est-ce que c'est ? demanda gentiment le président.

Stovin changea de position et, presque à regret, se mit à parler :

— Avez-vous lu, monsieur le président, le rapport de Melvin sur les « hautes pressions bloquées » ?

Il fit un petit signe en direction du président du Conseil national de la science qui se trouvait à trois sièges de lui.

— Oui, professeur Stovin, je l'ai lu.

— Et qu'en pensez-vous ?

— Il me semble, dit le président, que c'est moi qui vous ai posé la première question.

Pour la première fois, Stovin daigna sourire.

— Je vous demande cela, monsieur le président, simplement parce que je pense que le phénomène dont nous parlons... cette chose qui a tué dix-neuf personnes dans cette commune du Dakota... est une de ces tornades — à petite échelle — provoquées par le changement de sens du courant en anneau en haute altitude dont parle Mel Brookman. Un changement violent dans la structure de l'atmosphère, un refroidissement ponctuel... c'est quelque chose que nous n'avions jamais vu auparavant, bien que Peary ait déjà observé un phénomène qui ressemblait à cela, au pôle Nord.

— Informations douteuses, ne provenant pas d'un scientifique mais d'un explorateur, dit la femme qui se trouvait près de Stovin. Ce ne sont pas des preuves.

Discrètement, le président regarda le plan de table qu'il avait devant lui sur son bureau. Une nouvelle... c'est la première fois que je la vois... professeur Ruth Wakelin, biologiste attachée à la Marine à CalTech. Avec ces yeux et ces cheveux-là, elle a dû être très belle. Ces trois autres sont l'agronome Donleavy, le botaniste Chavez de Berkeley et... Breitbarth — le président jeta de nouveau un coup d'œil à son plan — ah ! oui, l'anthropologue. Comme Wakelin, c'est la première fois qu'il assiste à nos réunions.

— Eh bien, si quelques-uns de nos proches se trouvaient dans les cercueils de Hays, dit doucement le président, nous penserions sûrement que c'est la preuve de quelque chose.

Il se tourna vers Stovin.

— Pensez-vous, professeur, que cela se reproduira ?

— Certainement. Mais ce n'est pas important en soi.

— Des êtres humains sont morts, professeur Stovin. Donc cela est important.

Stovin se redressa légèrement.

— Le temps tue tous les jours. Les sécheresses, les inondations, la neige, le soleil, le froid, le brouillard. Nous y sommes habitués, donc nous pensons que c'est dans l'ordre. Cette chose nous préoccupe parce qu'elle est nouvelle. Elle est tellement nouvelle que l'homme ne l'a jamais observée depuis qu'il est devenu un homme. Ce n'est pas quelque chose qu'on trouve dans les livres d'histoire. Ce qui est arrivé

à Hays — et aussi à Ziba si l'on en croit ces photographies — se produira de nouveau. Et ce sera peut-être plus grave.

— Plus grave ?

— Ces phénomènes peuvent s'étendre... s'amplifier. Cela peut atteindre une ville. Par exemple, Reykjavik... ou Aberdeen... ou Mourmansk... ou Seattle. Des milliers de morts en perspective. Mais même cela, monsieur le président, ne serait pas important par rapport à ce que nous sommes en train de débattre.

— Il semble, professeur Stovin, que nous n'ayons pas la même idée de ce qui est ou n'est pas important.

Le président remarqua que, de nouveau, l'index droit de Stovin frappait régulièrement la paume de sa main gauche.

— Ce qui est important, monsieur le président, ce n'est pas ce que ces phénomènes apportent sur le plan local, mais ce qu'ils signifient en fin de compte. Ce qu'ils augurent — et je donne au mot toute son ampleur — est terrifiant. C'est quelque chose que personne, ni les scientifiques, ni vous, ni le président de la République française, ni le premier ministre de Grande-Bretagne, ni le chancelier de l'Allemagne de l'Ouest ne pouvez vraiment comprendre.

— Mais vous, oui, professeur Stovin ?

La biologiste émit un petit rire vite réprimé. Stovin ne souriait pas.

— Moi moins qu'un autre, monsieur le président. Je suis un homme qui a entrouvert une porte et qui regarde dans une pièce plongée dans le brouillard. Je vous assure que je me sentirais beaucoup mieux si je n'avais jamais touché cette porte. Au moins, je continuerais de croire ce que je croyais jusqu'à ces derniers mois. Je pensais que je pouvais vivre tranquillement ma vie et mourir en laissant aux générations à venir le soin de régler cette sorte de problèmes. Maintenant, je sais que ce n'est pas possible. Je n'ai que quarante et un ans, monsieur le président. J'ai encore beaucoup de temps devant moi.

Melvin Brookman, mal à l'aise, remua de nouveau sur sa chaise. Stovin ne change vraiment pas, pensa-t-il. Cet homme si réservé aime au fond les effets dramatiques.

— Pour reprendre tes propres paroles, Sto, l'ombre que tu projettes est terrifiante. Monsieur le président, j'ai demandé au professeur Stovin de se joindre à nous cet après-midi parce qu'il représente un certain point de vue. Bien que ce point de vue lui appartienne en propre, je pense qu'il ne verra pas d'objection à ce que je dise qu'en partie au moins il le partage avec quelques autres personnes. Avec moi, par exemple, sur un certain nombre de points, ajouta en souriant Brookman.

— J'ai l'impression, professeur Stovin, dit le président, que vous ne partagez pas les vues exprimées par le professeur Brookman au paragraphe douze de son rapport.

— En effet, répliqua Stovin, je ne pense pas qu'une telle conclusion soit prématurée. Je pense qu'elle arrive un peu tard.

— Un peu tard ? Que voulez-vous dire exactement par là ?

Stovin regarda le président comme s'ils étaient tous les deux seuls dans la pièce.

— Ce que j'avance est si énorme qu'on peut difficilement le concevoir. Pourtant, j'avance des choses qui sont déjà arrivées... En premier lieu, augmentation des changements atmosphériques en général : multiplication des sécheresses, des inondations, des étés brûlants, des hivers rigoureux. Puis, bouleversements brutaux au niveau du climat et de l'agriculture dans les régions situées près de l'équateur. Certains de ces changements ont déjà eu lieu comme vous le savez mieux que nous, monsieur le président... Sécheresses au sud du Sahara et en Éthiopie, absence de mousson dans la partie nord-ouest de l'Inde. Printemps tardifs et automnes précoces aux latitudes élevées occasionnant la destruction des récoltes, en particulier au Canada et en Sibérie. Modifications remarquables dans la forme des migrations des oiseaux, des mammifères et des poissons... Si vous ne me croyez pas, monsieur le président, posez des questions à vos zoologistes sur les caribous, les tatous et certains papillons tels que la danaïde. Et si vous voulez d'autres preuves, professeur Wakelin — Stovin se tourna si brusquement vers la femme assise à ses côtés que celle-ci eut un mouvement de recul —, interrogez-les donc sur la morue. Chacun sait que la morue a quitté son traditionnel habitat d'Islande pour s'installer trois cents kilomètres plus bas, vers la Grande-Bretagne. La morue est un poisson d'eau froide mais elle n'aime pas que la température descende trop bas. Ce qui est maintenant le cas dans les eaux islandaises. Ne vous êtes-vous jamais demandé pourquoi, professeur Wakelin ?

Ruth Wakelin ne répondit pas. Après une petite pause, Stovin ajouta :

— Et, maintenant, nous avons le rapport Lithman.

Brookman remua de nouveau sur sa chaise.

— Vous vous souvenez, monsieur le président, que le professeur Lithman est mort la semaine dernière.

— Lithman, dit Stovin, était le climatologiste numéro un des États-Unis. Ces quatre dernières années, il a travaillé sur un certain arbre du Nouveau-Mexique. Une sorte de pin qui vit plusieurs siècles. A partir de ses anneaux, on peut déduire les fluctuations climatiques du

passé avec une étonnante précision. C'est une méthode complexe mais qui marche. Pour beaucoup de régions du monde, c'est le seul système efficace pour connaître le climat des époques qui nous ont précédés.

— Et alors ? demanda le président.

— Si l'on observe ce qui s'est produit dans un passé proche, on peut prédire le futur immédiat. Les anneaux des arbres étudiés par Lithman sont tout à fait clairs. Ils nous indiquent la venue imminente de conditions climatiques approximativement trois fois plus rudes que celles qu'a connues l'humanité au milieu du XVIIe siècle, lorsque les Londoniens faisaient rôtir des bœufs sur la Tamise. Depuis, on a appelé cette période le « petit âge glaciaire ». Mais celui qui nous attend ne sera pas petit.

— Et quand va-t-il commencer ?

— Il a commencé. Jetez un coup d'œil sur la terre de Baffin. Pendant tout le XXe siècle, il n'avait presque jamais neigé en été sur cette région. Aujourd'hui, la neige la recouvre en permanence. L'hiver de 1972 a été le tournant décisif — quelques mois seulement, pour ainsi dire une fraction de seconde à l'échelle du temps géologique. Mais, durant cette période, la couverture de neige et de glace a augmenté de douze pour cent dans l'hémisphère Nord. Et cette couverture n'a pas fondu l'été suivant.

— Oui, Sto, nous avons lu les conclusions du rapport Kukla-Matthews, dit Brookman. Mais il y a de nombreuses objections qui nous interdisent de les accepter telles quelles.

— N'émit-on pas aussi quelques objections lorsque Galilée avança que la Terre tournait autour du Soleil ?

— Quelles sont exactement les conclusions du rapport Kukla-Matthews ? demanda doucement le président. J'ai l'impression d'être le seul à ne pas les avoir lues.

— Ce sont celles de deux climatologistes. Ils affirment que nous sommes très proches d'un changement rapide et brutal du climat, dit Brookman. George Kukla travaille à l'Institut Lamont-Doherty à New York ; il affirme que six hivers comme celui de 1972, relativement proches les uns des autres, signifieraient le retour, dans l'hémisphère Nord, des conditions climatiques existant il y a vingt mille ans. Pour vous donner une idée, monsieur le président, je vous dirai qu'à cette époque l'emplacement de la ville de Chicago avait une couverture de glace d'environ un kilomètre et demi d'épaisseur. Ces affirmations me sont apparues alors totalement farfelues et m'apparaissent encore comme telles.

Le président prit la carafe qui se trouvait sur son bureau, se versa un verre d'eau glacée et se mit à boire lentement.

— Un kilomètre et demi d'épaisseur de glace ? dit-il enfin. C'est une plaisanterie, n'est-ce pas ? Tout ce que j'ai jamais réussi à comprendre dans ce genre de chose c'est que le processus est extrêmement lent. Cela prend des siècles, non ?

Stovin se pencha en avant et commença à parler. Il parlait plus vite que d'habitude et il y avait une nuance d'excitation dans sa voix :

— C'est parce que je pense avoir une réponse à cette question que j'ai été convié à cette réunion. Je ne suis pas ici pour annoncer un changement dans le climat. Beaucoup d'autres personnes l'ont prédit : Reid Bryson dans le Wisconsin, Stephen Schneider à Boulder, Hubert Lamb en Angleterre, Emiliani à Miami et d'autres encore tels que Robert Ardrey. Et, faut-il vous le rappeler, monsieur le président, votre propre CIA.

Stovin s'arrêta un instant. Breitbarth en profita pour prendre la parole :

— Ardrey ? J'ai lu sa démonstration, si l'on peut l'appeler ainsi. C'est un pur amateur.

— Alors, c'est un homme que je peux comprendre, dit le président d'un ton tranchant.

Puis il sourit pour atténuer l'effet de sa remarque :

— Un amateur. L'on peut dire cela de la plupart des présidents des États-Unis, vous savez.

Stovin reprit la parole comme s'il n'avait pas remarqué cet échange de répliques.

— Vous dites, monsieur le président, que le processus devrait prendre des siècles ? Eh bien, vous êtes en accord avec un grand nombre de météorologistes qui ont toujours pensé de cette façon. Mais je ne suis pas de cet avis. Malheureusement, je n'avais jamais réussi à fournir pour preuve autre chose que mes propres raisonnements. Et puis Mel — Stovin fit un signe en direction de Brookman — m'a envoyé les photographies prises par ce satellite, et aussi des films et des comptes rendus sur ce qui s'était passé à Hays. Alors, brusquement, j'ai vu ce qu'aucun homme n'avait vu depuis vingt mille ans. J'ai vu, j'ai vu... — pour la première fois Stovin cherchait ses mots — j'ai vu l'avenir qui surgissait.

Brookman remua sur sa chaise, et la femme à côté de lui haussa les épaules avec impatience.

— A la fin du siècle dernier, monsieur le président, des chercheurs russes se penchèrent sur le cadavre gelé d'un mammouth trouvé près du fleuve Beresovka dans le nord de la Sibérie. L'animal était parfaitement conservé. Si parfaitement que les chercheurs mangèrent un peu de sa chair. Quand on le découvrit, le mammouth se tenait

debout et il avait encore de la nourriture dans la gueule : des herbes, des coquelicots, de la laîche, des renoncules. Il était mort depuis quarante mille ans.

« Des douzaines de mammouths ont été découverts depuis dans les mêmes conditions et dans les mêmes circonstances. Et, à Pfedmost, un village de Moravie, dans un seul site de fouille, on a découvert les os de cinq cents mammouths qui reposaient l'un près de l'autre.

« Qu'est-ce qui a tué le mammouth de Beresovka, monsieur le président ? Et les autres ? Qu'est-ce qui a tué ces gigantesques animaux si rapidement et d'une manière si inattendue qu'ils étaient encore en train de manger au moment de leur mort ? Quelles sont donc les conditions climatiques qui permettent la croissance de coquelicots et de renoncules près d'un cours d'eau sibérien et qui, l'instant d'après, congèlent la flore et la faune, la mettant à l'abri — dans une sorte d'énorme congélateur naturel — de la putréfaction pour plus de vingt mille ans ? Et qu'est-ce qui a tué les cinq cents mammouths de Pfedmost ?

Stovin se pencha en avant. Ses yeux étincelaient :

— C'est pour cela, monsieur le président, que je vous ai dit tout à l'heure que les victimes de Hays et celles de Russie n'étaient pas la chose importante. Je pense que ce qui est arrivé à ces mammouths est exactement ce qui est arrivé aux habitants de Hays et de Ziba. Nous sommes en train d'assister à des phénomènes qu'aucun homme civilisé n'avait vu avant nous : le commencement catastrophique d'un nouvel âge glaciaire, qui fonce sur nous à une incroyable vitesse. Nous n'avons plus à nous demander si cela affectera la vie de nos petits-enfants ni même celle de nos enfants. Nous devons l'affronter maintenant, au plus tard dans l'espace des quelques années à venir. Des civilisations sont nées, sont mortes, se sont ranimées dans une espèce de rêve interglaciaire... quinze mille ans de chaleur nous ont bercés d'illusions, nous ont fait croire que l'histoire du climat s'arrêtait là. Que les choses continueraient toujours de cette manière.

« Malheureusement, le futur ne ressemblera pas au présent. L'avenir, c'est la glace pour une grande partie du globe. L'avenir, c'est moins de nourriture et moins de gens.

Stovin s'arrêta. Le président regarda Brookman :

— Il y a combien de temps, Melvin, que Jimmy Carter a demandé ce troisième compte rendu à la CIA concernant le rapport nourriture/climat à l'échelle mondiale ?

— Avril 1978, monsieur le président.

— Hum !

Donleavy regarda le président :

— En dehors de certaines extrapolations que Sto vient de faire et que je ne suis pas prêt personnellement à admettre, c'était un rapport assez juste, monsieur le président. Une chute d'un degré dans la température moyenne aurait pour effet une baisse de vingt-sept pour cent dans les récoltes. Deux degrés et demi provoqueraient une diminution de l'ordre de cinquante-quatre pour cent. En théorie, ce serait la condamnation d'un quart de l'humanité.

— C'est le piège dans lequel Ardrey — cet amateur que Stovin admire tellement — dit que nous nous sommes laissé prendre, à cause de cette chaleur qui dure depuis quinze mille ans tout à fait par hasard, dit Breitbarth en souriant.

Brusquement, le président se leva, et les six autres avec un certain embarras l'imitèrent.

— Merci, messieurs. Je crains d'être en retard pour mon prochain rendez-vous. Mel, je serais content si vous pouviez me donner le compte rendu dactylographié de cette séance dès ce soir.

Chacun présenta ses respects au président. Et tout le monde s'apprêtait à quitter le bureau ovale lorsque le président prit de nouveau la parole :

— Un instant encore, Mel. Et vous aussi, professeur Stovin.

Il regarda Brookman tandis que celui-ci calait sa grande carcasse dans la chaise. Ici est assis un homme raisonnable, pensa-t-il, un homme pondéré. Il aurait pu faire un honnête politicien. Il n'a rien d'un hurluberlu. Le président regarda encore les noms sur la liste des personnes invitées par Brookman pour la réunion d'aujourd'hui : un agronome, une biologiste de la Marine, un botaniste et un anthropologue. Et Stovin. Ce prophète de fin du monde. Une équipe de fin du monde, à vrai dire. Si Brookman pensait que Stovin est totalement dans l'erreur, il ne lui aurait pas demandé de se joindre à nous.

— Je voulais vous remercier, Mel, de m'avoir donné l'occasion de rencontrer le professeur Stovin. Professeur, on m'a dit que vous étiez un rêveur.

— Oui, monsieur le président ?

— « Regarde, voici le rêveur qui vient », murmura le président comme pour lui-même.

— Genèse, chapitre 37, dit Stovin.

Le président leva les sourcils :

— Vous lisez la Bible, professeur Stovin ?

— Parfois.

— Vous êtes croyant ?

— Non.

— Moi, si. Maintenant, nous pouvons nous comprendre... Je pense

que je reprendrai contact avec vous par l'intermédiaire de Mel. Merci d'être venu.

Stovin, derrière Brookman, allait quitter le bureau ovale, quand le président posa une dernière question :

— Ce chercheur, Kukla, n'est-ce pas ? Oui, Kukla. Il affirme que six hivers comme celui de 1972...

— Oui, monsieur le président.

— Et combien en avons-nous eu jusqu'à présent qui répondent à ce critère ?

— Cinq, monsieur le président.

Bureau de l'attaché à la présidence
Maison-Blanche
Washington

Au Dr William F. Stovin, Université du Nouveau-Mexique, Albuquerque.

Je vous remercie d'avoir accepté la mission que vous a proposée le président ce 19 courant par l'intermédiaire du professeur Brookman, et qui prévoit un voyage au Canada et dans le nord des États-Unis afin de rassembler une documentation qui sera remise personnellement au président :

1. sur la signification des phénomènes, pour le moment isolés, dont il a été question lors de la réunion du CNS du 8 ;

2. sur vos prévisions quant à la situation climatique dans un avenir immédiat.

Vous vous rendez certainement compte que cette mission et ce rapport vous sont confiés en propre. C'est une affaire entre vous et le président. Un grand nombre d'autres chercheurs se consacrent en effet d'une manière coutumière à ce domaine particulier.

Les autorités canadiennes nous ont déjà transmis leur accord en ce qui concerne votre visite. Le professeur Brookman vous fournira de plus amples détails. Il vous informera aussi du montant du crédit qui vous sera octroyé par le Service océanographique et météorologique national.

J'ai déjà remercié le professeur Miller de vous avoir dégagé de vos obligations à l'université d'Albuquerque.

Je vous prie de bien vouloir accepter mes meilleurs souhaits pour la réussite de votre travail.

Il n'est guère utile, je pense, de vous signaler que cette mission est strictement confidentielle.

4

Stovin essayait de se faire entendre malgré le ronflement de l'unique moteur de cent soixante chevaux. Le petit avion se dirigeait vers le sud-ouest. On apercevait de temps en temps, à travers les nuages, la côte déchiquetée, couverte de glace, du golfe de l'Alaska qui luisait à quelque neuf cents mètres plus bas. A côté de Stovin, le pilote était assis. Il était jeune et tenait une carte sur ses genoux. Il jetait de temps à autre un coup d'œil sur le trait qu'il avait tiré pour relier le terrain d'aviation d'Anchorage à Katmai Bay, distant de quatre cents kilomètres environ.

— Nous y serons dans combien de temps ? demanda Stovin.

Le pilote regarda la carte.

— Avec ce vent debout, peut-être deux heures. Mais le temps est en train de se gâter. Il est possible que nous soyons obligés de faire demi-tour. J'attends encore un quart d'heure avant de prendre une décision.

— Ce serait embêtant de faire demi-tour maintenant.

Je suis en Alaska depuis trois semaines, pensa Stovin, et je ne peux me permettre de perdre mon temps.

— Ce serait embêtant de devoir poser ce petit monstre dans un endroit comme le lac Tustumena. Pourtant, c'est là que nous aurions à passer les quatre jours à venir si nous prenions des risques, dit le pilote sèchement.

— Quatre jours ?

— En moyenne, oui. C'est le temps qu'il faudrait à une équipe de secours pour nous situer. Les hélicoptères ne peuvent pas voler par tous les temps.

Stovin émit un grognement mais ne répondit pas.

En bourdonnant, le petit avion émergea d'une longue bande de nuages gris. En dessous, la mer était étonnamment plate, avec juste quelques rides. C'était une illusion. Car si, à cette hauteur, les vagues ne semblaient pas plus grandes que des craquelures dans du verre, elles étaient suffisantes, au niveau de la mer, pour rendre la traversée du détroit de Cook particulièrement inconfortable. Attachés à leur siège dans la chaleur de la petite cabine, les deux hommes survolaient l'une des régions les plus désertiques, les plus inhospitalières et les plus dangereuses de la planète — un mélange de glace et de rocher, de toundra aride et de côte déchiquetée, où même la sterne de l'Arctique

doit lutter pour survivre. Pourtant, le feu est là, parmi les glaces. Tous les dix ans environ, des volcans entrent en activité.

Stovin regarda par la fenêtre de tribord. En direction du nord-est, bien au-delà du bout de l'aile de l'avion, tout contre l'horizon étincelant se dressait, terrifiante, une chaîne de montagnes en dents de scie de la couleur d'un canon de fusil. Le pilote tapota sur la carte.

— La chaîne Aléoutienne... elle descend vers le sud à travers toute la péninsule jusqu'à Umnak et aux îles Fox. Sacré pays...

Il se tourna légèrement sur son siège et indiqua le nord :

— On pourrait tourner le dos à Umnak et être en Russie dans six heures. On aurait assez d'essence. Mais on recevrait sûrement une roquette avant d'atteindre Providéniya.

Stovin regarda le pilote avec surprise.

— Une roquette ?

— Yak 28, avion de chasse tous temps. Les Russes en gardent quelques-uns en état d'alerte, là, derrière cette côte. Ils survolent quotidiennement le détroit de Béring. Juste pour le cas où quelqu'un déciderait de venir chez l'Oncle Sam par la voie difficile.

Il éclata de rire.

— Un très, très mauvais scénario, comme vous vous en doutez. Mais les Russes... ils aiment être sûrs.

— Vous en savez beaucoup sur eux ?

— Juste comme ça. J'ai été pilote militaire pendant un certain temps.

Et il se tut. Stovin le regarda, discrètement mais attentivement, pour la première fois depuis qu'il avait loué l'avion à Anchorage. Le pilote ne devait pas encore avoir trente ans. Il avait les yeux bleus et les cheveux noirs. Certains de ses traits étaient curieux, ils auraient pu appartenir à un étranger. Il avait dit à Stovin qu'il s'appelait Bisby. Un nom anglo-saxon. Pourtant, pensait Stovin, il pourrait presque être russe. Son visage plat et large, un peu triste, n'appartenait ni à l'Europe de l'Ouest ni à l'Amérique.

— Est-ce qu'on continue vers Katmai ? demanda Stovin.

— Je crois. Le plafond n'est pas trop mauvais, dit-il en souriant.

Et, soudain, Stovin le trouva extraordinairement sympathique.

— Il n'y a pas grand-chose à montrer aux visiteurs par ici. Le Katmai est encore ce qu'il y a de mieux. Il faut que vous ayez vraiment envie de le voir. Le voyage n'est pas donné.

Il y avait une légère interrogation dans sa voix. Mais, cette fois, ce fut au tour de Stovin de rester silencieux. Au bout d'un moment, Bisby remua les épaules.

— Si le Katmai est toujours en éruption, nous allons voir bientôt la lueur dans le ciel. Dans une demi-heure environ.

Pourquoi, pensait Stovin pour la vingtième fois, suis-je en train de faire ça ? S'il y a quelque chose de nouveau à trouver dans la théorie des volcans, ce n'est pas cette petite balade touristique d'un professeur — dont ce n'est même pas la spécialité — qui va aider à le découvrir. Ce sera découvert par une équipe, hautement spécialisée et entraînée, de l'armée de l'air, grâce à des échantillons de poussière prélevés à quelque dix-huit mille mètres par un U2 ou un appareil de ce genre, et grâce au travail de tout un laboratoire équipé d'ordinateurs. Mais il me semble que je dois toujours être là... en personne. Est-ce que je me méfierais des conclusions des autres ? Oui, je m'en méfie. J'ai toujours rêvé d'être un homme de la Renaissance — un savant qui en comprend assez... sur assez de choses pour avoir une idée d'ensemble. Bon, Lithman a pu se tromper sur les volcans. En tout cas, c'est ce que l'on dit. Lithman a vu les volcans comme la toile de fond nécessaire à la fin du monde. On dit qu'il a donné trop d'importance au facteur poussière. Mais est-ce bien sûr ?

Malheureusement, lui, Stovin, n'était pas un vrai vulcanologue. Il s'intéressait aux volcans... avec l'état d'esprit d'un homme de la Renaissance. Pas du tout comme Lamb en Angleterre, qui était parvenu à établir l'échelle du voile de poussière, qui permet de classer l'effet filtrant de tous les nuages volcaniques, avec comme point de référence le voile de poussière qui masqua durant des mois les rayons du soleil après l'explosion du Perbuatan dans l'île de Krakatoa en 1883. Selon la théorie de la poussière, les décennies d'activité volcanique intense sont aussi les périodes où la température du globe tombe en dessous de la norme. Mais les volcans sont-ils capables d'envoyer suffisamment de poussière dans l'atmosphère pour empêcher le passage des rayons solaires et déclencher ainsi un nouvel âge glaciaire ? Cette idée, bien sûr, ferait rire neuf chercheurs sur dix.

Toutefois, une chose est certaine : le taux de poussière dans l'atmosphère est en train de grimper. En ce moment, il y en a une sacrée quantité. Rien d'étonnant à cela, étant donné le nombre de volcans qui sont entrés en activité depuis deux ans : au Kenya, dans la Chine du Sud, dans les Balkans et au Pérou. Et maintenant, c'est au tour du Katmai, ici, en Alaska. Et cette éruption est la plus forte qu'on ait enregistrée depuis un siècle. Évidemment, personne en dehors des vulcanologues ne s'intéresse au Katmai. Rien de ce qui se passe ici ne peut affecter qui que ce soit. A moins, bien entendu, d'être un ours polaire.

— Le voilà !

La voix du pilote arracha Stovin à ses pensées. Juste devant l'avion, au-delà du reflet provoqué par l'hélice, on pouvait voir un nuage sombre aux bords roses scintillants, suspendu au-dessus de l'horizon. Un amoncellement de cumulo-nimbus, ressemblant à du coton sale, l'entourait. On avait l'impression que l'œil du volcan étincelait dans un visage livide. Cette impression ne dura pas. Comme le petit avion s'approchait, la lueur des cratères centraux — il y en a cinq, remarqua Stovin — devint le point d'attraction. Un grand voile de cendre luisante, en forme de tour, se déployait au-dessus des cratères, éclairé par le feu qui brûlait en dessous. On aurait dit une nuée de lucioles en train de danser. Fasciné, Stovin observait la scène en silence. Ça ressemblait au commencement du monde. Puis Bisby s'empara du manche à balai et se mit à virer brusquement.

— Je n'aime pas ça du tout, dit-il. J'ai vu le Katmai en éruption quand j'étais enfant, mais c'était un crachotement à côté de ce que je vois là. Je pense que nous ne devrions pas... Oh! Seigneur...

A moins de cinq kilomètres, une fantastique colonne de feu partait à l'assaut du ciel. Ils volaient maintenant à près de seize cents mètres, mais la colonne de feu s'élevait au-dessus d'eux. Elle montait si haut qu'il n'était plus possible de voir son sommet depuis la cabine. De cette direction parvenaient des millions d'étincelles qui retombaient comme un monumental feu d'artifice vers la terre et disparaissaient dans les nuages de poussière qui se trouvaient plus bas.

L'appareil avait viré si complètement que Stovin était maintenant obligé de regarder par-dessus son épaule. La colonne de flamme, de fumée et de cendre se transformait à présent en une sorte d'arbre gigantesque qui rappela à Stovin les pins parasols du campus d'Albuquerque.

— Je n'aime pas ça du tout, répéta Bisby.

Les mâchoires serrées, il scrutait à travers la vitre les nuages illuminés par l'explosion qui venait d'avoir lieu derrière lui.

— Il y a beaucoup trop de poussière... cette cendre peut nous être fatale... Nous sommes bien trop près... J'aurais dû...

Au même instant, une onde de choc secoua le petit appareil comme une feuille morte. Il oscilla vers la droite, vers la gauche, vers le haut, vers le bas... Stovin se souvint par la suite qu'il n'avait pas eu le temps d'avoir peur. Les mains de Bisby s'agitaient sur les commandes. Il n'était pas question de résister à l'onde de choc, ni même de contrarier les mouvements de l'avion. Il fallait au contraire tenter de le stabiliser dans le courant. Au bout d'un moment, l'appareil retrouva son équilibre, et la grande lueur s'éteignit peu à peu. C'était très difficile maintenant de voir le ciel. Des amas de cendre gris pâle s'étaient

accumulés sur la vitre. La main gauche de Bisby pressa vivement le bouton de l'essuie-glace qui se mit en marche. Le balai décrivit un arc de cercle et, au même instant, le moteur s'arrêta. L'hélice, impuissante, continua de tourner lentement pendant un instant. De l'extérieur parvint le sifflement léger du vent. Bisby poussa un juron.

— La cendre, cria-t-il. De la pierre ponce dans les soupapes...

L'avion perdait de l'altitude. A travers les trouées de nuages, Stovin pouvait voir le rivage déchiqueté de Katmai Bay. Comment atterrir là-dedans ? D'un côté, des blocs de rochers éclatés, projetés là par d'anciennes éruptions. De l'autre, au-delà de la côte, des blocs de glace, aux arêtes coupantes comme des lames de rasoir. Avec un calme qui le surprit lui-même, Stovin comprit qu'il n'avait plus — étant donné la vitesse avec laquelle tombait l'avion — que trois minutes à vivre.

Bisby modifia le cap. Ses yeux étaient fixés au-delà du nuage de poussière sur les cumulo-nimbus qui se trouvaient légèrement en dessous d'eux, sur leur droite. Le bout de l'aile gauche se leva silencieusement, et l'horizon parut basculer. Quelques instants plus tard, l'orage se refermait sur eux. La poussière sur la vitre se transforma en boue. Ils continuaient de tomber en silence, dans le noir, au milieu d'un monde aveugle.

La main de Bisby tira sur la manette jaune du démarreur. De très loin parvint une sorte de crachotement puis de toussotement. Bisby insista encore et encore. Le toussotement devint plus fort. Il y eut le début d'un ronflement qui s'arrêta puis, brusquement, le moteur se mit à tourner rond. Sur le cadran, la pression d'huile redevint normale. L'appareil reprit de l'altitude et sortit de l'orage. Il prenait sans aucun doute possible la direction du nord-est, c'est-à-dire celle de l'aérodrome d'Anchorage.

Bisby regarda Stovin.

— Je viens de faire une petite ex-pé-rien-ce, dit-il en détachant les syllabes comme s'il prononçait le mot pour la première fois.

— Où avez-vous appris cela ?

Stovin essayait de réprimer le léger tremblement de sa voix. Il n'y parvint qu'à moitié. Bisby fit semblant de ne pas le remarquer.

— D'un vieux pilote, un gars du Texas. Il y a longtemps, à Fort Worth. Il m'avait dit que ça marchait avec le sable à condition d'avoir de la chance et un orage à proximité. Les gouttelettes d'eau nettoient les soupapes, s'il n'est pas trop tard. J'ai pensé que si ça marchait pour le sable, ça marcherait sûrement pour la poussière.

Le dialogue en resta là, mais le silence était étonnamment amical. Une heure plus tard, après avoir survolé à basse altitude les

constructions hétéroclites d'Anchorage, ils atterrissaient sur la piste déserte. Stovin tendit la main à Bisby :

— Merci, dit-il, vous m'avez sauvé la vie. J'ai eu de la chance de choisir un bon pilote.

Bisby éclata de rire.

— Il s'agissait aussi de ma vie. Ce n'était pas totalement désintéressé.

— En tout cas, je vous dois un verre. Ce soir, ça vous va ? Je serai au Royal Hotel, Cinquième Rue Ouest.

— Je connais l'endroit. D'accord, vers sept heures.

— Très bien, dit Stovin.

C'est la première fois depuis six mois, pensa-t-il, que j'invite quelqu'un à boire un verre, en dehors de Diane Hilder.

5

Bisby, assis au bord de son lit, sortit une petite boîte du tiroir de la table de nuit et l'ouvrit. C'était une vieille boîte à biscuits en fer, hermétique, mais dont le couvercle — parce qu'il avait beaucoup servi — s'ouvrait facilement. Ses doigts fouillèrent à l'intérieur jusqu'à ce qu'il trouve ce qu'il cherchait. Il déposa la chose sur la paume rugueuse et large de sa main. C'était un petit crâne, de forme triangulaire, dont les dents de la mâchoire supérieure semblaient repoussées en avant par le rictus de la mort. La mâchoire du bas manquait. Les orbites, bien polies, luisaient doucement à la clarté de la lampe de chevet.

Bisby se pencha jusqu'à ce que la mèche de cheveux noirs qui barrait son front touche le crâne. Puis, il ferma les yeux et prononça quelques mots d'une voix basse, rauque et profonde :

— *Silap-inua... aiyee. Sedna... aiyee.*

Il resta courbé ainsi pendant un moment, souriant intérieurement, comme s'il se moquait de lui-même. Distraitement, de ses doigts carrés, il tapotait la petite amulette. Il poussa un soupir, replaça le crâne dans la boîte et la remit dans le tiroir. Il y avait quatre livres près de la lampe de chevet : l'*Histoire de la philosophie occidentale* de Russell, *Physiologie et Pathologie des dépressions* de Selve, *Mort dans l'après-midi* d'Hemingway et un volume jaune et bleu qui avait pour titre *Manuel de pilotage dans le détroit de Béring de l'amirauté britannique*. Bisby s'allongea sur le lit et ouvrit le roman d'He-

mingway. Il se plongea dans sa lecture pendant une petite heure puis se leva, prit une douche, enfila un pantalon bleu foncé et une chemise à carreaux et mit un anorak. Il était prêt à affronter le froid pour se rendre Chez Peggy en passant sous les éclairages urbains au néon de la ville d'Anchorage.

Un grand nombre de pilotes, spécialisés dans les vols polaires, mangeaient Chez Peggy. C'était un petit bistrot à la cuisine familiale dont les prix étaient abordables par rapport à ceux pratiqués couramment dans la ville. Mais Bisby n'avait envie de voir personne ce soir. Il s'installa à une table loin du bar, commanda un sandwich et une bière, et repensa à la journée qui venait de finir.

Un drôle de bonhomme, ce Stovin... ce type qu'il allait rencontrer ce soir. Il n'avait pas même paru inquiet lorsque le moteur s'était arrêté. Pourquoi voulait-il voir le Katmai ? Il a été envoyé par le gouvernement. Ça, c'est sûr. Il a payé la location de l'appareil avec des bons émis par la Banque d'Amérique. Pourquoi les gens du gouvernement ont-ils besoin de savoir ce qui arrive à Katmai ? Et s'ils veulent savoir quelque chose, pourquoi n'envoient-ils pas une équipe depuis un terrain militaire ? Ce type n'avait même pas un appareil de photo. On a failli y rester... quand le moteur s'est arrêté. En plus, c'était de ma faute. Je me suis approché trop près. Cette poussière de pierre ponce est mortelle pour les pistons. Et je le savais, je le savais. Mais pourquoi ai-je fait cela ? Je crois bien que c'est parce qu'il était assis là, si tranquillement. Je voulais lui donner un peu la frousse. On l'a eue tous les deux et peut-être moi plus que lui. Bon ! Bisby regarda sa montre. Il est temps d'aller boire ce verre.

Assis sur un tabouret au bar de l'hôtel, Stovin vit Bisby traverser le hall, jeter un coup d'œil autour de lui et, finalement, s'avancer vers lui. Ce n'est pas exactement un bel homme, pensa Stovin... trapu, presque massif, mais merveilleusement bâti. Il marchait en se balançant légèrement comme un marin. Il y avait quelque chose en lui qui attirait et retenait l'attention. Stovin remarqua deux filles, à l'autre bout de la salle, qui jetèrent des regards curieux au moment où Bisby passait près d'elles. Et ce n'était aucunement des professionnelles. Il se leva et sourit à Bisby au moment où celui-ci atteignait le bar.

— Salut !
— Salut ! Qu'est-ce que je vous offre ?
— Un whisky avec de la glace et de l'eau plate.
Bisby goûta le scotch en connaisseur :

— Il est très bon. Il faut le boire avec de la bonne eau. Pas de l'eau gazeuse. L'eau est très bonne par ici.

— Vraiment ?

— Oui, oui. Elle arrive des Chugach, ces montagnes qui se trouvent entre nous et le Canada. La ville pompe dans deux petits lacs vers l'est. Ils sont gelés une grande partie de l'année, naturellement, mais les tuyaux sont en profondeur sous la glace. C'est de la très bonne eau.

Quelques minutes plus tard, ils bavardaient avec une décontraction plus apparente que réelle. Ils se jaugeaient l'un l'autre. Cependant, ce fut une question de Stovin qui incita brusquement Bisby à parler de choses plus personnelles.

— Vous vivez ici depuis longtemps ? demanda Stovin.

Bisby le regarda en souriant, mais parut légèrement mal à l'aise.

— Je suis né là, monsieur. Enfin, pas exactement ici, mais à Ihovak. C'est une petite île vers l'étranglement du détroit de Béring. Nous l'appelons Ihovak.

— Nous ?

— Les Ihovakmiut... ceux qui vivent dans l'île. Ces sacrés Esquimaux comme ils... comme nous les appelons à Anchorage. Ils sont établis là depuis deux mille ans.

Stovin regarda attentivement Bisby avant de reprendre la parole :

— Vous ne semblez pas être très sûr si c'est « eux » ou si c'est « nous ».

Bisby ne changea pas d'expression mais, comme s'il était troublé ou énervé, son débit, ordinairement pondéré, s'accéléra.

— Oui, vous devez avoir raison, monsieur. Il y a quelque chose qui n'est pas facile pour moi.

Stovin lui adressa un sourire.

— Je vous en prie, ne m'appelez pas « monsieur ». Cela me fait penser à mon âge. Et je n'en ai pas envie.

Bisby remuait les cubes de glace dans son verre avec le bâtonnet qu'il avait trouvé près de la serviette en papier. Stovin remarqua avec un certain étonnement que la main du pilote tremblait légèrement. Il se servait propablement du bâtonnet pour dissimuler ce tremblement.

— Ne vous arrêtez pas maintenant, dit Stovin. Vous m'avez rendu curieux.

— Oh ! ce n'est rien d'extraordinaire. Je suis à moitié esquimau, à moitié blanc américain.

— Vous portez un nom américain. Non, ce n'est pas ce que je veux dire. Les Esquimaux sont américains... Votre nom a une sonorité anglo-saxonne.

— Mon père, James Bisby... était missionnaire. C'est ma mère qui était esquimaude. Elle était nuniungmiut. Elle faisait partie du Peuple.

Le débit de nouveau devint plus rapide, apportant un léger changement dans le ton de la voix :

— Je veux dire le Peuple avec un grand P. Elle n'était pas de la côte. Elle était originaire de l'île Nuvivak à huit kilomètres à l'ouest d'ici. Mon père l'a épousée dans le village de Kolo. Elle était chrétienne. Il l'a emmenée quand il est venu s'établir à Ihovak.

— Le Peuple ? interrogea Stovin.

Durant un instant, la nuance d'amertume dans la voix de Bisby devint plus sensible :

— C'est la manière dont les Esquimaux se désignent... enfin se désignaient eux-mêmes. Ils n'ont jamais été très nombreux, pas même autrefois. Et ils le sont encore moins aujourd'hui. Mais, durant dix mille ans, nous avons cru que nous étions l'Inuit — le Peuple. Toute cette sacrée humanité en quelque sorte.

— Et alors ?

— Nous avions tort, dit Bisby simplement.

De nouveau, il mélangeait « eux » et « nous ».

— Vos parents sont encore sur cette île ? demanda Stovin.

— Non, ils sont morts. Ma mère est morte quand j'avais quatre ans... de tuberculose. Elle en avait vingt-deux. Et mon père a disparu dans le Norton Sound, sept ans plus tard, avec trois Ihovakmiut, alors qu'il se rendait en bateau à Nome. Personne ne sait ce qui s'est passé.

— Je suis désolé, dit Stovin.

Bisby haussa les épaules.

— Il n'y a pas de quoi. Je me souviens à peine de ma mère — sauf qu'elle s'appelait Kikik et qu'elle était très affectueuse.

— Et que... je veux dire, comment êtes-vous entré dans l'armée de l'air ? Je croyais...

— Vous voulez dire que c'est hautement improbable pour un Esquimau de réussir à voler ? Et tout particulièrement dans l'armée de l'air ?

Bisby paraissait plus détendu maintenant qu'il avait raconté une partie de son histoire.

— A demi-esquimau, dit Stovin si tranquillement que Bisby ne parut pas entendre.

— Je suis sans doute l'exception qui confirme la règle. Après la mort de mon père, j'ai été élevé par un oncle, le frère de ma mère, à Ihovak. Il avait été l'assistant de mon père et était arrivé de Nunivak

avec mes parents. Il s'appelait Oolie. Après la mort de mon père, il devint pêcheur de baleines. Il désirait que je le devienne aussi.

— Et ? dit Stovin.

Bisby eut un petit rire.

— Pas *et,* professeur Stovin. *Mais* comme je commençais à apprendre, un ami de mon père arriva d'Anchorage. Le père de mon père — mon grand-père — était très riche. Il vivait en Californie. Il refusait de voir ce qu'il appelait « cette moitié d'Esquimau ». Il ne tenait pas à m'avoir près de lui mais il voulait faire son devoir. Il m'a donc envoyé à l'école, à New York, puis à Cornell. J'ai vécu avec une famille d'adoption à Murray Hill dans la Deuxième Avenue. Je ne suis jamais retourné à Ihovak depuis.

— Pourtant, dit Stovin avec curiosité, ce n'est pas très loin d'ici ? Si vous êtes revenu en Alaska, pourquoi, justement...

— J'aurais honte, dit Bisby.

Sa main se crispa sur le verre. Pourquoi lui ai-je dit cela, pensa-t-il. Stovin resta muet.

Après un moment, Bisby poursuivit :

— Ça n'a pas marché à Cornell... Je m'étais spécialisé en anthropologie, mais il y avait quelque chose qui n'allait pas. Je déteste mettre les gens dans des zoos intellectuels ou sur des kilomètres de pellicule. Aussi, je me suis dirigé vers l'école de l'air à Colorado Springs. Les avions de chasse, c'est plus facile. J'ai de bons réflexes.

— Je m'en suis aperçu, dit Stovin.

Bisby sourit franchement pour la première fois.

— Vous devez ça à mon côté maternel. Le père de ma mère s'appelait Katelo. On m'a dit qu'il était le meilleur *sivooaychta* qu'on ait jamais vu à Nuvivak. Et son père s'appelait Halo et avait été le meilleur avant son fils.

— Qu'est-ce que c'est qu'un *sivooaychta ?*

— Le *sivooaychta* est l'homme qui se tient à la proue, repère la baleine et lance le harpon. Il faut avoir des réflexes rapides.

— Je m'en doute, dit Stovin.

Il hésita un instant puis ajouta :

— Vous vous rappelez un tas de noms, de mots et de choses, si l'on songe que vous avez quitté l'île alors que vous étiez enfant.

— J'ai appris tout cela par cœur, dit Bisby simplement.

Stovin attendait qu'il continuât, mais le pilote garda le silence.

— Et maintenant, vous survolez l'Alaska pour votre propre compte ? Mais vous n'êtes pas retourné sur l'île.

— C'est ça, dit Bisby. C'est mon avion. Je l'ai acheté avec le reste de mon héritage. C'est tout ce que je possède.

A l'exception, pensa-t-il, de ce qui se trouve dans la boîte en fer-blanc. Mais ça, ce n'est pas son affaire. J'ai assez bavardé. C'est un homme avec qui il est trop facile de parler. Il est temps de changer de sujet.

— Et vous, professeur Stovin ? Vous m'avez dit que vous alliez rentrer prochainement. Avez-vous l'intention de revenir travailler par ici ?

— Peut-être, mais pas tout de suite. Je ne le pense pas vraiment.

Stovin regarda Bisby pensivement. Cette mission était confidentielle. L'attaché du président n'avait laissé planer aucun doute là-dessus. D'un autre côté, l'attaché du président était un politicien ou, tout au moins, il servait les politiciens. C'est une réaction d'homme politique de garder son jeu caché, de ne pas partager l'information. Mais ce n'était pas de cette façon que lui, Stovin, voulait engager la partie, ici, en Alaska. Il devait bavarder avec les gens qui avaient entendu parler de certaines choses, et voir des choses qu'il n'est pas possible de voir, qui ne sont même pas rapportées à Washington. Quelques jours auparavant, il était allé à Borrow visiter le grand laboratoire de recherche sur l'Arctique de la marine, tout au nord de l'Alaska. Il y avait là une foule de données... des informations qui représentaient des dizaines de millions de dollars. Températures de la mer, sens des courants, estimations de l'ensoleillement, vitesses des vents, cartes des formations glacières. Tout, quoi. Les données habituelles qu'on donne aux ordinateurs, qu'on ressort traitées, qu'on analyse de nouveau et qu'on interprète de douze manières différentes. En laissant peut-être passer la bonne interprétation qui, précisément, est la treizième.

Certes, ils font des modèles à partir des informations. Mais ils n'en font pas qu'un. Ils en font six. Et chacun sait que les modèles, en ce qui concerne le temps — quels que soient les sigles pompeux des équipes qui les construisent : CCAA, Cartographie climatique de l'Arctique et de l'Alaska, ou RECLIMAT, Recherches climatologiques —, sont sujets à des marges d'erreur considérables. Parce que, pensa-t-il avec ennui, l'ordinateur ne rend que ce qu'on lui donne. On ne peut pas mettre l'instinct dans le programme, donc le génie est absent. Que disait Diane à ce propos ? Ah, oui, que le sigle le plus approprié pour une équipe qui travaille avec un ordinateur c'est FOUEFOUS : foutaises à l'entrée, foutaises à la sortie. Si c'était ce genre de choses que le président voulait savoir, il aurait demandé à Mel Brookman. Il aurait eu un rapport sur son bureau dans les quarante-huit heures. Non, ce n'était pas pour cela qu'on l'avait envoyé dans l'Arctique.

— Dites-moi, avez-vous beaucoup d'amis par là ? Des amis esqui-maux, veux-je dire.

— Quelques-uns. Oui, j'en connais quelques-uns.

On avait l'impression que Bisby ne voulait pas approfondir le sujet. Mais Stovin avait pris sa décision. Il tira une petite clef en cuivre de sa poche et déverrouilla soigneusement la serrure du porte-documents en cuir noir qui se trouvait près de lui sur le bar. Il en sortit la pile de photos, prises par le satellite, que Brookman avait montrées au président.

— Avez-vous déjà, vous ou eux, vu quelque chose qui ressemble à ça ?

Silencieusement, Bisby regarda les photos pendant une minute ou deux. Puis il leva la tête vers Stovin. Son visage n'avait pas changé d'expression.

— Prises par un satellite, hein ?

— Pourquoi dites-vous ça ?

— J'en ai vu un tas dans l'armée. On ne peut pas se tromper... l'angle de prise de vue... Pourtant, elles sont très bonnes. On ne ferait guère mieux avec les moyens classiques de reconnaissance. La Sibérie, j'imagine ?

C'était à peine une interrogation. Stovin était étonné.

— Qu'est-ce qui vous fait croire que c'est la Sibérie ? Pour moi, ça ressemble à un tas de neige, rien de plus.

Bisby se mit à rire.

— Vous n'allez pas me montrer des photos de satellite de l'Alaska, du Canada, de la Norvège ou de la Suède. On obtient de bien meilleurs clichés si on les prend à plus basse altitude. De toute façon, ça ne ressemble pas à l'Amérique du Nord.

Il posa son doigt sur une tache sombre qui représentait des arbres sur le bord d'une des photos.

— Regardez. Il y a des sapins et des mélèzes éparpillés çà et là, mais la plupart des arbres sont de bons vieux bouleaux. On ne trouve pas facilement ce genre de plantation de ce côté.

— De quel côté ?

— De ce côté du détroit de Béring, professeur Stovin.

Stovin secoua la tête. Il se sentait légèrement déconcerté.

— Vous avez raison. Ces photos sont bien des photos de la Sibérie.

— De quel endroit ?

— Vers le fleuve Orbi. A Ziba, près d'Igrim.

— Je connais. A côté des installations pétrolières.

— Vous en savez, des choses ! dit Stovin.

Bisby se pencha légèrement en avant :

— Je ne sais pas exactement l'étendue de vos connaissances mais vous connaissez sans doute beaucoup de choses sur les volcans, monsieur. Beaucoup. Eh bien, moi, je suis un ancien pilote de l'armée de l'air et je connais les objectifs. Igrim était — et est encore, je suppose — un objectif. C'est donc mis en mémoire dans un endroit sûr et climatisé dans un bureau quelconque du Strategic Air Command. Donc, ça, je connais. Mais, quant à ceci — son doigt indiquait une longue traînée sur la surface glacée de la photo —, je n'ai jamais vu quelque chose qui ressemble à cela moi-même.

Stovin se redressa et remit les photographies pêle-mêle dans leur enveloppe.

— Dommage. C'est pris de loin, mais... eh bien ! vous savez, dans la mesure où vous volez sans arrêt au-dessus de cette région, j'avais pensé qu'il y avait peut-être une chance que vous...

— Je n'ai jamais vu une chose comme cela *moi-même,* reprit Bisby avec insistance. Mais j'ai parlé à des gens qui l'ont vue.

Stovin s'arrêta de remettre les photos dans l'enveloppe. Bisby s'empara de l'une d'entre elles et passa de nouveau son doigt sur la surface.

— On ne peut pas être absolument sûr, mais je parierai bien que ça... ce qu'on voit là... a été fait par un Danseur.

Stovin attendait. Distraitement, Bisby remua le dernier petit cube de glace qui était en train de fondre dans son verre et reprit la parole :

— Quand j'avais une dizaine d'années, je fis un voyage avec mon père là-haut sur le fleuve Inglutalik, dans la péninsule de Seward, tout à fait au nord. Nous allâmes sur le continent parce que mon père avait l'intention, je crois, de créer une mission dans cette région particulièrement hostile, au nord d'Umlakeet, qui attirait alors un grand nombre de trappeurs blancs. Mon père disait que, là où il y avait des trappeurs, il devait y avoir une mission — pas pour les Blancs, pour les Esquimaux. Toutefois, le projet ne prit pas forme : lorsque les trappeurs arrivaient les Esquimaux s'en allaient.

« Mais un vieil Esquimau était resté dans le village. Je me souviens encore de son nom... Kakumi. Il raconta à mon père des histoires sur le passé des Esquimaux. Mon père aimait beaucoup ce genre de choses — il mettait tout ça par écrit. Mais, je ne sais pas ce qui est arrivé à ses notes après sa disparition. Et, maintenant, personne ne remettra la main dessus. Mon père me raconta certains de ces récits. C'est ainsi que j'appris, grâce à Kakumi, qu'à une époque reculée une partie de forêt là-haut, juste en dessous de Ungulik, avait reçu la visite de ce qu'il appelait un Danseur.

« Mon père parvint à convaincre Kakumi de l'emmener là-haut.

Malheureusement, je tombai malade juste à ce moment-là et ne pus aller avec eux. A son retour, pendant des semaines, mon père n'arrêtait pas de parler de ça. Il disait que c'était comme si le doigt de Dieu s'était posé sur la forêt pour y tracer un signe et avait effacé, tout simplement effacé, tout ce qui se trouvait sur son passage. Ce signe avait presque deux kilomètres de long, m'a dit mon père. Mais ce n'était pas du tout la manière de voir de Kakumi. Il disait que c'était les traces de pas d'un Danseur.

— Que voulait-il dire par là ?

— Les Esquimaux croient, dit Bisby — et Stovin eut soudain l'impression que le pilote évitait soigneusement son regard —, que leur vie dépend de Sedna. Sedna est une vieille femme assise au fond des mers. Elle règne sur le monde marin : les phoques, les baleines, sur tous les poissons. Donc, sur ce que mangent les Esquimaux. Il s'ensuit que c'est grâce à elle qu'ils mangent ou ne mangent pas. Vous me suivez ?

Stovin acquiesça, mais ne répondit pas.

— Eh bien ! dans tous les villages, le chaman, celui qui parle à Sedna, danse pour elle la danse du harpon, et d'autres danses encore, pour lui plaire, pour la faire rire et pour qu'elle voie ce que mangent les Esquimaux. Et, parfois, Sedna envoie ses propres danseurs. Ils entrent dans la maison quand tout le monde est assemblé, que l'obscurité n'est troublée que par la lueur du feu et que tout est tranquille. C'est du moins ce qu'ils croient.

— Mais sûrement, cela ne...

— Et, de temps en temps, poursuivit Bisby sans tenir compte de l'interruption, Sedna envoie un de ses époux pour danser. Et ce dernier est plus grand qu'une montagne, plus large qu'un lac et plus profond qu'un précipice. C'est ce que Kakumi a dit à mon père.

— Et pourquoi Sedna fait-elle cela ? demanda Stovin. Je veux dire, pourquoi les Esquimaux croient-ils qu'elle fait cela ?

Bisby haussa les épaules :

— Ils disent qu'elle fait ça quand elle veut signifier aux Esquimaux que leur temps est passé. C'est ce que le Danseur vient annoncer. Je me souviens de mon père en train d'écrire : « Dire aux Esquimaux que leur temps est passé. »

— Un ange de la mort, en quelque sorte, dit Stovin pensivement. Il y a combien de temps que c'est arrivé ?

Bisby remua légèrement les épaules.

— Mon père m'a dit que les traces sur le sol étaient si anciennes que les lichens avaient presque complètement recouvert la souche des arbres. Il y avait aussi des amoncellements de grosses pierres tout au

long de la traînée laissée par le Danseur. Et Kakumi a dit à mon père que son arrière-arrière-arrière-grand-père avait déjà parlé du Danseur à son arrière-arrière-grand-père.

— Je me demande combien de temps ça fait ?

— Eh bien ! mon père pensait que c'était arrivé un peu avant 1700. Autant qu'on puisse calculer. Mais, évidemment, ce n'était qu'une supposition.

— Oui, bien sûr.

Stovin réfléchit un moment tandis que Bisby l'observait. Puis, il reprit la parole :

— Et c'était le dernier Danseur enregistré par les Esquimaux ?

— Non, dit Bisby.

Stupéfait, Stovin reposa le porte-documents et regarda Bisby.

— Il y en a eu d'autres ? Où ? Quand ?

— Un autre, dit le pilote. En tout cas un dont j'ai entendu parler. C'était tout là-haut, dans la mer de Beaufort. Au pays des Kugpagmiut. Je connais un Esquimau, un Kugpagmiut qui s'appelle Awliktok, je le vois de temps en temps quand je vais à Barrow. Il a de bons amis de l'autre côté de la frontière. D'ailleurs, la frontière ne signifie pas grand-chose pour un Esquimau. Il m'a dit qu'il y avait eu un Danseur là-bas près de Mackenzie Bay. Le Danseur s'est abattu sur une section de forêt et de côte d'au moins un kilomètre de long. Trois cents caribous auraient été tués. Mais aucun Esquimau. Il n'y a pas beaucoup de monde dans les parages à cette époque de l'année.

— Et c'est arrivé quand ?

— Un mois environ.

Stovin n'y croyait pas.

— Un mois... impossible. Nous n'avons eu aucun compte rendu. Personne n'en a parlé.

— Les Esquimaux en ont parlé beaucoup, professeur Stovin. Mais qui diable fait attention à ce que disent les Esquimaux ? Et je vais vous dire encore autre chose, et ça non plus ce n'est pas une légende. Vous pourrez vérifier l'information auprès des pêcheurs. Les baleines, cette année, descendent très tôt vers le sud. Il y en a six, huit, peut-être une dizaine qui ont été repérées à Barrow la semaine dernière : elles descendaient toutes vers le sud. C'est très, très tôt. Elles passent l'été dans le Beaufort à la recherche de nourriture. Awliktok m'a dit que les baleines étaient toutes là, en rang près de la côte, pour observer le Danseur. C'est naturellement la façon de parler des vieux Esquimaux.

— Oui, bien sûr, répondit Stovin.

Son esprit travaillait à toute vitesse.

— Si je restais ici, disons, cinq jours de plus ou peut-être une

semaine, pourriez-vous me faire survoler l'endroit? C'est quoi Mackenzie Bay?

Bisby fit la moue :

— Difficile. C'est au Canada. Il n'est pas facile d'obtenir l'autorisation de survoler le Beaufort. L'armée de l'air canadienne a pas mal de détecteurs radar tout au long de la côte. Je suis convaincu qu'elle n'aimerait pas voir un petit avion passer là tranquillement et prendre des photographies. J'imagine que vous avez l'intention de prendre des photographies.

Stovin approuva.

— Ne vous en faites pas pour l'autorisation. Je l'obtiendrai.

Bisby le regarda avec curiosité :

— Vous en êtes sûr?

Stovin fit un léger signe de tête.

— Eh bien! si vous en êtes sûr, professeur, je crois que nous allons faire un petit tour au-dessus du Beaufort. J'ai un oncle qui pêchait là-bas autrefois.

— Et qu'est-il devenu?

— Il s'est noyé.

Extraits d'une lettre du professeur Stovin au professeur Diane Hilder, département de zoologie, Université du Nouveau-Mexique, Albuquerque

... C'était une côte vraiment étonnante, un petit peu comme celle du Norton Sound mais plus rectiligne. D'après Bisby, la glace, en cet automne, est bien plus abondante que d'habitude, mais elle ne formait pas encore un seul bloc; un tas de petits icebergs dérivaient près du rivage. L'océan est assez peu profond à cet endroit, et quelques caribous couraient au bord, fumant dans le soleil. Nous avons dû les effrayer car nous volions à moins d'une trentaine de mètres. A mon avis, ça nous laissait peu de possibilité d'erreur. Mais Bisby est un bon pilote.

Le Danseur dont m'a parlé Bisby semble être venu?... — avoir visité?... avoir dansé?... — à environ un kilomètre ou deux de Demarcation Point qui se trouve à la frontière du Canada, à l'embouchure du fleuve Mackenzie. Comme tu t'en doutes, les eaux du fleuve sont nettement plus chaudes que celles de l'océan. Aussi font-elles fondre la glace sur au moins cinq kilomètres. Il y avait aussi un peu de neige mais surtout, ce qui était plus inattendu, des plaques de végétation estivale en train de mourir. Bien plus nombreuses que vers l'ouest où la couverture de glace est nettement plus

importante. Quand j'ai vu les pas du Danseur, cela m'a fait un choc. Il avait frappé sur une partie de la toundra qui n'était pas encore gelée. J'avais vraiment envie d'atterrir. Bisby a essayé de repérer un endroit possible. On est monté et descendu plusieurs fois. Mais, en fin de compte, il n'y avait rien de convenable à moins d'une trentaine de kilomètres. Et nous n'étions pas du tout équipés pour entreprendre une telle marche. Mais il est certain que ça vaudrait la peine pour quelqu'un de bien équipé de venir ici prélever des échantillons.

C'était réellement quelque chose de fantastique. Perpendiculairement à la côte, et s'enfonçant dans les terres sur au moins huit cents mètres, on pouvait voir une énorme falaise de glace. Le soleil très chaud la faisait fumer. Un peu de glace avait fondu sur les bords durant le dernier mois et avait dégagé une vingtaine de cadavres de caribous. Dieu sait combien il y en avait à l'intérieur ! Peut-être trois cents, selon les dires d'un Esquimau, ami de Bisby. Quelque chose aussi était là qui devrait t'intéresser. Un grand nombre de loups se trouvaient dans les environs. Deux cents sûrement, probablement plus. Deux bandes importantes, d'une centaine d'individus chacune, se déplaçaient ensemble à quelque cinq cents mètres du Danseur — je continue d'appeler ça ainsi car je ne sais vraiment pas quel nom lui donner. Quelques petits groupes d'une demi-douzaine étaient couchés ou allaient et venaient tout autour du Danseur. Je suppose qu'ils se nourrissent des caribous morts au fur et à mesure que ces derniers sont dégagés par la fonte de la glace. Ils attendaient comme s'ils savaient trouver un tas d'autres caribous à l'intérieur de la falaise. Intelligente supposition.

Diane, je serai à Boulder la semaine prochaine. Il faut que je me rende à Washington pour parler à Brookman, puis j'irai au CNRA. Je suppose que tu seras là-bas et que nous pourrons déjeuner ensemble. Tu me parleras du Canis latrans et je te raconterai des légendes esquimaudes. A propos, la règle du silence tient toujours. Ne dis rien à personne. En tout cas pas avant que j'aie obtenu les crédits du SOMN !

J'ai rendez-vous à l'instant dans le centre de Barrow pour prendre un verre avec Bisby. C'est un brave type qui réserve des surprises.

A bientôt donc, pour regarder, côte à côte, passer les voitures sur Lomax...

6

Oh ! Stovin, pensa-t-elle, tu me manques. Serait-ce à cause de ce petit baiser hebdomadaire sur la joue ? En tout cas, ça fait maintenant six semaines et tu me manques.

Elle jeta un coup d'œil à la pile de feuilles dactylographiées qui se trouvaient sur la table de la petite chambre donnant sur la fontaine inondée de soleil et sur l'ombre du bâtiment des langues. *Observations sur le croisement du* Canis rufus *et du* Canis latrans *dans les montagnes du Sang-du-Christ au Nouveau-Mexique,* l'étiquette blanche parfaitement dactylographiée se détachait sur la couverture jaune. Par Diane Hilder, professeur de zoologie à l'université du Colorado.

Eh bien! voilà. Dix-huit mois de travail... quarante-cinq mille mots... deux cent trente-sept diapositives. Ça ne va pas me rendre célèbre parce que personne, vraiment personne, ne peut devenir célèbre en faisant des recherches sur la copulation du loup rouge, dont il ne reste plus qu'une trentaine de spécimens dans tous les États-Unis, et du coyote qui abonde encore. Et, pourtant, il se pourrait bien qu'il s'agisse là d'une nouvelle espèce. Si les petits peuvent se reproduire entre eux, et si l'homme arrive à temps pour les protéger... Ainsi, pensa-t-elle, le vieux loup rouge, au bord de la disparition, de l'extinction, choisit de féconder quelques coyotes femelles. Et la race se transforme au lieu de s'éteindre. Très peu d'animaux sont capables de faire ça. Le chien, oui, avec notre aide. Mais le très intelligent vieux loup rouge fait ça tout seul. Est-ce que l'homme pourrait le faire s'il en avait vraiment besoin? Je me pose la question...

Maintenant, le moment était venu de quitter Albuquerque et l'université du Nouveau-Mexique pour retrouver le campus de Boulder. Seulement à demi intéressée, Diane s'interrogea sur ce qu'elle allait faire. On lui avait parlé de travailler sur les migrations saisonnières au Canada, mais rien n'était encore fixé. D'une certaine manière, elle n'était pas fâchée de retourner quelque temps à Boulder. Les montagnes du Colorado surgirent soudain devant ses yeux... et aussi les tas de bicyclettes enchaînées devant les constructions rougeâtres du campus de l'est... et les étudiants déambulant dans ce quartier surprenant du centre de Boulder. Avec ses pompes à essence et ses immeubles de bureaux, ses carrefours à angle droit et ses rues à sens unique qui brusquement se transformaient en un vieux quartier aux larges trottoirs ombragés où l'on trouvait d'innombrables librairies et de bonnes pâtisseries. Et, dominant le tout, les Flatirons se détachant à l'horizon avec, accrochées à leurs flancs, les lumières du Centre national de la recherche scientifique, scintillant comme une sorte de fantastique vaisseau dans le crépuscule. Oui, ce serait agréable de séjourner encore un peu à Boulder. Mais pas trop longtemps. Ne jamais rester trop longtemps quelque part, se dit Diane. Elle reprit la lettre de Stovin. Elle contenait un certain nombre de phrases bizarres...

Les bâtiments de biologie se trouvaient de l'autre côté du campus. Diane se dirigea vers eux lentement, savourant le soleil du Nouveau-Mexique. Des papillons crème, rayés de jaune, à la queue d'aronde, se reposaient sur les fleurs. Ils remuèrent légèrement à son passage.

Il n'y avait pas grand monde dans le bâtiment. Diane grimpa les escaliers et emprunta le couloir qui conduisait aux chambres des chercheurs. A sa grande surprise, elle trouva l'homme qu'elle voulait voir.

— Salut, Frank. Je te cherchais.

L'homme, assis à la table devant la fenêtre, posa sa revue — Diane remarqua qu'il s'agissait du magazine scientifique anglais *Nature*. Elle sourit.

— Ah ! dit-il, il fallait que ça arrive. C'est ce nouvel after-shave que j'utilise depuis quelques jours. Je te demande une seule chose, Diane, sois gentille avec moi.

— Pas d'inquiétudes à ce sujet, dit-elle en riant, je ne m'approcherai pas. J'ai bonne mémoire. Non — elle fit un pas en arrière comme il tentait de l'attirer vers lui, car le geste n'était pas entièrement innocent —, je veux simplement te demander quelque chose.

Pourquoi fallait-il qu'elle soit obligée chaque fois de faire cette petite danse ? Van Gelder était un homme de quarante-deux ans enfoncé dans le mariage jusqu'au cou. Mais il était parfois aussi fatigant qu'un adolescent. Heureusement, il savait beaucoup de choses sur le *Canis lupus :* le loup gris, le prototype, l'ancêtre de tous les autres.

— Demande toujours, dit Van Gelder sans se décontenancer.

— As-tu entendu parler de loups gris cherchant activement de la charogne ?... Je veux dire la chair d'animaux morts depuis un certain temps.

Lorsqu'on lui posait une question importante, Van Gelder devenait sérieux et attentif.

— *Canis lupus,* dit-il pensivement, cherche de la charogne s'il n'y a rien d'autre. Alors, c'est souvent des cadavres humains. Tu sais, les vieux cimetières. On a un tas de documents des siècles passés sur ce sujet, en particulier d'Écosse et d'Europe centrale.

Diane eut un petit frisson involontaire qui, heureusement, ne fut pas remarqué par Van Gelder.

— Non, dit-il, le loup gris aime la chair fraîche. Quand il en trouve.

— Donc, tu n'imagines pas des loups gris — en grand nombre — attendant pour qu'apparaisse de la charogne, lorsqu'il y a des caribous vivants dans les parages ?

— Si un loup gris se comportait ainsi, ce serait une conduite

individuelle. Non, je n'imagine pas du tout une bande de loups en train d'agir de la sorte. Mais qu'est-ce que tu veux dire par « en attendant que de la charogne apparaisse » ? Tu veux parler de dépôts d'ordures, de choses de ce genre ?

— Oui, c'est ça, répondit Diane évasivement.

— L'ours polaire fait ça, oui. Il recherche les dépôts d'ordures qui se trouvent près des bases de l'Arctique. Il y a eu une étude écrite là-dessus — Ingram, je crois. Mais pas les loups. Et sûrement pas en bande.

Diane fronça les sourcils.

— Les meutes de loups gris comprennent combien d'individus ?

Van Gelder la regarda avec étonnement :

— A peu près le même nombre que les autres loups, Diane. Tu le sais aussi bien que moi. Des familles de... six, huit, dix. Ça peut monter à une vingtaine s'il fait vraiment très froid.

— Jamais cent ?

Van Gelder éclata de rire.

— Certainement pas. Tu es en plein folklore, Diane. Quelle sorte de proie demande une centaine de loups pour être prise et partagée ? Vraiment ils n'ont aucune raison d'être si nombreux pour attraper trois ou quatre caribous. Et tu sais qu'aucun animal ne se disperse aussi vite que les caribous.

— Donc, ce serait vraiment surprenant de voir une centaine de loups ensemble ?

— Tu parles ! Il n'y a aucune raison, je te le répète, pour qu'une centaine de loups se groupent. Aucune raison depuis la mort du dernier mammouth.

Diane parut surprise :

— Le dernier mammouth ?

— Oui, dit Van Gelder. Au pléistocène, à la fin du dernier âge glaciaire, il n'y avait que deux créatures capables de s'attaquer au mammouth : le *Canis lupus* et l'*Homo sapiens*. Les loups et l'homme. L'homme inventa les pièges et les armes, le loup développa sa vélocité et ses dents. Et tous les deux apprirent à coopérer entre individus de la même espèce. Tu sais, il devait être vraiment impossible de tuer un mammouth par surprise au centre d'une plaine. Aussi, les loups l'attrapaient grâce à la vitesse de leur course et à leur supériorité numérique. Un couple de mammouths peut nourrir une centaine de loups pendant un temps assez long. Il n'y a plus jamais eu une proie aussi grosse depuis la mort du dernier mammouth. Aussi, cette sorte d'organisation a disparu peu à peu. Sagesse de l'évolution ! Deux ou trois loups sont nettement suffisants pour tuer un caribou ou un élan malade.

— Oui, oui, je vois, dit Diane pensivement. Eh bien ! merci beaucoup, Frank. C'est tout ce que je voulais savoir.

— Ça va te coûter cher, dit-il tranquillement. Ça va te coûter du temps, et à moi des sous. Que dirais-tu d'un petit dîner, dans le courant de la semaine prochaine ? Christine n'est pas là et je mange dehors.

— Pas de chance. Je serai à Boulder.

— A Boulder ? Diable, pourquoi vas-tu à Boulder ?

— C'est mon université.

— Tu veux dire qu'il y a maintenant une université à Boulder ? dit Van Gelder moqueur. Une académie comme au temps de Platon ? Mais, pourquoi suis-je donc toujours le dernier à être informé ?

— Très drôle, dit Diane en fermant la porte.

Sur le chemin de retour, en passant près des papillons et de la fontaine, elle se posa bien des questions au sujet des loups que Stovin avait vus dans l'Arctique.

Le professeur Melvin Brookman était assis sur une grande chaise au dossier de cuir dans l'antichambre du Bureau ovale. Il se faisait du souci. Dans cinq minutes on l'introduirait pour parler au président des États-Unis. La patience du président était bien connue. Mais il n'était patient que jusqu'à un certain point. Et, peut-être, justement, Brookman avait-il dépassé ce point.

Qu'est-ce que je vais lui dire ? pensait-il anxieusement. Bon, je peux commencer avec le rapport de Stovin. Le président en a déjà une copie et j'ai l'autre. Mais qu'est-ce que c'est, au nom du Ciel, que ce rapport ? Des légendes, du folklore et des rêves esquimaux. Plus quelques trucs très controversés au sujet des volcans. Ces machins dont Lithman nous rebattait si souvent les oreilles. La seule chose un peu consistante est cet énorme bloc de glace à l'embouchure du Mackenzie. Ça, il l'a vu lui-même. Mais ce n'est même pas aux États-Unis. Et vu d'en haut, en plus. Un bloc de glace qui est peut-être très gros — disons d'une grosseur inhabituelle —, mais qui pourrait fort bien être un énorme iceberg échoué. Et Dieu sait tout ce que cela coûte ! Stovin loue des avions particuliers comme s'il était un prospecteur de pétrole texan. Alors qu'on nous menace de réduire les crédits scientifiques de dix pour cent cette année... Si jamais un journal antigouvernemental tombe là-dessus, nous sommes dans de beaux draps. C'est tout le système qui sera ébranlé !

Mais, bon Dieu, il se passe quelque chose de curieux ! Quelque chose que je sens. Et mon intuition ne me trompe jamais. Ce n'est pas

tant ces quatre hivers rigoureux en six ans. Ni les médiocres récoltes. Ni la chute de la température de la mer et de l'atmosphère par rapport au modèle établi par les ordinateurs. Tout cela est déjà arrivé. Ce n'est pas nécessairement, ni même probablement, la fin du monde. A chaque génération, il y a toujours une demi-douzaine de chercheurs pour annoncer la fin de la civilisation telle que nous la connaissons. Et trois fois plus de journalistes pour sauter à pieds joints sur l'occasion. Mais rien ne se passe — ou plutôt la civilisation meurt un petit peu chaque année et personne ne le remarque.

Pourtant, cette fois, il y a quelque chose de différent. Par exemple, ce qui s'est passé à Hays. Des chercheurs ont travaillé là-dessus et ils ont donné leur avis sous forme de modèle mathématique. Très ingénieux. Peut-être juste d'ailleurs. Mais pourquoi ce genre de choses arrive-t-il maintenant ? Et que dire de ces photographies de satellites ? Alors qu'on n'a rien entendu, pas un seul murmure du côté des Russes. Pas un seul...

— Professeur Brookman, le président est prêt à vous recevoir.

Seule la lampe de bureau était allumée dans le Bureau ovale. L'attaché du président, après avoir introduit Brookman, alla s'asseoir sur une chaise qui se trouvait dans l'ombre, à la droite du bureau présidentiel, sous les drapeaux et les étendards des cinq armées.

Il resta là en silence, attendant et écoutant.

— Content de vous voir, Mel.

— Merci, monsieur le président.

Le président donna une petite tape sur les feuilles dactylographiées qui se trouvaient devant lui. Brookman vit que le rapport de Stovin portait la même étiquette rouge du service de Sécurité que sa propre copie.

— Vous l'avez lu, évidemment ?

C'était plus une affirmation qu'une interrogation. Brookman acquiesça.

— Pensez-vous qu'il a trouvé quelque chose ?

— Dans quel sens, monsieur le président ?

Le président regarda pensivement Brookman. Voilà de nouveau cet homme... minutieux, intelligent, fidèle aux traditions... un exemple parfait des hommes de l'*establishment*. Et, naturellement, malgré les ricanements de certains, qui devraient s'en rendre compte, l'*establishment* ne peut fonctionner sans avoir des hommes qui lui ressemblent. L'administration ne fait pas exception. Mais il ne faut pas, il ne faut pas les écouter à l'exclusion de tous les autres. Uniquement parce qu'ils disent souvent ce qu'on veut entendre.

— Pensez-vous, reprit calmement le président, pensez-vous que

ces... Danseurs ont été l'une des caractéristiques des régions arctiques dans le passé ?

— Des légendes de cette sorte ont parfois quelque réalité, s'entendit répondre Brookman avec une certaine surprise.

— Si c'est ainsi, Mel, la partie change du tout au tout. Ça veut dire que ces choses qui appartiennent à l'Arctique sont en train de descendre vers le sud. Pourquoi ?

— Stovin pense que ce sont les signes avant-coureurs d'un nouvel âge glaciaire.

— Pour quand ? demanda le président.

— Stovin pense que nous sommes déjà dedans, monsieur le président.

Quand le président reprit la parole, il y avait un soupçon d'irritation dans sa voix :

— Je sais ce que pense Stovin, Mel. J'ai son rapport sous les yeux. Ce que je veux savoir, c'est ce que vous pensez.

Brookman se frotta le sourcil gauche. C'était un tic que connaissaient bien ses épouses successives et que toutes trois avaient déploré chacune à leur tour. Il signifiait que leur mari ne voulait pas répondre à une question embarrassante. Cette fois, pourtant, il n'était pas possible de laisser la réponse en suspens.

— Je pense, dit-il avec hésitation, je pense... qu'il y a peut-être une chance sur vingt pour qu'il ait raison.

Le président émit un petit sifflement.

— Tant que ça, Mel ?

— Probablement.

— Les autres sont d'accord avec vous ?

— Un d'entre eux.

— Qui ?

— Chavez.

Le président ouvrit un tiroir de son bureau et en sortit une feuille de papier avec une liste de noms qu'il parcourut des yeux.

— C'est le botaniste ?

— Oui, monsieur le président. Il travaille sur la végétation dans les régions proches de l'Arctique. Il affirme que la forme que prend actuellement cette végétation ressemble étonnamment à celle des fossiles du pléistocène.

— Pléistocène ?

— L'âge glaciaire, monsieur le président.

— Ah !

Brusquement, le président se leva de son bureau et se dirigea vers une console au-dessus de laquelle était accrochée une peinture

représentant la Maison-Blanche. Le président regarda un moment le tableau sans le voir, puis revint s'asseoir, non pas au bureau, mais dans un des fauteuils brun foncé qui se trouvaient devant la cheminée. Il adressa un sourire à Brookman pour l'inviter à en faire autant. Brookman enfonça son grand corps dans les profondeurs du fauteuil.

— Cette chose qui est arrivée à Hays — et qui est peut-être aussi arrivée en Sibérie — et pourquoi pas à l'embouchure du Mackenzie et aussi dans le passé... qu'est-ce que c'est, Mel ? Stovin appelle ça un Danseur, mais ça ne nous avance pas beaucoup.

Brookman se pencha légèrement en avant. Enfin, il avait quelque chose à dire d'un peu consistant :

— J'ai fait travailler deux chercheurs du CNRA sur ce phénomène. Ils m'ont donné leur réponse. Leurs explications semblent cohérentes.

— Oui ?

— Il y a deux ou trois ans, deux Australiens réussirent à construire le modèle mathématique d'une tornade. Un phénomène que nous connaissions vraiment très mal. Ce modèle a été depuis mis à l'épreuve un grand nombre de fois. Et il a toujours résisté à l'usure, si je peux m'exprimer ainsi. En gros, ces Australiens affirment qu'une tornade commence toujours par un courant ascendant à l'intérieur d'un nuage d'orage. Ce courant produit un appel d'air. L'air s'engouffre et se met à tourner de plus en plus vite autour de l'axe du courant ascendant. La base du nuage est alors aspirée, et la colonne tournoyante descend vers la terre... comme un doigt. Nos chercheurs pensent que c'est à peu près ce qui s'est passé à Hays mais, là, le nuage était un nuage de neige. En conséquence, la tornade était une colonne de glace. La température à l'intérieur d'une telle colonne tournoyante est incroyablement basse. Cela ne peut se produire que sous certaines conditions : un temps particulièrement froid et un vent fort. Cette combinaison se rencontre souvent dans l'Arctique. Je veux dire dans le nord de l'Arctique, près du pôle Nord.

— Et, soudainement, dit le président, ça arrive beaucoup plus au sud ?

— Oui. Deux ou trois fois en tout cas.

— Et Stovin pense que c'est le début d'un nouvel âge glaciaire ? Brookman resta muet.

— Combien de temps faut-il pour que ce processus arrive à son terme ? Je veux dire avant que... le doigt... ne touche le sol ?

— Pour une tornade, dit Brookman, environ trente minutes. Pour le Danseur, nous n'avons pas suffisamment de données mais ce doit être approximativement la même chose. Ce qui nous donne un peu d'espoir.

— De l'espoir?

— Si nous parvenons à reconnaître le stade initial, nous serons peut-être capables d'entraver le développement.

Le président haussa les épaules. Pour la première fois, Brookman remarqua qu'il avait l'air fatigué.

— En effet, cela peut servir, Mel. Pour donner l'impression que nous faisons quelque chose. Mais il ne s'agit que de symptômes, pas de la maladie elle-même. Si en vérité un nouvel âge glaciaire est en train de s'établir rapidement... alors, c'est vrai, les choses ne sont plus tellement importantes. Stovin a raison. Elles ne sont plus importantes en elles-mêmes.

— En effet, dit Brookman.

Il hésita un instant, se leva et se dirigea vers le mur de la cheminée de marbre où le président, trois ans plus tôt, avait fait accrocher une grande carte du monde.

— Si nous supposons, monsieur le président — mais ce n'est encore qu'une supposition —, que nous sommes au bord d'un nouvel âge glaciaire qui ressemblera à celui qui avait pris place il y a environ vingt mille ans, alors ce qui va arriver sera comme ceci.

Le doigt de Brookman dessina une ligne sinueuse qui partait du Pacifique aux environs de Vancouver, descendait vers le Montana, le Dakota, s'enfonçait vers le sud dans l'Iowa, l'Illinois et le Kentucky et remontait ensuite vers la Virginie de l'Ouest pour atteindre la mer près de Baltimore.

— Voilà, en gros, monsieur le président, où se trouvait la limite des glaces il y a vingt mille ans.

Le président se leva et regarda la carte de plus près.

— Stovin dit que Chicago serait recouvert par un kilomètre de glace. Sans doute en serait-il de même pour Minneapolis, Philadelphie, Pittsburgh et New York?

Brookman acquiesça.

— En ce qui concerne le reste du monde — le doigt de Brookman se déplaçait de nouveau sur la carte —, la limite engloberait les Iles britanniques au nord de la ligne Londres-Bristol, le nord de l'Europe continentale, y compris les pays scandinaves, le nord de l'Allemagne et de la Russie. Et des capitales telles que Berlin, Varsovie et Moscou. Cette limite, après avoir traversé la Sibérie, atteindrait le Pacifique.

— Tout disparaîtrait? demanda le président.

— Tout, répondit Brookman.

— Et combien de temps faudrait-il pour que les choses en arrivent au point que vous venez de me montrer?

— Je ne sais pas exactement. Stovin pense que ce sera très rapide, une décennie peut-être. Bien entendu, il n'est pas le seul à croire à l'arrivée d'un nouvel âge glaciaire. Et ceux qui y croient pensent que les choses se feront rapidement. Toutefois, « rapidement » en termes géologiques ou climatiques peut vouloir dire quelques siècles ! Mais, même ainsi, les problèmes touchant le transfert des populations et l'agriculture — les régions atteintes étant pour le moment les plus productives de la planète — seraient gigantesques. Peut-être même insurmontables. Les plans d'urgence que nous pourrions établir devraient tenir compte d'une diminution de presque les deux tiers de la population actuelle. Et pour assurer sa survie, il faudrait qu'elle utilise une technologie totalement différente.

— Est-ce qu'il y a d'autres chefs de gouvernement qui ont vu leurs chercheurs les confronter à cette éventualité ? demanda tranquillement le président.

— Sans doute. J'oserais même dire, très certainement. Je sais que Ledbester, en Angleterre, a vu le premier ministre la semaine dernière. Et il y en a sûrement d'autres. Mais tout aura été tenu parfaitement secret. Chacun est terrifié à la pensée de la panique — économique, industrielle et psychologique — qui pourrait surgir au cas où, au niveau gouvernemental, ces suppositions seraient prises au sérieux.

— Pourtant, il faudra bien que nous en parlions ensemble, dit le président.

— Je dois vous rappeler que tout cela n'est encore qu'une hypothèse. Je sais que ce n'est pas satisfaisant. Malheureusement, c'est tout ce que je peux vous offrir. A vrai dire, il y a assez peu de chose que nous connaissions aussi mal que le climat. Même si nous avons des satellites spécialisés en orbite. Donc, je peux me tromper. Stovin, d'une certaine manière, se trompe sûrement. Et les autres aussi. L'erreur, vous diront les scientifiques, engendre l'erreur. Donc, nous pouvons avoir tort.

— Vous dites « nous » maintenant, remarqua sèchement le président. Stovin vous aurait-il converti ?

— D'une certaine manière, oui.

— Et cela vous ennuie ?

— Oui.

— Cela m'ennuie aussi, dit le président.

Il demeura silencieux un moment, l'air pensif.

— Il faudra que l'on trouve la manière de parler aux gens sans déclencher une hystérie générale. Toutefois, si nous sommes obligés de prendre certaines décisions, les choses deviendront évidentes pour

tout le monde. Qu'est-ce que vous avez dit... insurmontable ? Les problèmes peuvent se révéler insurmontables ?

Brookman acquiesça.

— Je n'en suis pas sûr, dit le président qui leva les yeux vers le plafond en souriant. Vous savez que je ne suis pas comme Stovin. Je crois en Dieu. Et je ne pense pas qu'il nous ait amenés jusqu'ici pour nous plonger dans un grand congélateur pour l'éternité.

Brookman garda le silence.

— Avez-vous déjà entendu parler de Nathaniel Greene, Mel ?

— Non, monsieur le président.

— Évidemment, il ne s'intéressait pas aux mêmes choses que vous, mais ce vieux Nat a toujours été un de mes héros favoris.

Le président se tourna vers le portrait de Washington qui se trouvait au-dessus de la cheminée.

— Nat Greene était le lieutenant de Washington au début de la guerre contre les Anglais. Il n'a jamais gagné une grande bataille mais il n'a jamais perdu une campagne. Il répétait souvent : « Nous combattons, nous nous faisons battre, nous nous relevons et nous combattons de nouveau. » Quand j'étais gosse, Mel, je pensais que j'aurais aimé devenir quelqu'un dans le genre du vieux Nat. Je pense que tous les hommes devraient s'accrocher à l'idée que l'être humain n'est pas facile à supprimer.

Le président se leva et tendit la main à Brookman :

— Merci, Mel. Je reprendrai contact avec vous, très bientôt. Nous aurons à nous occuper de tout ça ensemble et à organiser quelques rencontres. Des paroles, des paroles... Il va y en avoir des flots dans les mois à venir.

Quand le colosse fut sorti, le président se tint un instant devant la lampe au pied en forme d'aigle qui était posée à l'un des bouts de la cheminée de marbre. Comment Mel avait-il appelé ce qui s'était passé à Hays ? Un doigt. Malgré lui, le président frissonna. De très loin, arrivèrent à ses lèvres des mots presque oubliés.

Le doigt bouge et écrit. Et ayant écrit
S'en va. Ni ta piété ni ton intelligence
Ne peuvent le séduire pour supprimer
Ne serait-ce qu'une phrase.
Et tes larmes jamais ne réussiront à effacer
Un seul mot de ce qui est écrit.

Insurmontable... c'était le mot de Brookman. Le président leva la tête et rencontra l'œil de Washington.

— Eh bien ! monsieur le président, nous verrons.

Yevgeny Soldatov regardait pensivement par la vitre de la grosse limousine grise — une Chaika — qui l'avait pris un moment auparavant au centre de Moscou pour le conduire à l'aéroport Domodedovo, à une quarantaine de kilomètres au sud de la capitale. La grosse voiture, conduite par un chauffeur, était venue le chercher à l'Académie des sciences, près de Leninsky Prospekt. Elle roulait maintenant sur de la neige fondue dans la banlieue de Moscou. De grands immeubles d'habitation, tous semblables, se dressaient çà et là au milieu de terrains vagues où s'accrochaient déjà des plaques de neige. Des gens, avec des toques de fourrure et de gros manteaux, marchaient interminablement le long des trottoirs défoncés. D'autres attendaient patiemment, dans des abris, les bus bleus couverts de boue qui les emmèneraient. Peu à peu, les constructions s'espacèrent pour faire place à des bois de bouleaux. C'était dimanche après-midi. Des jeunes gens — probablement une équipe d'étudiants volontaires, pensa Soldatov avec plaisir — étaient en train, en dépit de l'humidité, de repeindre un pont de béton et d'acier.

L'autoroute s'enfonçait dans une forêt beaucoup plus dense où les troncs pâles des bouleaux se dressaient contre le ciel. Soldatov eut un pincement au cœur. Je suis un vrai Sibérien, pensa-t-il. Je n'aime pas Moscou. Les gens ne s'intéressent qu'à leurs petites affaires. Et la colline de Lénine ne remplace pas la taïga.

Pouvoir refuser leur nomination dans des villes de Sibérie comme Novosibirsk, où la vie mondaine était inexistante et l'ennui profond, aurait été un rare privilège pour la plupart des Moscovites. Mais lui, Soldatov, avait vite découvert qu'il aimait réellement Novosibirsk. La vie là-bas était souvent rude et parfois grossière. Et il arrivait que l'on manquât de denrées de première nécessité comme le beurre. Toutefois, la compagnie de ballet valait celle du Bolchoï — ou presque. Et Novosibirsk — cette ville sale — et ses deux millions d'habitants allaient quelque part. Ils allaient vers l'avenir sans être écrasés par le poids de l'histoire. Et puis, surtout, à Novosibirsk, il suffisait de faire cinq kilomètres pour sortir de la ville et se trouver dans la taïga : une nature sauvage faite de gris argenté et de verts se détachant sur un ciel d'un bleu limpide et froid. Là vivaient encore des élans, des ours, des renards argentés, des zibelines et des loups. Des loups, il n'y en avait jamais eu autant depuis bien longtemps, avait dit Kovalesky. Et durant quelques semaines, chaque année, on rencontrait le papillon que Valentina aimait tant. L'image de la jeune femme emplit soudain l'esprit de Soldatov. Elle était petite, brune, volontaire et très belle. Il

aurait voulu être déjà de retour dans la confortable datcha d'Akademgorodok à quelques kilomètres de la ville. Mais Novosibirsk et Akademgorodok étaient encore à presque quatre mille kilomètres à l'est. Quatre heures de vol et plusieurs fuseaux horaires. C'était l'heure du déjeuner à Moscou mais, lorsqu'on atterrirait à Akademgorodok, ce serait le crépuscule.

La Chaika arriva sur le parking boueux et s'arrêta devant la porte de l'aéroport. Alors que le chauffeur se précipitait pour ouvrir la portière de la voiture, le directeur s'avança pour saluer Soldatov. Les deux hommes échangèrent quelques paroles en descendant les marches qui conduisaient au restaurant réservé aux officiels. Une table avec un seul couvert était mise. Le déjeuner comprenait des œufs durs, du caviar et un bortsch au poulet, agrémenté de concombres au vinaigre. Une bouteille de Tsinandali complétait le tout. Soldatov n'en prit qu'un verre. Sans aucun doute, le serveur apprécierait le geste.

Le IL 62 était plein. L'avion de Novosibirsk était toujours comble. La majestueuse hôtesse, en uniforme bleu, à la blonde chevelure, qui portait épinglé sur son opulente poitrine l'aile dorée de l'Aeroflot, remarqua immédiatement Soldatov et s'empressa autour de lui. Deux heures plus tard, il refusa le repas qu'elle lui proposait : du poulet au riz, le plat traditionnel des avions soviétiques que Soldatov détestait. Il se contenta d'un verre de jus de raisin. Je mangerai ce que m'aura préparé Valentina, pensa-t-il. Une truite de l'Orbi peut-être. La mer n'était qu'à quelques centaines de mètres de la datcha. Soldatov ferma les yeux et s'endormit.

Une voiture l'attendait en bout de piste et, quarante minutes plus tard, après un atterrissage dans la nuit glacée, il se trouvait chez lui. Valentina était fraîche et rose. Soldatov ne s'était pas trompé : il y avait des truites pour le dîner. Le repas fini, ils s'assirent confortablement et se mirent à parler.

— Alors, dit-elle, ça s'est bien passé ? Ont-ils accepté ton avis ? Qu'a dit Golovine ?

— Comme toujours, il a ménagé la chèvre et le choux. C'est à se demander comment l'Académie peut fonctionner avec des hommes tels que Golovine qui ne pensent qu'à une chose : ne pas se mouiller.

Elle le regarda, soucieuse :

— J'espère que tu n'as pas dit ça à la réunion, Gény. Il sauterait sur l'occasion. Et les autres aussi.

— Bien sûr que non... Je ne suis pas idiot. Mais, de toute façon, ils savent ce que je pense.

— As-tu eu quand même un peu de soutien ?

Le visage de Soldatov s'éclaira légèrement.

— Oui, un peu. Galia, naturellement. Parfois, je me demande s'il n'y a pas plus de cervelle dans cette tête de femme que dans celles de tous les hommes réunis. J'avais aussi derrière moi les Sibériens : Efrimov, Kritsky, Mashukiov... ils ont parlé en ma faveur. Enfin, jusqu'à un certain point, dit-il en souriant tristement.

— Et les autres ?

— Plutôt hostiles. Gorshkov a dit que tout ça était exagéré. Il a insinué que j'essayais de transformer le laboratoire de recherche en un petit empire personnel. Beaucoup l'ont approuvé. Golovine était assis là, souriant comme une image chinoise.

— Mais, après tout, tu es le directeur de l'Institut, dit Valentina avec un peu de colère dans la voix. Il faut qu'ils t'écoutent...

Soldatov se mit à rire plus franchement cette fois.

— Il n'y a pas de *il faut*. L'Académie est censée fonctionner sur des principes démocratiques. Et le département sibérien n'en est qu'une branche.

— Mais ces choses sont arrivées ici, en Sibérie.

— Gorshkov dit que c'est local et momentané. Il y a une flopée de climatologistes qui le soutiennent. Tu sais ce qu'ils disent... un hiver rigoureux, un été pourri... ce n'est pas étonnant qu'il se passe des choses anormales. Il pense qu'il n'y a vraiment aucune raison de s'alarmer.

— Mais Gorshkov est un agronome, dit-elle avec mépris. Sa datcha, sa Zil et... sa chaîne hi-fi américaine... A propos, sais-tu qu'il en a une ? Elle est arrivée la semaine dernière. Et tout ça, il le doit aux Terres Vierges. Il ne va pas dire : « Oui, oui, Gény, tu as raison. Il faut qu'on revoie ça depuis le commencement. Qu'on réexamine les projets avec le Comité. » Est-ce qu'il peut dire ça ? Franchement, non !

— Mais j'ai raison, dit Soldatov avec entêtement.

Valentina se leva pour aller s'asseoir sur le bras du fauteuil de son mari. Elle passa la main dans ses cheveux noirs.

— Eh bien, chéri, si tu as raison — et je crois que tu as raison —, ils vont bientôt s'en apercevoir. Ce sera éclatant.

— Mais, c'est éclatant maintenant. Si seulement Gorshkov avait des yeux pour voir... Et c'est Golovine et Gorshkov que le Comité central écoute. Pas moi. Oh ! on est très poli avec moi. On pense que je suis brillant... le plus jeune directeur de l'Institut de climatologie de l'histoire de l'Union soviétique. Brillant, mais jeune... Trop passionné aussi.

— On verra bien, dit Valentina doucement.

Il poursuivit sans prendre garde à la remarque de sa femme :

— Sais-tu que les Américains en ont eu un ? Le colonel Koshkin nous a montré une photo prise par un satellite à la réunion.

— Et qu'en dit Gorshkov ?

— Que c'est un blizzard, un blizzard de grande envergure. C'est ainsi que leurs journalistes l'ont décrit. Incroyable.

— On verra bien, répéta Valentina.

— On verra bien quand il sera trop tard.

— Nous allons avoir un tas de questions à poser à Razzle-Dazzle demain, dit Stovin à Diane Hilder.

Ils étaient assis dans un des petits boxes aux boiseries cirées du Royal, un des bons restaurants de Boulder. Ils regardaient par la fenêtre le flot de voitures qui faisaient gicler de la neige fondue. Elle retombait en éclaboussures sur le bas-côté de la chaussée. La serveuse s'approcha de leur table. Sa queue de cheval blonde lui battait le dos. Une étudiante, pensa Diane, qui travaille pour payer ses études. Ils commandèrent une côte de bœuf, des pommes de terre au four et des toasts texans. Diane regarda affectueusement Stovin.

— Tu n'es pas vraiment un informaticien, Stovin. Mais si Razzle-Dazzle ne peut pas t'aider alors personne ne le peut.

— De nos jours, tout le monde dépend de l'informatique. Elle est partout. Razzle-Dazzle est étonnant, mais il ne travaille que grâce à ce que nous lui donnons. Bien que conçu pour la recherche scientifique, il n'a aucun génie. Et, malheureusement, nous ne pouvons pas lui fournir suffisamment de données. Pour avoir des réponses satisfaisantes au niveau climatologique et même météorologique, il faudrait partir de zéro. Et comment pourrait-on obtenir ce genre d'informations ? Il y a déjà des montagnes de données à chaque instant qui nous viennent des ballons sondes, des satellites, des bateaux laboratoires, des observatoires, de partout... On arrive à traiter des dizaines de millions de températures mais, parfois, je me demande s'il ne serait pas préférable de regarder les entrailles d'un poulet comme au temps de Platon.

— C'est ce que je dis : tu n'es pas vraiment un informaticien. Certaines personnes iraient jusqu'à dire que tu es démodé.

Stovin ne répondit pas. Il regarda par la fenêtre la neige à demi fondue qui continuait de tomber inlassablement. C'était très tôt en saison pour un temps pareil. La nature elle-même semblait surprise : les arbres qui se dressaient entre l'auberge et la route avaient encore leurs feuilles. Mais, curieusement, elles étaient recouvertes de neige.

Le soleil — un disque orange — se couchait au milieu de nuages pourpres qui s'étiraient au-dessus des Flatirons. Je vais grimper là-bas, ce soir, pensa Stovin. Je demanderai un taxi avec des chaînes. Il y a quelques pentes assez raides d'ici au Centre et je ne tiens pas à arriver sur un brancard. Il regarda de nouveau Diane, son visage étroit et intelligent, encadré par des mèches blondes coupées court, ses épaules larges et ses petits seins placés très haut.

— J'ai quelque chose à te dire au sujet des loups, Stovin. Mais raconte-moi d'abord des légendes esquimaudes.

La tarte aux myrtilles arriva et fut avalée avant que Stovin n'eût fini de parler du Katmai, de Bisby et du Danseur près de Demarcation Point. C'est en prenant le café que Diane l'informa de ce que lui avait dit Van Gelder au sujet des loups. Stovin réfléchit un instant.

— Alors, que signifie leur conduite, Diane ? dit-il enfin. Je suis sûr de ne pas m'être trompé. Ces loups formaient des bandes d'une centaine d'individus. Et il y en avait beaucoup d'autres assis en train d'attendre.

— Je n'en sais rien, dit-elle lentement. Je n'en sais fichtre rien. J'aurais bien aimé les voir. Cependant, on peut émettre une hypothèse. Il s'agit d'un facteur que les zoologistes renoncent généralement à prendre en considération parce qu'il n'est pas quantifiable. Pourtant, cette chose existe chez tous les animaux.

— Et c'est quoi ?

— La mémoire ancestrale. Il est possible que quelque chose ait réactivé cette mémoire chez les loups. Une chose profondément enfouie dans leur inconscient. Un rappel de ce qui s'est passé il y a très, très longtemps... Mais il a fallu que ce soit fort, et important à l'échelle planétaire. Peut-être recommencent-ils à se conduire comme leurs ancêtres le faisaient il y a vingt mille ans... De cette manière que m'a décrite Van Gelder.

— Il y a vingt mille ans ?

— C'est ça. A l'époque glaciaire.

Le taxi de Diane était à la porte.

Elle se leva et posa une de ses mains sur sa hanche.

— Mon Dieu, Stovin, les repas avec toi sont mortels pour ma ligne. Toasts texans et tarte aux myrtilles. Tu provoques des aberrations dans mes calculs de calories.

— Charmante aberration, dit-il en la dévisageant.

Il se pencha pour lui donner le petit baiser habituel sur la joue. Elle tourna la tête et l'embrassa rapidement sur les lèvres.

— Viens me voir, dit-elle. Je ne suis pas opposée à l'introduction d'un nouveau facteur dans mes calculs.

Un instant plus tard, il s'aperçut que son cœur battait encore la chamade au moment où le taxi disparaissait dans la bretelle de l'autoroute.

Zayd ag-Akrud marchait lentement sur les cailloux brûlants. Il se dirigeait vers son chameau qui, retroussant les babines, déchirait de ses dents noirâtres un buisson rabougri d'épineux. Zayd était sur le bord du *reg,* une étendue désertique, sans vie, parfaitement plate, couverte de pierres, qui s'étirait sur des kilomètres et des kilomètres avant d'atteindre la mer de sable du Sahara.

Le chameau et la chamelle, qui était restée au camp, étaient tout ce que possédait maintenant Zayd, hormis les trois chèvres qui broutaient pour le moment avec le reste du troupeau.

Zayd leva les yeux vers les hauteurs du Hoggar qui semblaient vibrer dans la chaleur de l'après-midi. Le soleil blanc scintillait. Une guêpe au vol désordonné et maladroit heurta le voile bleu foncé qui protégeait le visage du Touareg du vent brûlant et coupant du désert. Légèrement étonné, il la chassa de la main. En dehors du chameau et du buisson, c'était la première chose vivante qu'il voyait depuis deux heures.

Zayd était soucieux. Il tenait dans sa main droite le piège d'osier tressé qu'il allait poser ce soir dans l'espoir d'attraper une gazelle. Les chances de réussite étaient fort minces. La plaine caillouteuse du *reg* était depuis des générations un lieu de passage privilégié des gazelles. Elles s'arrêtaient là, se dirigeant le soir vers Zanda, distant d'une quinzaine de kilomètres, afin de boire dans de petites flaques d'eau. Les gazelles empruntaient ce chemin qui, par son absence de relief, leur permettait de mettre en échec chacals et hyènes. Ceux-ci remontaient des régions récemment retournées au désert, au sud, afin de trouver de la nourriture. Mais aucune gazelle n'était passée depuis des semaines. C'était la sixième année de suite sans la moindre pluie. Sans eau, le désert ne pouvait s'épanouir même un court instant. Chameaux et chèvres tombaient malades et mouraient. La viande et le lait, la base de l'alimentation des Touaregs, se faisaient rares. Le monde était en train de changer. Zayd devait prendre une décision.

Soigneusement, repoussant le chameau, il posa le piège dans l'ombre de l'unique buisson. Une gazelle à la recherche d'eau pouvait s'arrêter là un moment pour brouter des épines. Le chameau s'était couché. Tirant sur l'anneau qui était passé dans son museau, Zayd parvint à le faire lever malgré ses grognements de protestation. Il le conduisit vers le camp, établi dans les contreforts du Hoggar.

Zayd aurait enfourché la bête avec plaisir mais le chameau avait montré la semaine dernière des signes de fatigue. Il valait mieux lui laisser reprendre des forces. Zayd avait pris sa décision et beaucoup de choses allaient dépendre de la bête dans les jours à venir.

Quand il arriva au campement, deux heures plus tard, Zayd était fatigué et assoiffé. Quelques chiens efflanqués se bousculaient dans la poussière près de la clôture d'épineux en très mauvais état. Une vingtaine de chèvres, gardées par deux enfants en haillons, descendaient de la colline où l'on trouvait encore une maigre végétation jaunâtre. Zayd se redressa, rabattit le voile sur son visage et marcha tranquillement dans la poussière pour mettre le chameau à l'attache.

La femme de Zayd avait commencé à faire le thé dès que son fils était revenu en courant pour annoncer le retour du père. Elle avait mis l'eau à bouillir dans la bouilloire de cuivre sur les braises rougeoyant devant la tente en peau de chèvre rousse. Elle avait préparé le thé dans un pot de cuivre et, maintenant, elle le versait avec un soin extrême dans des verres.

Zayd, assis dans la fraîcheur de la tente sur une peau de chèvre, but son thé lentement. Puis il parla pendant un moment à Zénoba et à ses deux fils, Hamidine et Mohammed, tout en caressant la tête du plus jeune, le petit Ibrahim. Ensuite, il mangea un bol de mil et sortit de la tente.

Au centre du campement touareg d'une dizaine de familles se trouvait la tente de Moussa, le chef. Les tentures bleues de l'entrée voletaient dans le vent du soir. La femme de Moussa s'enfuit comme un lézard lorsque Zayd entra et vint s'asseoir près de Moussa. La conversation des deux hommes — sur l'état des pâturages, sur les progrès de la sécheresse, sur la disparition des gazelles, sur la santé des chèvres — était tranquille et polie. Elle ne fut pas interrompue par l'entrée de Sanama qui apportait du café.

Zayd regarda le chef.

— A propos de ce dont nous avons parlé la semaine dernière, j'ai pris une décision. Je partirai après-demain.

Moussa dévisagea son interlocuteur dans l'ombre de la tente. Dehors, le soleil s'était couché et un vent froid venait de se lever. Les étoiles brillaient comme des diamants.

— Et Ibrahim, le tout petit ?

— A la grâce de Dieu ! Il ne peut pas grandir ici. Un garçon ne peut pas se développer sans un peu de viande.

— C'est vrai. Vous allez chez Husseyni à Tamanrasset ?

— Oui. Le frère de ma mère. Il a de beaux troupeaux.

— Les temps sont durs et le voyage difficile. Puissiez-vous tous arriver sains et saufs.

Zayd se leva.

— Et pour vous, Moussa, *le-bas.* Que Dieu vous protège !

Hiver

7

Irina Mikhaylovka fut le premier être humain à Novosibirsk à entendre les pas du Danseur. Les chiens dans l'usine, au bas de la rue, en étaient déjà effrayés. Irina ne parvint jamais à découvrir si c'était leurs hurlements qui l'avaient réveillée ou une sensation de malaise particulièrement oppressante.

Elle était couchée à côté de son mari dans la chambre de leur deux-pièces, numéro 131, sur la rive gauche de l'Orbi. Elle tremblait de tous ses membres en se réveillant. Les lueurs familières, provenant des lumières du brise-glace *Birsk,* bougeaient sur le plafond blanc de la chambre au fur et à mesure que le bateau, trapu et anguleux, se déplaçait pour débarrasser le fleuve de sa glace chaque nuit. Il y eut un bruit... une sorte d'écrasement, de piétinement, un fracas lointain. Irina sauta de son lit et se précipita à la fenêtre. Sur l'autre rive, à travers l'écran de neige, elle pouvait voir la rangée de lampes éclairant la rue Sverdlov à sa jonction avec la place Krasny. Elle regarda sa montre. Quatre heures trente. Encore deux heures... Le bruit devenait de plus en plus assourdissant.

— Nikolai, cria-t-elle.

Son mari se retourna dans son lit.

— Nikolai! Écoute, c'est vraiment étrange. Nik... Oh! Oh!...

Le fracas devint insupportable et l'immeuble se mit à trembler comme s'il était en carton. La photographie du père de Nikolai, en uniforme de la cinquième armée de blindés, se décrocha et tomba sur le sol. Les tasses et les assiettes dans le vaisselier se brisèrent sur les étagères. Les montants de la fenêtre cédèrent, faisant voler en éclats les doubles vitres. L'air de la nuit sibérienne — une trentaine de degrés en dessous de zéro — entra dans la pièce. Irina, surprise par le froid, eut un mouvement de recul.

Nikolai la saisit à bras-le-corps.

— Regarde, dit-elle, regarde...

Nikolai tenta de l'éloigner de la fenêtre.

— Recule, Irina...

Elle se cramponna à lui sans répondre mais ne bougea pas. Les lumières du brise-glace s'évanouirent. La rue Sverdlov et la place Krasny se volatilisèrent. La rangée de lumières sur le pont s'éteignit

d'un seul coup. A cet instant précis, Nikolai et Irina virent le Danseur.

Il était au-dessus du pont. Une monumentale colonne blanche qui se dressait dans le ciel nocturne rempli de neige. Il tournait sur lui-même à une telle vitesse qu'il était difficile de distinguer ses bords. Le grondement rythmé de son approche continuait de secouer l'immeuble de part en part. D'au-delà du rideau de neige parvint faiblement, pour la dernière fois, à travers la fenêtre arrachée, le mugissement de la sirène du brise-glace. Il s'interrompit brusquement. Irina et son mari entendirent alors les craquements du pont qui pliait, puis la formidable déflagration au moment où il cédait et s'écroulait sous le poids gigantesque du Danseur, faisant éclater en s'effondrant la glace dans le lit de l'Orbi. Stupéfaits, Irina et Nikolai virent devant eux, à l'endroit où se trouvait encore une minute auparavant le pont, une grande muraille de glace et de neige qui barrait la nuit. Il n'y avait plus de rue Sverdlov ni de place Krasny. La rive droite n'existait plus. En fait, il n'y avait plus de fleuve. A l'endroit où l'Orbi traversait Novosibirsk et s'incurvait pour prendre la direction du nord en se frayant un passage parmi les glaces pour rejoindre l'océan Arctique, il y avait maintenant une falaise de glace.

La neige tombait si serré qu'on ne faisait qu'apercevoir la forme du Danseur qui se dirigeait, après avoir pris la diagonale du pont, vers le centre de la ville.

Irina ne parvenait pas à maîtriser ses tremblements. Nikolai, la traînant, la portant à moitié, la fit entrer dans l'autre pièce. Il referma la porte précipitamment pour empêcher le froid d'entrer.

Un faible cri parvint de la rue.

— Le pont a disparu, dit Nikolai. Ils vont organiser des équipes de secours. Peut-être devrais-je...

Il s'arrêta, hésitant.

Irina leva son visage livide vers lui.

— Des équipes de secours ?

Elle faisait un immense effort pour contrôler sa voix :

— Pour quoi faire ? Tu n'as pas vu ce qui vient d'arriver ?

— Quoi ? dit-il bêtement.

Irina renonça à se dominer.

— La ville ! cria-t-elle d'un ton suraigu. La ville a disparu. Toute la ville. Il n'y a plus rien. Plus rien de l'autre côté du fleuve. Novosibirsk est effacé à jamais.

— Cela n'est pas..., commença-t-il.

Irina secoua la tête.

— Si, Nikolai.

Il la prit par les épaules et la secoua.

— Es-tu devenue folle Irina ? Il y a un million de gens là-bas. Ils ne peuvent pas avoir tous...

Elle se balança mollement de droite à gauche comme si elle n'avait plus la force de supporter sa tension intérieure.

— Novosibirsk a disparu à tout jamais, répéta-t-elle en bredouillant. Ce sont les Américains... ou peut-être les Chinois... Nous avons été anéantis !

— Ne sois pas stupide ! dit-il sèchement.

Il était en train d'enfiler maladroitement un gros manteau et d'abaisser les oreillettes de son bonnet de fourrure :

— Je vais voir ce qui s'est passé. Si le pont s'est écroulé, ils ont besoin d'aide. Maintenant, arrête, veux-tu ? Nous sommes en vie, non ? Essaie d'obstruer la fenêtre de l'autre pièce. Stepan a des morceaux de plastique au sous-sol. Mets-en un à la fenêtre, autrement, on va mourir de froid. Bon, si tu allumais...

Il tourna en vain le commutateur. Irina le regarda silencieusement. Il haussa les épaules.

— Ils doivent avoir des ennuis à la centrale. Ce n'est pas étonnant, avec un blizzard de cette envergure. L'ascenseur ne marche certainement pas. Je descendrai à pied. Maintenant, écoute Irina. Arrange-toi pour barricader la fenêtre. Si l'ascenseur ne fonctionne pas, prends l'escalier pour ramener le plastique. Ce n'est pas lourd. Mais, fais vite. Nous ne sommes sûrement pas les seuls à avoir des vitres brisées. Il risque fort de ne pas y avoir suffisamment de plastique pour tout le monde. Si Stepan te fait une remarque, dis-lui que c'est moi qui t'ai demandé de le prendre. Tu as compris ?

Elle acquiesça en silence. Il la regarda encore une fois puis, sans un mot, quitta l'appartement.

Irina resta assise dans la petite salle de séjour pendant un moment. Puis elle se leva et retourna dans la chambre. Il faisait un froid épouvantable. Elle serra sa robe de chambre contre elle et regarda l'étendue blanche qu'on apercevait dans l'obscurité. Un désert de neige recouvrait ce qu'elle avait été la dernière à voir : la ville de Novosibirsk.

— Disparue, dit-elle dans un murmure, disparue à jamais.

— Tu n'as aucune idée, Sto, du remue-ménage qu'il y a eu hier au Conseil, dit Melvin Brookman. Tous les climatologistes des États-Unis veulent aller à Novosibirsk. Tous les climatologistes du monde, j'imagine. Mais les Soviétiques ne sont pas d'accord. Pour eux, ce

n'est pas seulement un phénomène scientifique. Il y a eu près de deux cent mille morts. Une véritable catastrophe nationale. Ce sont eux qui t'ont demandé. Toi et un autre. Évidemment, nous sommes d'accord. J'avais de toute façon mis ton nom en premier sur la liste destinée au président. Il t'a tout de suite accepté.

— Pourquoi moi ? demanda Stovin.

Ils étaient assis confortablement dans l'appartement en désordre que Brookman gardait à Washington à quelques pâtés de maisons du pont de Buffalo. C'était là que Brookman avait fixé le rendez-vous de ce matin — exactement soixante-douze heures après ce qui s'était passé à Novosibirsk. Amusé, Stovin remarqua deux de ses livres mis en évidence sur le bureau de Brookman.

— Pourquoi moi, Mel ? répéta-t-il. Je ne voudrais pas insister, mais nous n'avons pas toujours été d'accord dans le passé.

— Et nous ne le sommes pas non plus entièrement en ce moment, répondit Brookman. Mais nous avons toujours été amis malgré nos différends occasionnels.

Stovin fit un petit signe de tête.

— C'est vrai. Mais est-ce une raison suffisante ?

— Le président veut que ce soit toi. Tu lui as fait une forte impression lors de votre première rencontre. Bon. Maintenant, veux-tu oui ou non y aller ?

Stovin éclata de rire.

— Bien sûr que je veux y aller. Qui ne voudrait pas. Mais je ne suis pas un journaliste... Je veux pouvoir parler franchement quand je serai là-bas.

— Ça ne devrait pas être trop difficile, dit Brookman presque joyeusement. Apparemment, le Russe qui a signé la lettre est aussi celui qui a mis ton nom en avant.

— Soldatov ? dit Stovin pensivement. Je sais peu de choses sur son compte. Il est jeune, je crois. Il a fait du bon travail sur les volcans. Mais ce n'est pas un glaciologue. S'il avait travaillé sur l'âge glaciaire, j'aurais lu ses travaux.

— Eh bien ! c'est lui qui t'a mis sur la liste. Bon. Et, maintenant, que fait-on du deuxième visa ? Qui veux-tu prendre avec toi ? Je te laisse le choix.

Stovin eut brusquement un élan d'affection en regardant le gros bonhomme. L'univers scientifique de Brookman était mis sens dessus dessous, mais le président du CNS apprenait immédiatement à faire face. Brookman ne serait jamais un grand savant. Mais il serait toujours utile grâce à la faculté qu'il avait de s'adapter rapidement à toute nouvelle situation.

— Et si c'était toi qui venais, Mel ? dit Stovin gentiment. J'aurais ainsi quelqu'un pour me tempérer.

Brookman se mit à rire.

— Non. C'est vraiment très gentil, Sto, mais c'est non. Je suis trop vieux, trop gros, trop traditionnel. Tu as besoin de quelqu'un de jeune. Tu n'as pas besoin de quelqu'un qui te tempère mais de quelqu'un qui stimule ton imagination. Fisher, par exemple. Il est à Berkeley. Il y a aussi Bongartz, à l'ITC. C'est ton dauphin en quelque sorte. Qu'en penses-tu ? Tu pourrais trouver pire.

Stovin acquiesça.

— Oui, oui, Bongartz serait très bien... Mais laisse-moi encore un petit peu de temps pour décider. J'ai une idée pour le second visa.

— Ne tarde pas trop. Tu sais comment sont les Russes. Ils veulent les noms tout de suite. Ça va sûrement passer par le KGB. Non qu'ils aient quelque chose de particulier contre toi ou Bongartz, mais c'est comme ça.

Stovin réfléchissait à toute vitesse. Brusquement, il prit sa décision :

— Il y a une petite complication, Mel. Tu dis qu'ils nous offrent deux visas scientifiques ?

— C'est ça.

— Eh bien ! il en faut un troisième... Non — il leva la main avant que Brookman puisse faire la moindre objection — non, pas un visa scientifique, simplement un visa ordinaire. J'ai besoin d'un assistant. Un troisième homme en plus des deux chercheurs.

— Ils n'admettront jamais ça, dit Brookman. Bongartz peut être ton assistant...

— Je ne veux pas d'un assistant scientifique en plus. Je veux quelqu'un de tout à fait différent... Quelqu'un qui a stimulé mon esprit dans un tas de directions il y a quelques semaines.

— Qui ?

— Bisby. Ce pilote spécialisé dans les vols polaires à Anchorage. Celui qui m'a fait survoler la mer de Beaufort. Tu t'en souviens... Tu as lu mon rapport.

— Pourquoi, diable, as-tu besoin de lui ? Oui, je me souviens. C'est un ancien pilote de l'armée de l'air. Un pilote de chasse. Ils n'accepteront jamais ça à Moscou. Ils vont penser qu'on leur prépare je ne sais quoi... en relation avec nos services d'espionnage.

— J'ai besoin de lui parce qu'il connaît le Grand Nord. Tu comprends, il est du Nord. Il est à moitié esquimau. Moi, je peux courir la Sibérie dans tous les sens bien au chaud dans un gros manteau et enregistrer tous les chiffres et données qu'on voudra bien

me communiquer, mais je ne sais rien du Nord. Si j'ai Bisby avec moi, j'aurai quelqu'un possédant une expérience tout à fait autre que la mienne pour filtrer l'information. Crois-moi, ce type a vraiment quelque chose. C'est un esprit original et totalement libre.

— Écoute, j'essaierai, dit Brookman sans conviction. Mais, il n'y a pas une chance sur dix...

— Pas de Bisby, pas de Stovin.

— Vraiment?

Stovin sourit.

— Vraiment. Tu as dit que Moscou m'avait demandé? Très bien. Il y a un prix. Le prix, c'est Bisby. Ils comprendront.

— Peut-être, peut-être.

Brookman posa la main sur l'épaule de Stovin.

— Je me disais que ça allait trop bien... Tu étais d'accord et tout. Je devrais mieux te connaître. Avec toi, on n'a rien pour rien.

— Avec les Russes aussi. Tu verras. Ils vont râler, tempêter, mais ils enverront le visa.

— J'espère que tu as raison.

Brookman ouvrit un tiroir du grand bureau recouvert de cuir et en sortit quelques feuilles attachées par des agrafes.

— Voici la copie de ce que les Soviétiques nous ont envoyé. C'est un document vraiment étonnant.

— Oui?

— Très étonnant. Très ouvert, très direct, comme nous n'en recevons jamais de là-bas. Une chose tout à fait nouvelle pour moi, dit Brookman en souriant. Tu imagines que j'ai déjà reçu des tas de documents de ce genre de partout dans le monde. Eh bien! celui-ci est le compte rendu le plus franc que j'aie jamais reçu d'un désastre national. Il y a dû y avoir un sacré charivari à Moscou avant qu'on laisse Soldatov nous envoyer ça. Et ils doivent avoir aussi réellement peur, réellement...

Stovin posa son index sur les feuilles.

— Est-ce qu'il y a quelques chiffres là-dedans? Température, vitesse de rotation, des choses comme ça...

— Quelques-unes. Ils ont un centre de recherche à quelques kilomètres de là, un centre important... Akademgorodok. Les appareils étaient réglés pour un travail de routine avec les paramètres habituels. Apparemment, la température n'en a tenu aucun compte. Elle a plongé bien en dessous de l'échelle.

— C'était quelle échelle?

— Ils utilisaient l'étalon Oymyakon. Les appareils pouvaient enregistrer jusqu'à soixante en dessous de zéro.

Stovin émit un petit sifflement de surprise.

— La température est descendue en dessous de l'étalon Oymya-kon ? Dis donc, Mel, c'est drôlement froid. Dieu sait tout ce qu'on a raconté dans les journaux ces jours-ci, mais personne n'a parlé de ça.

— Non. C'est réellement quelque chose d'effrayant que nous tous — y compris toi Stovin — devons tenir secret. Et n'oublie pas que ce n'était que la température à l'extérieur de ce satané truc... de ce Danseur comme tu l'appelles... pas à l'intérieur.

— Est-ce que ces chiffres ont été traités par l'ordinateur ?

— On les a donnés au directeur du CNRA. Il désire que tu viennes à Boulder et que vous les présentiez ensemble à Razzle-Dazzle. Le gouvernement est réellement effrayé à l'idée de la panique qui pourrait s'emparer du pays si les gens commençaient à penser que cette chose peut arriver aux États-Unis ou à quelque endroit de l'hémisphère Nord. Aussi, à partir de maintenant, il n'y a plus que toi, le directeur du CNRA et moi-même qui avons accès à ces chiffres. Et le président, bien entendu. Mais je ne crois pas qu'ils signifient grand-chose pour lui. Nous serons peut-être capables de lui en dire plus quand Razzle-Dazzle aura trituré tout ça. Mais je ne pense pas qu'il puisse vraiment en tirer quelque chose de valable. Comme tu verras, les données sont loin d'être complètes. Ce n'est pas étonnant. Personne à Akademgorodok ne pouvait imaginer que la température allait descendre à ce point, même localement... Soixante degrés en octobre !

— Évidemment, dit Stovin.

Il se leva :

— Il faut que je parte, Mel. Je tiens à attraper la navette pour La Guardia.

Brookman lui tendit la main.

— Est-ce que tu vas de New York à Denver demain ?

Stovin acquiesça.

— J'ai juste quelques petites choses à acheter à New York. Puis je file à Boulder... pour des raisons personnelles. J'ai aussi un rendez-vous avec Razzle-Dazzle, comme tu sais.

— En effet, dit Brookman. Aucune date n'est encore fixée pour le voyage de Novosibirsk. Les Soviétiques la choisiront à leur convenance. Aussitôt que je connais le jour du départ, je te le fais savoir. Et n'oublie pas de me donner le nom du bénéficiaire du deuxième visa le plus rapidement possible. Aucun problème, si c'est Bongartz. Je peux parfaitement m'arranger pour qu'il soit libre. Quant à ton type... Bisby — ses lèvres firent une petite moue qui montrait bien son scepticisme —, nous verrons bien...

Le jour suivant, à New York, Stovin remontait la Cinquième Avenue en direction de Brentano's. Il passa exactement quatre-vingt-dix minutes dans la librairie et acheta huit livres. Trois heures plus tard, à douze mille mètres d'altitude au-dessus de l'Illinois, il terminait la lecture du rapport de Soldatov. Il regarda distraitement par la fenêtre du Boeing qui volait à neuf cents kilomètres à l'heure. L'avion se trouvait au-dessus d'une formation de cumulo-nimbus qui laissait pourtant voir de moments en moments un brouillard gris-vert au niveau du sol qui n'était autre que le Middle-West américain.

Comment est-ce que je me sens maintenant ? se demanda-t-il avec une certaine ironie. Justifié, je suppose. Plus personne n'osera dire que ce qui est arrivé à Novosibirsk est tout simplement une fantaisie climatique. Pas avec près de — il feuilleta le rapport — deux cent mille morts ! A peu près la population, disons, de Salt Lake City.

Il prit le *New York Times* sur le siège vide à côté de lui. La nouvelle de la catastrophe s'étalait en première page. Il y avait une carte et une photographie — tirée des archives — de Novosibirsk *avant*. Le titre en gros caractères disait : « L'Apocalypse glaciaire en Union soviétique aurait fait de nombreuses victimes. » Et un plus petit : « L'Union soviétique décline l'offre d'assistance de l'ONU. » L'air las, Stovin reposa le journal sur le siège. C'était la réaction habituelle des Soviétiques en face d'une catastrophe... Mettre la tête dans sa coquille, comme une tortue. Ne pas montrer sa vulnérabilité au reste du monde. Et surtout se taire. De Paris à Pékin, les journaux étaient remplis de spéculations qui ne s'appuyaient sur rien. L'isolement de la ville — au fin fond de la Sibérie — avait permis aux Soviétiques de contrôler l'information et d'interdire le déferlement des journalistes étrangers. Le seul témoignage oculaire venait de Belgrade. En effet, le Transsibérien qui transportait d'Irkutsk à Moscou les membres d'une petite délégation yougoslave, chargée d'étudier certains problèmes économiques, avait dû s'arrêter près de Novosibirsk, le pont ayant disparu. Mais ces informations étaient confuses. Les Yougoslaves étaient arrivés quatre heures après le passage du Danseur et n'avaient pas vu grand-chose. Seulement quelques centaines de corps couchés près de la voie ferrée. L'agence Tass ne parlait que d'une « catastrophe » qui avait fait beaucoup de « victimes ». Aucun chiffre, aucune évaluation et aucune déclaration de quelque ordre que ce fût. Apparemment, seul Soldatov avait la possibilité de faire sortir quelques informations d'URSS — informations qui devaient, selon Brookman, être tenues parfaitement secrètes, même ici.

— Mesdames, mesdemoiselles, messieurs, je vous souhaite un bon après-midi. (C'était la voix du commandant.) A votre gauche vous pouvez voir le Mississippi. La tache blanche, au loin, c'est Springfield. Maintenant, nous traversons le fleuve. La température à Denver est de onze degrés et il pleut. Nous atterrirons à l'heure prévue.

Le Mississippi était là. L'Ol' Man River. Stovin l'avait survolé une centaine de fois. Il était toujours aussi présent, aussi ineffaçable qu'une ride sur le visage de votre mère. Trois mille kilomètres entre le Minnesota et le golfe du Mexique. Il arrosait toute une suite de villes : Saint Paul, Dubuque, Hannibal, Saint Louis, Memphis, Vicksburg, New Orleans. Et comment était-il, oui, comment était-il il y a vingt-cinq mille ans ? se demanda soudain Stovin. A regret, il s'avoua qu'il n'en savait rien. Les nouvelles générations risquaient de le découvrir. Est-ce qu'un pilote de ligne, dans un proche avenir, survolant l'Illinois enneigé, indiquerait un autre lit pour le fleuve ? La raison vacillait à cette pensée, étant donné ce que cela impliquait pour l'homme en Amérique du Nord. Une phrase de Robert Ardrey surgit à son esprit. Ce n'était pas la première fois qu'elle le hantait durant ces trois dernières années. « La faille est dans nos esprits, pas dans la nature. »

Il y avait une grève de taxis à Stapleton, l'aéroport de Denver. Un certain nombre de chauffeurs, ignorant les piquets de grève, se servaient de leur voiture personnelle pour embarquer des voyageurs. Stovin n'eut aucune difficulté à trouver une voiture pour le conduire à Boulder. L'université lui avait réservé une chambre. Aussitôt installé, il téléphona à Diane. Le bruit de la sonnerie se fit entendre encore et encore, mais personne ne répondit. Plus contrarié qu'il n'aurait voulu l'admettre, Stovin s'allongea sur le petit lit pour dormir. Un tas d'images se mirent alors à défiler dans sa tête, l'empêchant de sombrer dans le sommeil... Les cadavres vus par les Yougoslaves le long de la voie ferrée ; l'air ennuyé de Brookman lorsqu'il lui avait remis le rapport de Soldatov ; Bisby lui parlant des baleines qui descendaient vers le sud ; la ligne sinueuse et argentée du Mississippi douze mille mètres plus bas... A six heures, il prit une douche, se rendit à la cafétéria pour manger un morceau en solitaire, avala un comprimé de Mogadon et retourna à sa chambre pour se coucher. Cette fois, le sommeil lourd et écrasant ne se fit pas attendre. En s'éveillant le lendemain matin, Stovin se sentait mieux. Il regarda sa montre : huit heures juste. Sans réfléchir, il s'empara du téléphone et composa le numéro de Diane. Il entendit avec plaisir la voix de la jeune femme.

— Salut, Stovin. Qu'est-ce que tu veux de si grand matin ? Me réveiller ?

— Non, non... Je t'ai appelée hier soir, mais tu n'étais pas là...

— J'étais à la recherche de travail.

— Ah ! oui.

— Au Laboratoire de recherches de génétique animale. Ils ont besoin d'une louloutte... je veux dire de quelqu'un qui travaille sur les loups.

Stovin eut un coup au cœur.

— Et tu l'as obtenu.

— Je ne sais pas encore. Le directeur assistait à un séminaire à Cheyenne et il m'a demandé de venir le voir. Il doit encore recevoir deux ou trois personnes, mais ça ne s'annonce pas mal. J'ai l'impression que je vais l'obtenir.

— Et où seras-tu en poste ?

— A Londres les six premiers mois, répondit-elle en riant. Après cela, n'importe où, j'imagine.

— Oh !

Il y eut un petit silence embarrassé.

— Ça n'a pas l'air d'aller, Stovin ?

— Non, dit-il désemparé. Je veux dire si. Il faut que j'aille au CNRA ce matin. Je dois travailler avec l'ordinateur. Je déjeune avec le directeur. Mais qu'est-ce que tu dirais d'un petit repas ensemble ce soir ?

— D'accord, Stovin, mais plus de tarte aux myrtilles ni de toasts texans.

— Ce sera le repas le plus faible en calories de tous les Flatirons, je le jure.

Quand il prit un taxi, une heure plus tard, pour se rendre au CNRA, la température était descendue et de la neige fondue tombait d'une manière intermittente. Un flot continu de voitures roulaient déjà sur la Nationale 36, et leurs pneus faisaient jaillir de la gadoue de tous côtés. De temps en temps, on apercevait entre des nuages rougeâtres un disque jaune pâle qui grimpait difficilement dans le ciel au-dessus des Flatirons.

— C'est vraiment très tôt pour de la neige, dit le chauffeur.

C'était un homme âgé, engoncé dans un anorak rouge à carreaux. Il portait une casquette bleue cabossée :

— On dirait que ça va être exactement comme l'année dernière. J'espère bien que non...

— Oui, l'année dernière ce n'était pas brillant, dit Stovin.

— C'est arrivé tôt et ça a duré, duré...

L'ensemble des bâtiments rectilignes qui constituaient le Centre national pour la recherche atmosphérique se dressait sur un petit

plateau juste sous les Flatirons. Stovin se faufila entre les flocons, escalada rapidement les marches du perron, passa devant les fresques modernes géométriques des murs de la cage d'escalier et devant les grandes gravures de cristaux de neige du couloir. Après s'être salués rapidement, Stovin et le directeur descendirent dans la salle des machines. Le directeur portait sous le bras sa propre copie du rapport de Soldatov.

— Vous avez lu ça, Sto?
— Oui.
— Pas fameux, hein? Évidemment, ce n'est peut-être qu'un phénomène isolé. Mais vous n'y croyez pas, vous, au phénomène isolé?
— En effet.
— Moi non plus, vous savez. Remarquez que, même en tant que phénomène isolé, on ne peut pas dire que ce soit très très rassurant. Si l'on ne tient pas compte des effets à long terme, ce qui a frappé cette ville est plus terrible que la bombe atomique d'Hiroshima. Bien. On va voir ce que va dire l'oracle... Razzle-Dazzle. Sto, j'ai dû demander à un assistant d'être présent. C'est lui qui va s'occuper de la quincaillerie. C'est un brave garçon. Il ne parlera pas. Je l'ai déjà sermonné à ce sujet. Il s'appelle Harmon. Dave Harmon.

La salle-ordinateur se trouvait au pied des bâtiments du CNRA. C'était une pièce souterraine recouverte d'un peu plus d'un mètre de terre servant d'isolant. La température y était en permanence de vingt degrés. Les deux hommes traversèrent la salle au sol recouvert de grands panneaux rouge foncé. Toutes les dalles étaient mobiles et indépendantes les unes des autres. Sous chacune d'elles était logée une pièce importante touchant la sécurité de l'installation.

Au centre de la salle, trônait Razzle-Dazzle, le grand ordinateur de la recherche scientifique. Il ressemblait à une sorte de grand tonneau rainuré. Il était peint en brun avec des rayures orange. Tout autour, se trouvaient les douze petits ordinateurs qui travaillaient pour lui. C'était l'énorme cerveau électronique du Programme de recherches atmosphériques. Il était capable de traiter huit millions d'informations à la seconde. Comme Stovin et le directeur s'approchaient de l'ordinateur, Harmon s'avança vers eux. C'était un jeune homme solidement bâti au visage poupin. On avait l'impression qu'il aurait été plus à l'aise sur un terrain de rugby que devant un ordinateur.

— Maintenant, nous l'avons pour nous tout seuls, n'est-ce pas Dave?

C'était à peine une question.

— Oui, dit Harmon. Tous les autres utilisateurs ont été mis en

temps différé. Nous allons travailler en temps réel. Les imprimantes taperont tout au fur et à mesure.

— Très bien, dit le directeur. Où sont les bandes ?

Harmon fit un signe de tête en direction d'une table en plastique où étaient posées les cinq boîtes contenant les enregistrements envoyés par Moscou. C'étaient des boîtes plates, de forme circulaire, bleu acier. Toutes les données qu'avaient pu capter les instruments de mesures, sur le phénomène survenu une semaine plus tôt dans cette grande ville du bord de l'Orbi, étaient enfermées là-dedans. Harmon s'empara des boîtes, vérifia leurs numéros d'ordre et les plaça une à une sur l'axe d'un des ordinateurs périphériques — une sorte de caisse oblongue de trois mètres de long sur deux mètres cinquante de haut qui était appuyée contre l'un des murs. Tandis que les bandes se déroulaient dans la chambre sous vide de la machine, un léger sifflement se faisait entendre. En moins de trois minutes, l'ordinateur avait lu toutes les informations et le petit sifflement s'arrêta. Les données venant de Novosibirsk étaient maintenant stockées dans la mémoire centrale. Stovin se dirigea vers Harmon qui se tenait près de Razzle-Dazzle. Le jeune homme le regarda d'un air interrogatif.

— Voici les bandes de mon programme, dit Stovin.

Harmon ouvrit l'un des compartiments de la machine, mit les rouleaux en place et appuya sur un bouton. Régulièrement, au fur et à mesure que les bandes de Stovin étaient déchiffrées par l'ordinateur, une imprimante tapait les réponses sur une longue bande de papier de couleur crème d'une trentaine de centimètres de large. Stovin s'empara de la bande et s'installa avec le directeur à une table entourée de fauteuils qui avait été préparée pour eux. Durant plusieurs minutes, les deux hommes lurent attentivement les réponses de Razzle-Dazzle. De temps à autre, ils jetaient quelques notes sur un bloc-notes qui se trouvait devant eux. Ce fut Stovin qui le premier leva les yeux.

— Eh bien ! pour le moment, cela semble assez clair. Au nord et à l'est de Novosibirsk, la température s'est mise à baisser d'une manière imprévisible aux environs de deux heures du matin. Il y a eu un appel d'air, et le tourbillon a commencé... C'est une démonstration sur le vif, si l'on peut dire, du modèle de tornade élaboré par les Australiens.

Le directeur acquiesça.

— Mais la question principale reste encore en suspens, n'est-ce pas Stovin ?

— Vous voulez dire, comment se fait-il que la température se soit mise à baisser ? Eh bien, ce qui est arrivé au-delà de la zone surveillée

par les appareils de l'institut d'Akademgorodok... bien loin au-delà... Sur ce sujet, Razzle-Dazzle ne peut rien nous dire.

— En effet, dit le directeur. Mais avez-vous remarqué une autre curiosité ?

Stovin se leva brusquement et se dirigea vers la carte de la stratosphère qui était accrochée au mur. Après l'avoir examinée, il se retourna. Le directeur l'observait en silence.

— Si les informations que nous avons données à Razzle-Dazzle sont justes, nous nous trouvons dans une situation entièrement nouvelle. En effet, il apparaît... que le courant en anneau fait un mouvement vers le bas. Nous savons évidemment que ce courant, lorsque la planète entre dans une période froide, devient instable. Qu'il dévie vers le sud et peut provoquer des changements climatiques inattendus. Mais jusqu'ici personne n'avait encore pensé qu'il pouvait se diriger vers le bas.

— Il a fallu attendre Razzle-Dazzle, dit le directeur. L'ennui c'est que nous ne savons pratiquement rien sur l'atmosphère. Aurions-nous un brusque changement du courant vers le bas ? Diable, si c'est le cas... des températures incroyablement basses peuvent apparaître à certains endroits et provoquer de fortes baisses dans les environs. C'est exactement ce qui est arrivé à cette pauvre ville.

— Ce froid, dit Stovin, n'est pas de ce monde. Véritablement pas de ce monde. Quelle est la température à une vingtaine de kilomètres de haut ? Même au-dessus de l'équateur. Quelque chose comme quatre-vingts degrés en dessous de zéro, si ma mémoire est bonne.

Le directeur approuva d'un signe de tête.

— Alors, on peut commencer à avoir une petite idée, dit Stovin. Les déviations latérales du courant en anneau sont nettement supérieures à une vingtaine de kilomètres. Quand elles surviennent, elles provoquent les dépressions qui se dirigent d'est en ouest tout autour de la terre. Si nous avons maintenant des écarts au niveau de l'altitude, le courant en anneau va chercher, dans le grand congélateur, des températures qui ressemblent forcément à celle de la stratosphère. Si c'est ainsi, nous savons ce qu'est un Danseur mais nous ne savons toujours pas pourquoi il survient. Les choses se sont-elles passées de cette façon durant l'âge glaciaire ou est-ce quelque chose que la nature réserve à cette génération ?

— Peut-être en découvrirez-vous davantage à Novosibirsk, dit le directeur, d'une voix fatiguée.

— Peut-être, dit Stovin. Il y a deux ou trois petites choses qu'ils ne connaissent peut-être pas encore. L'étude de la glace elle-même par exemple. Il doit y avoir une multitude de petites bulles emprisonnées

dedans. On essayera de les analyser pour voir si elles contiennent quelques isotopes caractéristiques de la très haute altitude. Cela nous confirmerait le *comment,* même si le *pourquoi* reste toujours inconnu.

— C'est très ingénieux, Sto, et je crois que ça vaut la peine. Mais je ne pense pas que le *comment* est ce qui nous intéresse pour l'instant. Ni le *pourquoi* d'ailleurs. Tout ce que l'on va nous demander dans les mois à venir, c'est *quand.* Et il ne va pas être facile de donner une réponse...

Harmon s'avança vers eux en tenant à la main cinq morceaux de bandes imprimées qu'il avait collés sur des feuilles de carton noir.

— Ce sont les cartes et diagrammes de Razzle-Dazzle, dit-il au directeur. Je peux les photocopier et en donner un jeu au professeur Stovin.

— Non, dit le directeur, ce n'est pas la peine.

Il tendit la main pour prendre les documents :

— Je le ferai moi-même dans mon bureau. Sto, vous avez les imprimés ?

— Oui. Je reprends aussi les bandes.

Ensemble ils empruntèrent l'escalier recouvert de moquette qui conduisait au rez-de-chaussée. Le directeur accompagna Stovin jusqu'à la porte où le taxi attendait.

— Ne vous faites pas de soucis au sujet de Dave, dit le directeur. Il sait se taire.

— Pensez-vous qu'il ait compris quelque chose ?

— Sûrement. Il n'est pas sot et il déchiffre très vite. Il a très certainement compris.

— En ce cas, dit Stovin en faisant une grimace, je souhaite qu'il puisse dormir cette nuit.

Le directeur eut un rire étonnamment bref.

— C'est vous et moi qui avons besoin de somnifères, Stovin. Harmon est jeune, et les jeunes sont résistants.

Stovin monta dans le taxi. Le vent du nord charriait toujours une neige fine, et le ciel ressemblait à une plaque de métal. Le directeur frissonna. Stovin descendit la vitre et le regarda.

— Vous vous souvenez qu'il y a un instant, je me demandais si les choses se passent toujours ainsi lorsque commence un nouvel âge glaciaire...

Le directeur hocha la tête.

— Eh bien ! dit Stovin, il y a quelque chose qui me hante depuis que j'ai vu les pas du Danseur à Demarcation Point. J'avais toujours pensé qu'il n'y avait aucun compte rendu de ce genre de phénomène, mais...

— Oui, dit le directeur.

— C'est un récit de Sebastien Munster, le géographe... Un spectacle qu'il a vu dans la vallée du Rhône en 1546. La bibliothèque possède un exemplaire de son livre — il vient de la donation Schuster, je crois. Jetez un coup d'œil là-dessus. Page 330 ou par là. C'est instructif.

Avec un bruit de chaîne écrasant le gravier enneigé, la voiture s'éloigna. Le directeur rentra dans le centre et alla immédiatement à la bibliothèque. Il demanda à l'une des bibliothécaires le livre de Munster. Elle eut l'air un peu surpris mais prit une clef dans un tiroir, ouvrit une armoire derrière elle, sortit le livre et alla le placer à la table où le directeur était maintenant assis. C'était un gros volume relié en cuir. Le titre était en caractères gothiques. *Cosmographiae Universalis lib. VI,* publié à Bâle en 1552. La gorge serrée, le directeur feuilleta les pages jaunies, illustrées de gravures sur bois représentant des têtes de moines et de minuscules paysages. Voilà, c'était là... page 332 :

« *Anno Christi, quarta Augusti, quando trajeci cum equo Furcam montem, veniam ad immenseum molen glaciei cujus densitas, quantum conjicere potui, fui duum aut trium phalangarum militarum ; latitudo vero continebat jactum fortis arcus... Dissilierat portio una et altera a corpore totius molis magnitudine domus, quod horrorem magis augebat...* »

Amusé, le directeur se prit à sourire. Munster naturellement avait écrit en latin, la langue des docteurs et des savants au XVIe siècle. Stovin considérait qu'une vraie culture scientifique devait encore, de nos jours, englober une connaissance de la langue latine. Malheureusement, le directeur ne comprenait pas les langues mortes. Il ne voyait pas non plus qui, au CNRA, aurait été capable de comprendre ce texte. Il rapporta le volume à la jeune femme.

— Pourriez-vous demander à quelqu'un de me copier ce passage ? demanda-t-il en souriant. Je voudrais le faire traduire par quelqu'un de l'université.

Elle jeta un coup d'œil au passage en question.

— Oh ! dit-elle, c'est l'endroit que cherchait l'autre jour le professeur Stovin. Il doit y avoir une traduction dans le livre de Le Roy Ladurie. Il m'en a parlé.

Elle alla prendre sur une étagère un gros livre bordeaux : *Époques de fêtes, époques de famines* — une histoire du climat de ces mille dernières années. Le directeur consulta l'index. Oui, c'est là. Chapitre quatre :

« Le 4 août 1546, alors que je me dirigeais à cheval vers Furka, je

me trouvai soudain devant une colossale masse de glace. Selon mon estimation, elle devait avoir deux ou trois longueurs d'hallebarde d'épaisseur et une largeur équivalant à la portée d'un arc. Quant à sa longueur, il n'était guère possible de la connaître car la masse se perdait au loin vers les hauteurs. C'était une vision vraiment effrayante d'autant plus qu'un ou deux blocs de la taille d'une maison s'étaient détachés de la masse principale... »

Le Roy Ladurie donnait les dimensions en mètres : quinze mètres de haut, cent quatre-vingts mètres de large. Le directeur toujours assis se mit brusquement à parler à voix haute. La bibliothécaire, à son bureau, releva la tête, surprise, se demandant si le directeur lui avait ou ne lui avait pas adressé la parole. Celui-ci la regarda comme s'il poursuivait une conversation.

— J'imagine que ce devait être un Danseur. Un seul Danseur. Et cet unique Danseur annonçait un petit âge glaciaire qui provoqua un refroidissement du climat en Europe durant un siècle et demi. Et nous en avons déjà eu quatre. Que veulent-ils nous dire ?

Surprenante prolifération des bandes de loups. Des centaines d'animaux et de nombreuses personnes attaqués.

Des loups menacent de nouveau la Russie.

De notre correspondant particulier
Michael Binyon
Moscou le 30 mars.

Une fois de plus, le cri « Au loup ! » court à travers les forêts et les villages russes. L'ennemi traditionnel du paysan fait un retour en force, attaquant moutons, chiens et même l'homme d'une manière inquiétante...

L'hiver dernier, les loups ont tué trente chiens dans la région de Kirov au nord-est de Moscou. Un nombre considérable de chiens de traîneau ont été attaqués. Le loup s'aventure maintenant dans les villes. Une énorme bande a été repérée dans la région de Kirov.

Il apparaît que le nombre de loups est en augmentation dans tout le pays. Dans la Russie proprement dite, ils étaient estimés à deux mille cinq cents en 1960. Ils seraient maintenant environ douze mille. Cette augmentation se remarque aussi en Biélorussie, en Ukraine et dans les républiques baltes.

Les loups se multiplient rapidement dans les steppes. Au Kazakhstan, en Asie centrale, ils seraient au nombre de trente mille. Ils ont récemment fait leur réapparition aux abords de Moscou...

Les attaques contre l'homme sont de plus en plus nombreuses.

(Extrait d'un article du *Times* du 21 mars 1978.)

8

— Eh bien ! qu'y a-t-il au sujet des loups, Stovin ? dit Diane Helder en se frayant du bout du pied un chemin à travers la couche de feuilles mortes recouvertes de neige à moitié fondue.

Ils marchaient sur le bas-côté de la route en lacets qui menait au CNRA et qui partait de la Nationale venant de Boulder. La neige, qui n'avait pas cessé de tomber durant le repas qu'ils avaient pris ensemble une heure auparavant, s'était maintenant arrêtée. Mais il faisait froid, très froid. Diane, pensa Stovin, était probablement la seule femme de ses connaissances à accepter une telle promenade.

— Simplement qu'il y a quelque chose d'intéressant dans le rapport que nous ont envoyé les Soviétiques. Les loups pénètrent maintenant dans la ville — enfin ce qui reste de la ville — en grand nombre. Évidemment, il y a là un tas de nourriture pour eux.

Diane frissonna, mais Stovin sembla ne pas le remarquer.

— Ce qui me surprend, ajouta-t-il, c'est qu'ils soient suffisamment nombreux pour tirer parti de la situation.

Diane serra son duffle-coat blanc contre elle. Ils avaient laissé la voiture cinq cents mètres plus bas et marchaient en direction des dernières lueurs du couchant qui illuminaient le ciel d'automne au-dessus des Flatirons. Les montagnes couleur d'ardoise — on aurait dit de la fumée — se détachaient sur des traînées rose et doré.

— Il y a eu une formidable augmentation du nombre des loups, ces dernières années en URSS. Les Russes ne nous ont pas communiqué la courbe de cette progression. Il nous ont simplement donné un chiffre global. On a écrit beaucoup d'articles là-dessus mais les informations sur des faits précis sont assez rares. Très peu de nos chercheurs ont eu l'occasion d'aller faire un tour là-bas, même pour une courte visite. J'imagine pourtant qu'il peut y avoir suffisamment

de loups autour de Novosibirsk pour inquiéter les autorités. Cependant ils ne s'attaquent guère aux êtres humains, surtout si ceux-ci sont armés. Et ce ne doit pas être les armes à feu qui manquent à Novosibirsk. Je veux parler des soldats chargés d'éviter le pillage...

— Oui, ils en parlent dans le rapport. Il y aurait eu trois cents loups tués la semaine dernière.

Diane émit un petit sifflement. Au-dessus des Flatirons, les grandes traînées dorées s'éteignaient pour prendre la couleur de l'encre. Les premières étoiles commençaient à briller dans le ciel.

— Trois cents? Mais c'est bien plus que je n'aurais pensé... beaucoup plus. Pourrais-je voir le rapport?

— En principe, non. Mais, bien sûr, tu le verras.

Diane s'arrêta brusquement et regarda Stovin mi-riante, mi-sérieuse.

— C'est toi qui décides, hein, Stovin?

— Je ne décide rien du tout, répondit-il.

Diane fut surprise de découvrir un fond d'amertume dans le ton de la voix.

— Je ne serais pas ici avec toi si tu n'obéissais pas à tes propres lois, dit-elle.

Il faisait noir maintenant. Ils rebroussèrent chemin et marchèrent parmi l'herbe éparse pour retrouver la voiture de Diane. Dès qu'ils furent installés à l'intérieur, la jeune femme tendit la main pour appuyer sur le commutateur des phares. Stovin l'en empêcha. Son visage, uniquement éclairé par la faible lueur arrivant du dehors, était tendu.

— Je veux que tu lises ce qu'il y a dans le rapport au sujet des loups, parce que cela peut... peut te concerner...

— De quelle façon?

— Tu sais que je vais là-bas?

— J'imagine.

— Je peux prendre deux autres personnes avec moi. J'ai déjà choisi Bisby... le pilote qui m'a fait survoler la mer de Beaufort.

— Je me souviens.

Son cœur se mit à battre très vite. Elle en eut conscience.

— Il me faut un autre chercheur. Mel Brookman me conseille Bongartz.

— Bongartz... il a travaillé sur le voile de poussière, non? J'ai vu un papier de lui dans une revue... Ce n'est pas mon domaine, comme tu sais.

— En effet, ce n'est pas ton domaine. Pas plus que le *Canis lupus* n'est le domaine de Bongartz. Je ne veux pas de Bongartz. Je sais, il

est très bien. Mais je ne veux pas de lui. Quand j'étais en Alaska, j'ai beaucoup parlé avec Bisby. Il m'a appris une chose... une chose que je savais mais qui est devenue parfaitement claire grâce à lui. On ne va pas comprendre ce qui arrive en s'occupant uniquement du climat. Il faut élargir le champ de vision. Il va falloir que nous comprenions ce qui arrive grâce à ce qui se passe. Tu vois ce que je veux dire ?

Elle fit un signe de tête dans l'obscurité.

— Ça ne sert à rien de prendre Bongartz avec moi. On n'a pas besoin de deux climatologistes pour faire un rapport au président. Il me faut quelqu'un d'autre. Toi, Diane, si tu veux venir. Non... — il leva la main — non, ne dis rien pendant une minute. Écoute... j'ai besoin d'un zoologiste, et d'un zoologiste qui sache de quoi je parle...

Il était pressant, presque passionné.

— Bon, bon, dit-elle gentiment. Tu n'as pas besoin de me bousculer comme ça. Si j'hésite, c'est pour quelque chose d'autre.

— Quoi ?

— Suis-je vraiment à la hauteur ? C'est un voyage terriblement important. Je doute que quelqu'un à Washington, sans parler de Moscou, ait jamais entendu parler de moi. Est-ce qu'on va te laisser emmener avec toi un zoologiste qui n'a pas une réputation internationale ? Alors qu'il existe des gens comme Van Gelder au Nouveau-Mexique qui sauteraient sur l'occasion. Il y en a sûrement aussi dans ton université.

— Van Gelder me rendrait fou en moins de quarante-huit heures, dit Stovin de mauvaise humeur. De toute façon, Van Gelder lui-même dit que c'est toi la plus forte de la nouvelle génération. Il le répète tout le temps.

— Van Gelder dit ça ?

— Oui, il dit ça.

— Alors, alors... Moi qui pensais qu'il n'en voulait qu'à mes yeux bleus.

— Je dois appeler Brookman ce soir, dit Stovin.

— Il va monter sur ses grands chevaux.

Elle se rendit compte que sa voix n'était pas très assurée.

Pour la première fois, Stovin s'offrit un petit rire.

— Non, non. Il est bien trop occupé à obtenir un visa pour Bisby. Il trouvera plus facile de faire des démarches pour un zoologiste. Mais... est-ce que tu viens ?

— Tu sais bien que je viens.

— Alors, c'est parfait. Rentrons à Boulder. Je dois donner un coup de téléphone. Il faut que j'appelle Bisby.

— Il ressemble à quoi, Bisby ?

— Oh ! dit-il, c'est un brave type. Quelqu'un à qui l'on peut parler. Tu l'aimeras, tu verras.

Elle se pencha sur le côté et embrassa Stovin légèrement sur la joue. Il sentit l'odeur de ses cheveux comme une bouffée de chaleur. Il tourna la tête et l'embrassa sur la bouche. Elle se laissa faire sans vraiment répondre. Stovin en fut légèrement désappointé.

— C'est peut-être un peu compliqué, dit-il d'un ton sec, mais je ne pense pas que... tes connaissances scientifiques soient la seule raison qui me fasse désirer ta venue.

Elle appuya sur le démarreur, et le vaillant petit moteur de la Volkswagen se mit à tourner.

— Ne t'en fais pas pour ça, dit-elle. Ce n'est pas la seule raison qui me fasse venir.

Bisby conduisait lentement au sud d'Anchorage. Il écoutait le bruit des chaînes qui s'enfonçaient dans la neige durcie. La route suivait les méandres du Ninilchick. La rivière charriait une énorme quantité de glaçons. La voiture passa devant un dépôt de voitures et de caravanes abandonnées. Certaines parties toutes rouillées sortaient du manteau blanc de la neige. Au bout de quatre à cinq kilomètres, Bisby atteignit la maison qu'il cherchait. Maison, pensa-t-il, est un bien grand mot. Il s'agissait en fait de deux caravanes mises bout à bout et reliées par un petit passage en fibre de verre. Elles s'étaient, durant l'été dernier, enfoncées dans la boue jusqu'aux moyeux, et elles étaient maintenant prises dans la glace. Un peu plus loin coulait la rivière et l'on pouvait voir un bosquet de quelques aulnes rabougris. C'était déjà le crépuscule.

La porte à la peinture écaillée de la plus grande des caravanes était fermée. Bisby ne frappa pas à l'entrée mais tourna la poignée et pénétra tout simplement dans la pièce. Il se tint immobile un instant en attendant que ses yeux s'habituent à l'éclairage. Dans un coin, un poste de télévision, le son coupé, envoyait les images sautillantes d'un match de football. Une lampe au cordon effiloché était posée près du poste. Bisby traversa la caravane et alla s'asseoir près du meuble rectangulaire qui supportait le réchaud.

Il faisait chaud et l'air était rempli de l'odeur des huit Esquimaux qui, serrés les uns contre les autres, attendaient en cercle. A deux ou trois reprises, le bouton de la porte tourna ; durant un instant, une silhouette se découpait contre la blancheur fantomatique de la neige à l'extérieur. Bientôt, la petite pièce se trouva comble, et il n'était plus question d'accueillir qui que ce fût. L'Esquimau près de Bisby était un

jeune homme corpulent qui respirait bruyamment, reniflait et se raclait la gorge. Il y eut un bruit à l'autre bout de la pièce, et le jeune homme se leva précipitamment pour arrêter le poste de télévision. La lumière s'éteignit en même temps, et la caravane fut plongée dans une quasi-obscurité. Seules les dernières lueurs du couchant et les phares des camions qui, de temps à autre, passaient sur l'autoroute, éclairaient encore les petites vitres. En face de Bisby, une femme d'un certain âge, dans un anorak bouffant à carreaux, parlait à une petite fille assise près d'elle. Tous les autres assistants n'étaient plus qu'une masse sombre et indistincte... On entendait de temps en temps un raclement de gorge, un petit rire vite étouffé et, répété deux ou trois fois sur un ton aigu et lancinant, une sorte de murmure... *até, até, até.*

Bisby ne se rendit pas compte à quel moment le chaman, Julius Ohoto, un homme trapu, entra dans la pièce. Le vent à l'extérieur était devenu plus fort, et la caravane craquait de toutes parts à chaque rafale, de sorte qu'il n'était pas facile d'entendre l'arrivée d'un nouveau venu. A un moment donné, le centre du cercle était vide et l'instant d'après il y avait quelqu'un. N'importe quel *katkalik* a naturellement le pouvoir de se diriger dans le noir... Que lui avait dit son père, exactement ? « Le *katkalik,* du moins c'est ce qu'ils croient, a un feu intérieur qui lui permet d'illuminer les sentiers de son âme. » A ce qu'ils croient... c'est ce que lui avait dit son père. Que penserait-il de lui en ce moment ? En tout cas, Julius Ohoto ne se fiait pas à son feu intérieur. Dans l'ombre, près de son siège, Bisby vit une grande torche électrique de plongée. Comme s'il s'agissait d'une vieille habitude, les doigts du pilote se glissèrent sous son anorak près de la poitrine pour atteindre le petit crâne en os poli qui lui servait d'amulette. Il regarda le chaman. Ohoto était un homme entre deux âges. Il travaillait comme employé de bureau dans une agence immobilière d'Anchorage. Il portait des lunettes de cadre supérieur qui donnaient à son visage plat un air assez curieux. Une de ses dents de devant était en or. Bisby la vit briller quand le chaman tourna la tête. Ohoto tenait une bouteille de bière à la main. Il la porta brusquement à la bouche et en but une bonne rasade. Il ne fit aucun geste pour en offrir à qui que ce fût. Il ramassa près de lui une longue baguette et en frappa la bouteille. Le jeune Esquimau un peu trop gros commença à chanter. C'était un chant qui parlait de caribous. Un vieux refrain que Bisby avait entendu à Ihovak lorsqu'il était enfant. Un chant flûté et modulé assez étrange que tout le monde écouta en silence. Lorsque ses dernières notes un peu bizarres s'éteignirent, tout était tranquille dans la pièce.

Ohoto resta assis comme s'il attendait quelque chose. Puis, il leva la

main et la tendit dans l'obscurité en direction du mur qui faisait face à Bisby. L'un après l'autre, les Esquimaux avancèrent le bras — les hommes, le droit ; les femmes, le gauche — et frappèrent légèrement les doigts du chaman. Un enfant dans un coin se mit à pleurer. Sa mère le calma et lui fit toucher de son petit poing la paume d'Ohoto. Finalement, ce fut le tour de Bisby. La peau du chaman était rugueuse et froide comme celle d'un poisson. Quand il eut retiré sa main, Bisby s'empara de nouveau de son amulette.

Ohoto, accroupi au centre du cercle, détacha de sa ceinture un gant de cuir. Il le plaça debout à côté de lui et le toucha à plusieurs reprises avec le bout de la baguette. A chaque nouveau contact, il semblait plus difficile de faire remuer la baguette. Au bout d'un moment, il ne fut plus possible de la lever. On aurait dit que sa pointe était enfoncée profondément dans la terre. Le chaman lança violemment la tête en arrière, et Bisby sentit une goutte de sueur tomber sur sa main. Quelques instants plus tard, les préparatifs magiques étaient achevés. La baguette ne bougeait plus. Ohoto se mit alors à parler d'une voix rauque et haletante :

— Ma *tornaq* est avec nous.

Un murmure semblable à un frisson courut dans l'assemblée. Bisby sentit se dresser les poils de sa nuque. Ohoto tenait maintenant à voix basse une conversation avec chacun des assistants. Chaque Esquimau avait droit à une seule question. Dois-je acheter ce bateau ? Cette voiture ? Est-ce que cette femme va m'aimer ? Me rendra-t-on mon argent ? A chaque demande, Ohoto tirait sur la baguette. Si celle-ci se dressait, l'Esquimau qui avait posé la question se dégageait du cercle et, heureux, rentrait chez lui. Parfois, la baguette restait immobile. La femme à l'anorak à carreaux demanda :

— Est-ce que mon fils va retrouver la santé ?

La baguette, comme si elle était soudée au sol, ne bougea pas. La femme en sanglotant quitta le cercle.

Comme Ohoto se tournait vers lui, Bisby comprit qu'il était le dernier dans la pièce. Les deux hommes étaient maintenant seuls. Dans le noir, le chaman dévisageait Bisby. Il prit la bouteille de bière, en but une grande gorgée et la lança à l'autre bout de la pièce avec fracas. Puis, il se mit à chanter. Il chantait si vite qu'on avait l'impression de n'entendre qu'un seul interminable mot. C'était un chant ihovakmiut. De temps en temps, parmi le bredouillement, Bisby saisissait quelque chose. Il se sentait légèrement étourdi. Dans une sorte d'engourdissement, il se demanda comment Ohoto savait qu'il venait des îles Ihovak. Finalement, le torrent de paroles s'arrêta et le chaman s'empara de la baguette.

— Pose ta question.

— On me propose de faire un très long voyage. Est-ce que cela me sera bénéfique ?

La baguette resta immobile, la pointe en bas. Mais Ohoto ne luttait pas avec elle comme il l'avait fait à plusieurs reprises au cours de la soirée.

— Quelle est la réponse ? demanda Bisby.

— Il n'y a pas de réponse, dit Ohoto. Je ne peux pas tenir la baguette. Regarde...

Il retira la main. La baguette avait l'air de jaillir du sol.

— Tu dois poser une autre question.

Bisby passa sa langue sur ses lèvres.

— Est-ce mon destin de faire ce voyage ?

La baguette se redressa, planant dans l'air.

— C'est ta destinée.

Bisby fit un mouvement pour se mettre debout, mais le chaman leva sa main libre.

— Tu as une autre question, pose-la à ma *tornaq*.

La main de Bisby sur son amulette était moite.

— Est-ce que je reviendrai ?

Un souffle d'air glacé entra soudain dans la pièce. Un bruit assourdissant se fit entendre comme si de nombreux oiseaux voletaient dans la pièce. Surpris, Bisby détourna les yeux et ne vit pas ce qui était arrivé à la baguette. Quand il regarda le chaman, la baguette avait disparu.

— Qu'est-ce... ? commença-t-il à dire.

Ohoto secoua la tête et mit un doigt sur ses lèvres.

— Ma *tornaq* a répondu, dit-il. Elle est partie.

Le loup était à l'arrêt sur l'avancée caillouteuse qui dominait d'au moins trente mètres les eaux encombrées de glace du lac. Trente mille ans plus tôt, avant que la glace ne s'installât et que le lac ne rétrécît à ses dimensions actuelles, l'avancée était une plage. Aujourd'hui encore, elle était couverte de coquillages. Et autour du loup se trouvait aussi la preuve du passage d'autres chasseurs de la toundra sibérienne. De longs éclats de silex pointus avaient été taillés en pointe de flèche comme les hommes de la préhistoire savaient le faire. Fixement, le loup regardait le paysage nu et désolé. Il n'y avait pas d'arbres, et les dernières petites fleurs du bref été de l'Arctique étaient mortes depuis longtemps. Mais, à l'abri des rochers, au bord du lac, restaient encore, accrochés dans les crevasses, les derniers

vestiges, morts et décolorés, des lichens de couleur vive qui s'étaient épanouis durant l'été. A première vue, il semblait que ces lieux ne supportaient aucune vie. Le loup savait qu'il n'en était rien. Près du lac, on pouvait voir le squelette d'un caribou. Et d'au-delà des eaux parvenait le cri irritant du phalotrope, oiseau à la migration tardive. L'attention du loup cependant était fixée sur une suite de points qui se déplaçaient au loin à environ un kilomètre, en suivant la ligne sinueuse de l'escarpement. Le loup leva la tête, plissa le museau et renifla alors que les points commençaient à grandir. Ils se déplaçaient à une douzaine de kilomètres à l'heure. Et l'on pouvait maintenant parfaitement reconnaître leur longue silhouette. Le loup, bien sûr, savait depuis fort longtemps *qui* ils étaient. Il se redressa, raidissant les griffes de ses pattes contre le schiste friable et enfonça son ergot dans le sol pour affirmer sa position. Puis, il passa rapidement sa longue langue sur ses babines, tendit son museau allongé vers le ciel et poussa son cri. Tout de suite, le chef de la bande, qui n'était plus qu'à quelques centaines de mètres, se mit lui aussi à hurler. Le loup sur l'avancée caillouteuse se retourna et entreprit de descendre vers le lac. Il se dirigea en direction du nord vers une aire de roches éclatées, creusée dans le sol par un glacier. Un peu plus loin, de grandes dalles de granite formaient une sorte d'amphithéâtre naturel. C'était là que, couchés, les quatorze autres loups de la bande attendaient leur chef. Celui-ci s'avança d'abord vers sa femelle et lui donna de petits coups de museau et de patte en guise de salut. Ils seraient le couple dominant de la bande pour le reste de leur vie. Le loup était dans tout l'éclat de sa jeunesse. Aucun des membres de la bande ne mettrait en doute son autorité. Toutes les décisions concernant la survie de la troupe seraient prises par lui seul.

Dès qu'il s'éloigna de sa femelle, les autres loups s'approchèrent pour lui souhaiter la bienvenue. Les queues s'agitaient en tous sens. On lui donnait de légères tapes sur le cou. On poussait de petits cris. On faisait des simulacres d'attaque et de dérobade. Les formalités achevées, le grand loup, la queue bien droite, redescendit vers l'aire de roches éclatées. Tous le suivirent en formation de chasse : à la queue leu leu, avec un espace régulier entre eux.

La bande que le chef avait repérée depuis l'avancée caillouteuse — une douzaine d'individus — était déjà sur la rive quand ils arrivèrent près du lac. Alors, pendant un moment, les deux bandes obéirent à un rituel immémorial. Oreilles dressées, poils hérissés, tous les loups tentaient de donner à leur corps le maximum de volume. Puis de sourds grondements de menace se firent entendre. Le chef de la deuxième bande — une bête déjà âgée au museau déchiré — urina

soudain contre un rocher. Le jeune loup renifla longuement l'urine. Les deux chefs allèrent ensuite un peu à l'écart pour prendre part durant un instant à un combat mi-simulé mi-sérieux. Puis le vieux loup s'aplatit dans la neige en signe de soumission, la queue bien serrée entre les pattes. Son vainqueur le renifla et s'éloigna. Immédiatement, non sans grondement, et sans bousculade, les deux bandes fusionnè-rent. C'était maintenant une bande de vingt-sept loups. A la file indienne, derrière le chef la queue dressée, ils se dirigèrent vers l'aire de roches éclatées. Le jeune loup ne s'arrêta pas dans le petit amphithéâtre où sa propre bande avait passé ces dernières quarante-huit heures. Le jour baissait rapidement, faisant place au crépuscule. Le vent chargé de neige soufflait en rafales. Avec une étonnante précision, comme s'il se dirigeait à la boussole, le nouveau chef bondit en avant. Le disque rouge du soleil couchant éclairait son épaule gauche alors qu'il entraînait sa bande vers le sud.

9

Stovin renonça au sommeil et ouvrit les yeux. Il tira la petite languette du rideau et regarda la nuit à travers le hublot rectangulaire. Il avait d'abord pensé que le ronflement des moteurs du Boeing l'aiderait à s'endormir, mais trop de questions se pressaient dans sa tête. Quelques étoiles brillaient dans l'obscurité, moins fort toutefois que les feux rouge orangé de bâbord placés sur l'aile. Il regarda sa montre. Une heure et quart qu'on était parti de l'aéroport de Londres. Encore trois heures pour Moscou... Près de lui, Diane était assise, les yeux fermés. Impossible de dire si elle dormait ou non. Bisby était en train de lire tranquillement. Stovin plissa les yeux pour voir le titre en haut de la page ouverte. Il fut légèrement surpris de découvrir qu'il s'agissait de *l'Homme préhistorique et l'Océan* de Thor Heyerdahl. Il tourna la tête pour regarder de nouveau à travers le hublot. Des lumières scintillaient sous l'aile de bâbord... Le Dane-mark peut-être ? Je n'en sais rien, pensa-t-il. Encore une question sans réponse.

Pourquoi les Soviétiques ont-ils refusé d'accorder d'autres visas ? Ledbester était furieux, vraiment furieux. Le chercheur britannique, pourtant lourd — physiquement il n'était pas très différent de Brookman —, avait tremblé de rage.

— Nous sommes dans une situation impossible jusqu'aux oreilles, avait-il dit à Stovin. Si les choses arrivent à la vitesse que vous dites — et je ne suis pas loin de le croire —, il n'y aura aucune grande nation industrielle plus touchée que la nôtre. Nous allons avoir des temps difficiles, très difficiles, partout au nord de la Tamise. Si l'on peut apprendre quelque chose à Novosibirsk, nous devons en profiter...

Évidemment, il était facile de comprendre le point de vue de Ledbester. D'ailleurs, le président avait déclaré clairement que le premier ministre de Grande-Bretagne aurait une copie du rapport de Stovin. Si, pensa-t-il avec angoisse, je trouve quelque chose. Mais, nom d'une pipe, il faut que je trouve quelque chose ! Ledbester avait raison, bien sûr. La Grande-Bretagne allait être aux premières loges. Et tout ce qui pourrait amoindrir ou même expliquer le phénomène aurait une importance vitale pour les Britanniques.

Pourquoi est-ce que je les appelle les Britanniques ? J'en fais partie. Non. Je suis américain maintenant, et je suis content de l'être. Mais j'ai encore une trace de... sentiment confraternel pour ces petites îles froides, humides, minables et orgueilleuses. Ces petites îles tellement civilisées. Je n'ai jamais connu mon père. Il est mort alors que je n'avais pas encore trois ans. Ma mère répétait sans arrêt qu'il était anglais jusqu'au bout des ongles. Elle me disait aussi souvent, assise dans le petit appartement de Santa Monica : « Je n'aurais jamais cru qu'un jour j'en viendrais à désirer la pluie. Eh bien ! je la désire. Cette sorte de pluie que nous avons en Grande-Bretagne. » Il n'avait jamais vraiment compris ce qu'elle voulait dire. Et, maintenant, elle était morte... Tout ce qui restait d'anglais en eux coulait aujourd'hui dans ses veines. Il n'aurait jamais été William Stovin sans cela. Néanmoins, pensa-t-il en fermant les yeux, je suis — et il sentit le sommeil arriver — je suis américain maintenant et pour toujours.

Il s'éveilla à cause d'une curieuse sensation. Il regarda sa montre et sut ce que c'était. On devait être en ce moment à environ cent cinquante kilomètres de Moscou, et le Boeing préparait son atterrissage. Il y eut un petit remue-ménage, et quelques minutes plus tard le tableau demandant d'accrocher les ceintures s'alluma. Diane s'étira en s'éveillant et parla un instant avec Bisby. Stovin ne pouvait pas entendre ce qu'ils disaient. Il découvrit à sa grande surprise qu'il aurait bien aimé comprendre. L'avion perdit de l'altitude et s'enfonça dans des bourrasques de neige. Une demi-heure plus tard, au moment d'atteindre la piste, la ligne des feux de balisage était à demi effacée tant les flocons tombaient serré. Ce n'était pas un atterrissage de tout repos. L'appareil se présenta une première fois au-dessus de la piste, train d'atterrissage sorti, mais dut reprendre de l'altitude au dernier

moment. Le Boeing fut obligé de décrire de grands cercles au-dessus de la masse sombre de la ville avant de se poser avec succès au milieu de cette curieuse obscurité blanchâtre. Bisby avait abandonné son livre et écoutait attentivement les changements de régime des moteurs. Il regarda Stovin en souriant et fit un petit signe de tête en direction du poste de pilotage qui se trouvait devant eux.

— Une sale nuit pour voler. Je suis content de ne pas tenir le manche.

Au sol, la neige tombait dru. L'avion roula lentement sur les pistes de l'aéroport Sheremetyevo. Quelques silhouettes emmitouflées se tenaient devant les bâtiments circulaires, éclairées par de fortes lumières jaunes. Un peu plus loin, deux avions étaient en stationnement — un Boeing d'Alitalia et un appareil russe, aux ailes placées très haut, que Stovin ne connaissait pas.

— Antonov, dit Bisby laconiquement après que Stovin lui eut posé la question. Ils ont le même en bombardier.

La neige avait été poussée en tas sur les côtés des pistes. Deux autobus jaunes s'approchaient. La température intérieure tomba brusquement à l'instant où l'on ouvrait les portes. Stovin et ses compagnons se levèrent pour prendre place dans la file des voyageurs qui avançaient à petits pas. Mais une hôtesse s'approcha en souriant :

— Restez assis, je vous prie. Quelque chose est prévu pour vous.

Avec quelques difficultés, ils regagnèrent leurs sièges. Dehors, une grosse machine compliquée se soulevait et s'abaissait en soufflant de l'air chaud sur le sol gelé. Elle était suivie d'une autre machine qui épongeait la glace fondue. Et derrière venait une limousine noire avec ses feux de position allumés. Bisby se pencha sur le côté pour regarder.

— Voilà une Zil, dit-il. J'imagine que quelqu'un de l'aéroport a donné des instructions.

L'hôtesse leur fit un petit signe, et ils s'avancèrent vers la passerelle centrale pour sortir de l'appareil. Bien qu'il fût déjà emmitouflé, Stovin se sentit saisi par le froid au moment où il commençait à descendre les marches. Près de la Zil, arrêtée juste au bas de l'escalier, se tenait un homme en uniforme avec un bonnet de fourrure. Il se précipita pour ouvrir et tenir la porte tandis que les voyageurs s'installaient sur la grande banquette arrière. Un jeune homme portant des lunettes était assis près du chauffeur. Il se retourna pour leur souhaiter la bienvenue. Il parlait un anglais à la grammaire parfaite mais avec un accent lourd et guttural.

— Mon nom est Grigori Volkov, dit-il en souriant. J'appartiens au ministère des Affaires étrangères. Je suis à votre disposition tant que

vous êtes à Moscou — je regrette simplement la brièveté de votre séjour.

La Zil commença à rouler sur une grande route qui allait vers les grilles de sortie de l'aéroport.

— Nous ne passons pas à la douane ? demanda Diane quelque peu surprise.

— Non, ce n'est pas nécessaire, dit Volkov laconiquement. Vous êtes nos invités. Il vous suffit de me présenter vos passeports et vos visas...

Il ouvrit une petite serviette en plastique noir, en tira un timbre en caoutchouc et en tamponna les passeports. Puis, très minutieusement, il nota sur un carnet un tas de numéros et de nombreux détails au sujet des visas accordés par d'autres pays. Il s'aperçut de l'air étonné de Stovin et se mit à rire, assez mal à l'aise, en lui rendant les papiers.

— Nous sommes un pays qui aime la paperasserie, dit-il d'un air d'excuse.

La voiture se fraya un chemin sur l'autoroute en direction de Moscou. Stovin regarda sa montre. Il était presque minuit mais, même pour cette heure tardive, l'absence de circulation était vraiment étonnante. Ils croisèrent un chasse-neige qui roulait sur l'autre voie.

— Une très mauvaise nuit pour être dehors, dit Stovin à Volkov.

— La route a été fermée durant deux heures au cours de la journée avant que nous puissions la dégager. La neige est encore mauvaise maintenant, mais c'était bien pire autour de midi. Les gens n'aiment pas beaucoup sortir par ce temps-là.

— Pourtant, vous devez y être habitués ?

— Oui, en janvier. Mais pas si tôt. La Russie est un pays froid, professeur Stovin, mais ce temps n'est pas de saison. Nous ne sommes qu'au début de l'hiver, et il fait déjà plus froid qu'au cœur de certains autres.

Sur la droite, au bord de la route, se dressait dans l'ombre de la nuit, au milieu des flocons de neige, une grande construction restée à l'état de squelette. Un assemblage de poutrelles qui pouvait faire penser à un monumental piège à tanks.

— Notre hiver très rigoureux nous a été très utile en 1941 pour stopper l'invasion allemande.

Il fit un geste en direction du monument.

— C'est là que l'ennemi fut arrêté lors de son attaque sur Moscou. Il pensait que, d'ici, il pourrait voir les tours du Kremlin.

— Est-ce que beaucoup d'Allemands viennent à Moscou aujourd'hui ? demanda Diane.

— Bien sûr, dit Volkov, l'Allemagne est une démocratie maintenant.

Il sourit dans l'obscurité, découvrant une dent en or.

— Une partie en tout cas, ajouta-t-il.

— Vous avez dit que nous ne serions pas très longtemps à Moscou ? interrogea Stovin.

— Seulement une nuit. Vos places sont retenues sur l'avion de Novosibirsk demain matin. Ce n'est pas un très long vol — environ quatre heures.

— Qui allons-nous rencontrer là-bas ?

Volkov fit un geste d'ignorance.

— Je ne connais pas les noms, dit-il. Mais il s'agit sûrement de membres de l'Académie sibérienne des sciences.

Il regarda Stovin avec une expression indéfinissable.

— La situation à Novosibirsk est imprévisible... hors de la norme... Vous comprenez ?

Stovin fit un petit geste affirmatif.

— Mais, soyez sûr, professeur Stovin, que vous rencontrerez quelqu'un.

La voiture avait maintenant atteint le centre de Moscou et s'engageait dans un grand boulevard bordé de magasins. Volkov montra du doigt la rue déserte :

— Rue Gorki, dit-il. Votre hôtel est au bout, près de la place Rouge.

C'était un grand hôtel international et impersonnel. Leurs chambres se trouvaient au dix-septième étage. Stovin regarda à travers les doubles vitres salies avant de se mettre au lit. Les lumières de Moscou — rien à voir avec celles de New York, pensa-t-il — se montraient par intermittence entre deux rafales de neige. Sur un bâtiment tout proche brillait dans la nuit une grande étoile rouge. Stovin s'enfonça dans le lit étroit et ouvrit l'un des livres qu'il avait achetés à New York. C'était *Étude d'un modèle géophysique sur les commencements d'un nouvel âge glaciaire* de Herman Flohn... un travail sur les phénomènes qui déclenchèrent les glaciations. Le livre avait été écrit en 1974. Stovin retira le signet et se mit à lire.

« En ce qui concerne la vitesse du déroulement, il semble que les premières étapes ont dû durer moins d'un siècle, peut-être même seulement quelques décennies. Quelles sortes d'anomalies dans l'échange atmosphère/océan peuvent provoquer des événements si catastrophiques ? Toutes les réponses à cette question doivent être considérées, en partie du moins, comme des spéculations... »

— Mais, nom de Dieu, c'est la lueur des glaces! dit l'officier en second de l'*Orca* qui se trouvait à bord de cette vedette de surveillance de la Marine britannique.

Il posa ses jumelles sur le rebord poli en face de lui. Il regardait la mer depuis la passerelle de commandement. Tout à fait au nord, là où une mer grise rejoignait un ciel gris, une lueur blanche passait comme une onde pendant une seconde ou deux sur l'horizon, s'évanouissait et réapparaissait.

— Impossible, dit le commandant. Pas ici, pas dans ces eaux. Nous sommes au moins à deux cents kilomètres au sud de la dérive des glaces.

Il prit ses jumelles et regarda pendant quelques secondes l'horizon. Puis, il se tourna vers son second :

— Je suis d'accord, c'est bizarre. Que dit le radar?

— C'est encore très loin... Mais on peut toujours voir... Je vais jeter un coup d'œil sur l'écran.

Il descendit l'échelle de passerelle et disparut. Le commandant était parfaitement conscient que ses connaissances des eaux arctiques et sous-arctiques étaient moins solides que celles de son second. Et il ne tenait pas à passer pour un imbécile. Les quelque mille tonneaux de l'*Orca* fendaient les lames au-dessus des grands fonds au nord-est des Shetland et des Féroé. A cet endroit, la mer avait presque un kilomètre de profondeur. Il était impensable de trouver des icebergs à cette latitude, et encore moins en quantité suffisante pour produire ce phénomène dû à la réflexion de la lumière sur la glace. Les marins appellent « lueur des glaces » cette nitescence sur les nuages. Le second réapparut. Son visage impassible montrait suffisamment qu'il devait avoir raison.

— Eh bien? demanda le commandant.

— Il y a un tas de parasites, mais on distingue parfaitement quelque chose sur l'écran. C'est flou, mais c'est là. Encore trop loin pour donner une identification exacte. Mais j'ai déjà vu ça. Une première fois, lors d'une tempête de neige près des îles Jan Mayen.

Le commandant regarda de nouveau le ciel et la surface luisante de la mer. Un soleil brouillé tentait de se montrer à travers les nuages.

— Les îles Jan Mayen? dit-il en essayant de ne pas donner à sa voix un ton d'incrédulité trop apparent. C'est nettement au nord. Et je ne vois aucun signe de neige.

— Et la deuxième fois que j'ai vu cette chose de cette manière sur le radar et depuis la passerelle, dit le second en articulant soigneusement ses mots, c'était une lueur des glaces.

Cela se passait deux heures avant que les officiers ne commencent à voir les premiers glaçons. Ils faisaient de petits points gris sur la mer. On aurait pu facilement les confondre avec des dos luisants de baleine. Les marins de l'*Orca* mirent un filet à la mer et hissèrent quelques blocs à bord. Le commandant et son second étaient descendus sur le gaillard d'avant pour examiner la prise.

— Sacré nom d'une pipe ! dit le second lentement.

Il glissa sa main gantée dans une crevasse et en tira deux petits poissons morts.

— La dernière fois que j'ai vu ça, j'étais terriblement plus près du pôle...

— C'est-à-dire ?

Le second se redressa, tenant encore les poissons à la main. Il écrasa le bloc de glace avec son pied.

— Je veux dire que c'est de la vieille glace. Ce que nous appelons de la glace pourrie. Cette glace s'est formée il y a très longtemps. Il y a si longtemps que les poissons se nourrissaient des algues prises dedans. Ce n'est pas quelque chose qui s'est formé récemment et cela vient d'un iceberg de très grande taille. De très, très grande taille.

— Oui, et alors ?

— Alors ? Où est cet iceberg ? Car, s'il est par ici, il est nettement plus au sud qu'il ne devrait être. Regardez cette quantité de morceaux...

Il montra du doigt les points sombres sur la mer :

— En tout cas une chose est sûre. Quand il y a un iceberg, il y en a d'autres. Les icebergs comme les baleines voyagent rarement seuls. Et il y a un endroit où je n'aimerais pas me trouver.

— Où ça ?

— Sur une plate-forme de forage en mer du Nord.

— Certes, dit le commandant. Donnez-moi le carnet de transmission.

— Parce que, continua le second, sur une plate-forme de forage on ne peut pas fuir le mauvais temps. A vrai dire, on ne peut rien faire du tout...

Extrait d'un mémorandum du président du Conseil national de la science à l'attaché du président

... les présents documents peuvent donc être facilement résumés comme suit pour les services gouvernementaux intéressés. (N.B. : La plupart de ces

informations sont sans aucun doute en la possession de gouvernements étrangers. Soit à cause de la coopération internationale dans le domaine scientifique, soit grâce à leurs propres laboratoires et stations de recherche atmosphériques.)

1. Les variations de température à la surface des mers (TSM) sont maintenant très marquées. Une chute de 0,94 degré a été enregistrée en octobre devant les côtes nord-ouest de l'Espagne et une autre de 1,05 degré devant les côtes péruviennes. Cela confirme une tendance qui a été observée dans la TSM depuis 1970. (Voir le rapport du ministère de l'Agriculture CPCT/A/31075 sur : *Échec de la pêche aux anchois péruvienne.*)

2. Les variations de la TSM s'ajoutent aux autres indices indiquant un changement fondamental dans la structure du climat. Avec les appareils dont nous disposons actuellement, les effets du changement de la TSM sur le courant en anneau ne peuvent être réellement quantifiés. Ils sont néanmoins frappants, et l'on peut déjà avancer un certain nombre de conclusions.

a) La masse d'air polaire ne recule plus à l'arrivée du printemps et de l'été.

b) Les masses d'air tempéré qui la suivaient restent maintenant elles aussi en place.

c) Il s'ensuit un changement de climat en direction du sud. C'est-à-dire que le climat considéré jusqu'ici comme « normal » en Alaska va devenir le climat caractéristique du nord des États-Unis et du sud du Canada. L'actuelle zone tempérée des États-Unis — la ceinture de culture de céréales, comme on l'appelle — va subir des baisses importantes de température. Les masses d'air qui lui étaient imparties se retrouveront plus au sud dans des régions subtropicales telles que la Floride, la Californie et le Nouveau-Mexique.

d) Ce mouvement vers le sud a paradoxalement provoqué les sécheresses catastrophiques de ces dernières années en Afrique, dans le Sahel et dans les régions au sud du Sahara comprenant l'Algérie du Sud, la Mauritanie, le Mali, le Niger, la Haute-Volta, l'Éthiopie et le sud du Soudan. Ces modifications sont survenues à la suite de l'extension du Sahara vers le sud. Il avance de plusieurs kilomètres chaque année à cause de la déviation du courant en anneau. L'absence de mousson aux Indes doit être attribuée aux mêmes causes.

e) En ce qui concerne les deux cents prochaines années, ces changements doivent être considérés comme définitifs. Il n'y a aucune raison de penser que le Sahel redeviendra, dans des temps historiquement prévisibles — contrairement à ce que l'on avait cru après la prétendue « révolution agricole » il y a une vingtaine d'années — autre chose qu'une région permettant la survie difficile de populations nomades.

f) En ce qui concerne l'Inde, les choses ne sont pas si claires, à cause de fluctuations imprévisibles du courant en anneau au-dessus de l'Himalaya. Néanmoins, la famine, conséquence de l'absence de mousson, va s'aggraver dans des proportions terrifiantes dans les deux années à venir.

3. Les effets de ces changements de climat aux États-Unis, au Canada et dans le nord de l'Europe risquent d'être catastrophiques. Toutefois, il n'est pas encore possible de prévoir *quand* ces modifications s'effectueront. A ce sujet, le professeur Stovin a pris une position prévoyant un bouleversement extrêmement rapide, en s'appuyant sur des phénomènes climatiques inhabituels tels que la catastrophe de Novosibirsk en Sibérie qu'il étudie en ce moment même. Un modèle construit par un ordinateur à l'Institut de technologie du Connecticut donne un temps beaucoup plus long — de l'ordre de cent vingt-cinq ans — avant l'achèvement de la prochaine glaciation. Ce modèle annonce des « signes précurseurs », sans pouvoir cependant en définir ni l'intensité ni la fréquence.

4. De toute façon, les effets sur les populations, sur la production de denrées et d'énergie seront tels qu'il n'est guère possible de les évaluer à leur juste valeur. Néanmoins, je joins sur ce point un compte rendu du professeur Conor Donleavy, attaché au Conseil national de la science...

10

Assis dans le salon privé de l'aéroport de Novosibirsk, Yevgeny Soldatov somnolait sur une chaise, le menton enfoncé dans la poitrine. Des bruits venant de la porte le tirèrent de sa torpeur. Il se secoua pour se réveiller et se dressa à moitié. Un des officiers du service de sécurité de l'aéroport venait d'entrer pour parler à la jeune femme qui se tenait derrière le bureau. D'où il était, Soldatov ne pouvait entendre la conversation. Il s'enfonça de nouveau dans sa chaise. Il n'avait pas dormi depuis quarante-huit heures, et ça faisait quatre jours qu'il n'avait pas vu Valentina. Et maintenant — ce n'était pas tellement étonnant, vu les circonstances —, l'avion de Moscou avait du retard, presque une heure. Il aurait pu évidemment laisser quelqu'un d'autre accueillir Stovin et ses compagnons et ne rencontrer le chercheur américain que demain, quand tout le monde aurait pris quelques heures de repos. Mais, pour des raisons qu'il ne parvenait pas lui-même à comprendre parfaitement, il avait voulu venir en personne au-devant de Stovin. Par moments, durant ces derniers

jours, il avait pensé à Stovin. Au début, cela l'avait réconforté. Mais, maintenant, ce n'était plus qu'une idée à laquelle il se raccrochait. Il sourit tristement. Quel ramdam au ministère, à Moscou, quand on lui avait dit qu'on allait annuler l'invitation faite à Stovin parce que l'Américain exigeait un visa de plus ! C'était très rare qu'un scientifique — même un membre de l'Institut — pût mettre en échec un homme du gouvernement. Pourtant, cette fois, ç'avait été le cas. Ce qui était arrivé à Novosibirsk avait tout changé. Naturellement, ils n'avaient pas encore vraiment compris, à Moscou... pas vraiment. Il jeta un coup d'œil aux livres qu'on lui avait demandé de remettre aux voyageurs... un pour chacun d'entre eux. C'étaient de petites brochures qu'on offrait gracieusement aux visiteurs étrangers dans de nombreux aéroports soviétiques. *La Création de notre Parti,* de Vasily Orlov ; *Comment avons-nous mis sur pied notre industrie lourde ?* d'Alexandre Guber et *Aperçu sur le fonctionnement de notre planification,* de Karpenko. Mais qu'est-ce qu'ils s'imaginent ? Que ces choses — il repoussa les livres avec mépris —, que ces choses vont avoir un effet quelconque sur un homme comme Stovin ? Peut-être croient-ils qu'il va s'inscrire au Parti ? Parfois, on a le sentiment que les fonctionnaires de Moscou vivent dans un rêve. Mais lui, Soldatov, devait aujourd'hui affronter un monde nouveau, un monde que cet Américain était l'un des rares à pouvoir comprendre.

Il y eut de nouveau du bruit à la porte du côté des employés qui portaient des toques de fourrure. Soldatov aperçut la silhouette légèrement voûtée et le visage anguleux qu'il avait vus à plusieurs reprises sur des photographies. Les voyageurs étaient arrivés. Il se leva rapidement et s'avança. Et soudain, d'une façon tout à fait inattendue, malgré sa fatigue, Soldatov se sentit intimidé. Il tendit la main.

— Professeur Stovin ? C'est un grand plaisir pour moi de vous rencontrer. Je m'appelle Yevgeny Soldatov. Voulez-vous me suivre ? Vous devez tous — il adressa un petit sourire à la jeune femme et à Bisby — être fatigués.

Au moins, pensa-t-il avec soulagement, ils portent des vêtements chauds, des manteaux de cuir et des bottes doublés de fourrure. Des vêtements américains très coûteux. Mais c'est très bien comme ça, parce qu'il n'y a rien de disponible ici à Novosibirsk. Plus maintenant.

— Je suis très content d'être ici, dit Stovin.

Soldatov le regarda plus attentivement. Il était un peu plus jeune et avait les cheveux moins gris que Soldatov ne l'avait imaginé. Il se dégageait de sa personne une indiscutable impression d'autorité, d'autorité intellectuelle. Stovin doit être un homme sûr de lui. Il est

possible d'ailleurs qu'il se fie trop exclusivement à la puissance de son cerveau. Soldatov fut ramené aux réalités immédiates. Stovin lui présentait ses compagnons de voyage.

— Diane Hilder, dit-il, de l'université du Colorado.

Soldatov s'inclina légèrement. C'était donc elle, la femme en question. On lui avait dit — mieux valait ne pas savoir comment ces informations avaient été obtenues — que Stovin s'intéressait à elle et que c'était la raison pour laquelle elle avait profité du deuxième visa scientifique. Peut-être. En tout cas, elle avait l'air intelligente. Et séduisante avec ses mèches blondes et sa bouche épaisse. Une zoologiste. Elle travaille sur les loups. Il repensa à ce qu'il avait vu le matin même, et sa bouche se tordit dans une grimace.

— Et voici Paul Bisby, mon assistant... .

Celui-là avait un visage étonnant. On trouvait ce genre de figures vers l'est, du côté d'Irkutsk et de la mer de Baïkal, pas très loin de la Mongolie. Et aussi près du fleuve Lena. Voilà. C'était cela. Cet homme ressemblait aux habitants de la région du Lena... un visage yakut. Enfin, pensa-t-il, tandis que Bisby lui tendait la main, il a un visage yakut de temps en temps. Aussitôt qu'il se met à parler, il redevient américain, un Anglo-Saxon comme tous les autres.

— Une voiture nous attend en bas. Je pense qu'il est préférable d'aller tout de suite à Akademgorodok où vous avez vos chambres. Malheureusement, vous ne pourrez pas être tous ensemble. Les hôtels de Novosibirsk ont été détruits. Nous n'avons pas été trop touchés à Akademgorodok. Mais notre petite ville est comble...

La lumière dans la pièce clignota un instant et s'éteignit. Il se trouvèrent dans le noir. Toutefois, les phrases parfaitement correctes mais légèrement guindées de Soldatov continuaient de leur parvenir dans l'obscurité, comme si rien n'était arrivé.

— ... aussi j'ose espérer que vous ne vous sentirez pas trop mal. Nous avons fait de notre mieux...

La lumière revint. Soldatov conduisit ses invités vers la porte et leur indiqua l'escalier. Ils passèrent devant les policiers au bonnet de fourrure, qui se trouvaient sur le palier entouré d'une rambarde métallique, devant la sentinelle de l'Armée rouge en faction, un fusil de combat Kalashnikov lui barrant la poitrine, et franchirent les portes battantes qui donnaient sur la place de l'aéroport. Ils entendirent alors un bruit de moteurs aux pulsations régulières. Soldatov s'aperçut de l'air interrogateur de Bisby.

— Des groupes électrogènes, dit-il au jeune Américain. Vous êtes au courant... vous savez en gros ce qui s'est passé ?

Bisby acquiesça.

— Pratiquement toutes les lignes électriques aériennes ou souterraines ont été détruites. Naturellement, on est en train de les réparer, mais ce n'est pas facile. Vous verrez ça demain. Aussi nous utilisons pour le moment des groupes électrogènes de l'armée. Quatre-vingts exactement. Ils sont arrivés du nord par avions. Nous avons, pas très loin..., vous avez été dans l'armée de l'air, je crois?

— En effet, dit Bisby.

— Alors, bien sûr, dit Soldatov très à l'aise, vous savez certainement que nous avons quelques bases aériennes pas très loin d'ici.

Cinq minutes plus tard, les trois Américains étaient serrés les uns contre les autres dans la Chaika de Soldatov conduite par un chauffeur. Soldatov lui-même était assis sur l'un des strapontins, devant eux. La voiture s'engagea sur une route déjà balayée mais qui commençait à être de nouveau recouverte d'une neige poudreuse. Il y avait très peu de circulation. Ils croisèrent cependant un petit convoi de trois gros camions, ayant à leur tête une chenillette de l'armée. Le convoi se dirigeait vers l'aéroport. Mais assez rapidement, les choses se mirent à changer. Devant la voiture, vers l'horizon, on distinguait maintenant des lueurs. Les phares éclairaient des groupes de gens. Vêtus de fourrure, emmitouflés, ils marchaient le long de la route. Quelques minutes plus tard, la voiture passait devant les premières grandes tentes d'un blanc grisâtre, de forme triangulaire. Certaines étaient plongées dans le noir et semblaient inhabitées. Mais l'on pouvait apercevoir la lumière des lampes à pétrole à l'intérieur des autres. Dehors, des silhouettes sombres s'agitaient près de feux de camp qui flambaient dans la nuit sibérienne. Stovin se pencha en avant.

— Des tentes? dit-il. Il doit faire terriblement froid là-dedans. Quelle est la température extérieure?

Soldatov s'agita sur son siège.

— Je suis heureux de pouvoir dire qu'il ne fait pas encore très froid. Ce n'est pas encore le grand froid sibérien. Je n'ai pas vu les températures de la soirée, mais elles doivent être à peu près les mêmes que celles d'hier au soir. Autour de trente degrés en dessous de zéro.

— Mon Dieu! s'écria Diane.

— Nous avons ici presque un demi-million de personnes sans abri. Et cent mille d'entre elles sont, soit des enfants, soit des vieillards ou des malades. Moscou est à trois mille kilomètres. Et Omsk est encore à plus de six cents kilomètres. Il n'est pas question de pouvoir évacuer une telle population. D'ailleurs, il n'y a aucun endroit où nous pourrions les diriger. Ceux qui se trouvent dans les tentes ont de la

chance. Nous faisons de notre mieux avec les moyens du bord. Voulez-vous jeter un coup d'œil ?

La Chaika ralentit et quitta la Nationale pour s'engager dans un large sentier signalé par des lampes à pétrole. La voiture arriva devant une rangée de projecteurs si puissants que Soldatov et ses compagnons portèrent les mains à leurs yeux en descendant de voiture. Le froid très vif les saisit immédiatement, mais ce qu'ils virent était tellement stupéfiant qu'ils ne prêtèrent aucune attention à la température. Le bruit était assourdissant. Au moins quarante tronçonneuses étaient en action dans un rayon de plusieurs centaines de mètres. On abattait des bouleaux en telle quantité qu'on traçait une sorte de langue dans la forêt qui comprenait des dizaines de milliers d'arbres et qui atteignait presque la route. Des tracteurs traînaient les arbres abattus vers une clairière où des centaines de personnes, hommes et femmes, se servaient de haches pour tailler des poteaux. Un peu plus loin, des huttes étaient en train de se construire. L'endroit était rempli de martèlements, de sifflements et de craquements. Plus de mille personnes travaillaient, dans une sorte de fièvre, avec acharnement, presque avec désespoir. Une tente avec une grande croix rouge abritait une équipe médicale. Tandis que les voyageurs regardaient la scène, un homme d'âge mûr qui aidait à tirer un tronc vers la clairière lâcha prise, glissa et tomba à genoux sur le sol. Il porta ses mains à sa poitrine. Une femme dans un uniforme vert sortit de la tente et s'agenouilla près de lui. Personne n'adressa la parole ni même un regard aux trois Américains qui observaient la scène à côté de Soldatov.

— Il y a au moins deux choses dont nous ne manquons pas, dit Soldatov. Le bois... il n'y a pas grand-chose d'autre pendant au moins mille kilomètres que des bouleaux. Et nous avons des bras... de la main-d'œuvre. Des huttes en bois sont nettement préférables aux tentes.

Ils continuèrent de regarder la scène en silence durant quelques instants avant que Soldatov ne les invitât à regagner la voiture. Le froid se faisait terriblement sentir maintenant. Et ils retrouvèrent avec soulagement l'atmosphère chaude, presque étouffante de la voiture. La Chaika, durant un kilomètre environ, se fraya un chemin à coups de klaxon parmi un flot de gens qui participaient à l'opération de construction. Ils portaient des pelles, des haches et des lampes. Quand, enfin, la circulation se raréfia, la voiture était parvenue sur une route bordée de talus de neige qui traversait une grande plaine sombre. On devinait plutôt qu'on ne voyait les rangées très serrées de bouleaux qui s'étendaient comme une mer jusqu'à l'horizon. Soldatov

se tourna légèrement sur son siège et regarda par-dessus son épaule.

— Nous ne sommes plus très loin, dit-il. Voici l'Orbi.

La nuit était claire et les eaux noires étaient striées de blocs de glace grise qui luisaient à la lumière des étoiles. Il y avait un remuement de lampes sur les deux rives, mais rien n'indiquait la présence d'une grande ville. Un roulement de planches se fit entendre sous la voiture. Ils passaient lentement sur un pont provisoire.

— Nous sommes à environ douze kilomètres de l'ancien pont sur l'Orbi, dit Soldatov. Vous savez qu'il a été détruit ?

— Oui, dit Stovin. Mais n'y avait-il pas moyen de placer le nouveau pont plus près de l'endroit où se trouvait l'ancien ?

— Non, non. Le problème — vous vous en rendrez compte demain — n'était pas seulement que le pont ait été détruit. On aurait pu faire quelque chose pour pallier cela, quelque chose de provisoire mais d'efficace. Malheureusement, professeur Stovin, vous verrez que l'Orbi elle-même a disparu. Ou tout au moins qu'elle ne coule plus comme elle le faisait à travers la ville. Son cours a été totalement bouleversé à environ six kilomètres d'ici en aval. Nous avons dû creuser un canal à la dynamite pour éviter les inondations. Sans cela, l'eau serait probablement montée jusqu'ici. Par chance, à cette époque de l'année, la glace est épaisse et l'eau s'écoule lentement sous la couche. Cela nous a donné quarante-huit heures de plus. Cependant, le pont est deux fois plus long que l'ancien bien qu'à cet endroit le fleuve soit moins large qu'à Novosibirsk.

Le roulement de planches s'arrêta et la Chaika continua d'avancer lentement sur une route où marchaient de nouveau un grand nombre de gens. Puis la grosse voiture stoppa devant une barrière à laquelle était accolée une petite cabane en bois. Devant se tenaient trois ou quatre soldats avec des lampes. Un sous-officier s'approcha et scruta la voiture en regardant par la fenêtre du conducteur. Quelques paroles furent échangées en russe et le chauffeur tendit des papiers. Le sous-officier les examina soigneusement. Soldatov resta assis tranquillement sans rien dire. Finalement, le sous-officier fit un pas en arrière, lança une phrase d'une voix rauque et fit signe au chauffeur de passer. Quelques hommes se chauffaient près d'un brasero rougeoyant. La voiture venait à peine de dépasser le brasero lorsque l'on entendit une détonation. C'était sans aucun doute possible un coup de feu. Le chauffeur freina brutalement. Un des hommes qui se tenaient près du brasero cria quelque chose dans le noir, revint vers la voiture en riant et désigna une forme avec le doigt. A une quinzaine de mètres, deux soldats pénétraient dans le cercle de lumière, tirant un corps sombre derrière eux.

— Qu'est-ce que c'est ? Un pillard ? demanda Bisby sans y croire.
Soldatov éclata de rire :

— Effectivement, on peut l'appeler comme ça.

Il se tourna vers Diane Hilder.

— Cela fait partie de votre domaine, dit-il en souriant. C'est un loup.

— Est-ce que je peux le voir ? demanda vivement Diane.

— Bien sûr.

Soldatov dit quelques mots au chauffeur, sortit de la voiture et maintint la portière ouverte. Tous se dirigèrent vers l'endroit où le loup était étendu, éclairé par la lumière rouge du brasero. Les deux soldats reculèrent de quelques pas lorsque Soldatov leur adressa la parole, mais ils regardèrent la jeune femme avec curiosité. Diane s'agenouilla près du loup.

C'était un bon coup de fusil. La balle avait tranché la colonne vertébrale à la hauteur du cou. A l'endroit où elle était entrée dans les chairs, la tache de sang pris dans les poils n'était guère plus grande qu'une soucoupe. A cause du froid, elle était déjà coagulée. Un œil jaune était ouvert et regardait la jeune femme, l'autre était fermé. La longue langue rouge, raidie par le froid, pendait du museau charnu. Diane avança la main et doucement ouvrit la gueule. Sur un mot de Soldatov, un des soldats s'avança pour l'aider. Il tira une torche électrique recouverte de caoutchouc de sa ceinture et, de sa grosse main, il maintint la gueule ouverte tandis que la jeune femme regardait à l'intérieur avec l'aide de la lampe. Les incisives supérieures, longues et jaunes, tranchantes comme des rasoirs, légèrement courbes, ne s'étaient pas serrées au moment de la mort, contre les canines de même dimension de la mâchoire du bas. Il n'aurait pas été aussi facile, si ç'avait été le cas, d'ouvrir la gueule. Plus au fond se trouvaient les carnassières capables d'écraser les os d'un cheval ou d'un bison. Elles se dressaient lisses et puissantes et baignaient dans la salive froide. Diane se recula un peu et fit un petit signe pour que le soldat relâchât sa prise. Mais la gueule du loup resta ouverte tandis que la jeune femme regagnait la voiture avec ses compagnons.

— Alors ? demanda Stovin comme ils reprenaient place sur les sièges encore tièdes.

— Fort intéressant — Diane s'adressait à Soldatov plutôt qu'à Stovin —, un jeune mâle de soixante kilos environ qui n'a pas plus de deux ans : à peine un soupçon d'usure sur les carnassières. Je pensais tout d'abord qu'il s'agissait d'un vieux loup dans la mesure où il cherchait des charognes. Mais il est... ou il était dans toute la force de

la jeunesse. Un animal dont je n'aurais jamais pu penser qu'il cherchait...

La jeune femme hésita.

— Des cadavres, dit Soldatov sans émotion apparente.

Diane acquiesça. Elle se rappela alors la conversation qu'elle avait eue avec Van Gelder dans cette chaude après-midi à Albuquerque... dans un autre temps, dans un autre monde. Qu'est-ce qu'il avait dit ? « Si *Canis lupus* cherche des charognes, alors il choisit des cadavres humains... tu sais les cimetières. »

Elle revint sur terre. Soldatov lui adressait la parole :

— C'est intéressant que vous ayez employé le mot « charogne ». C'est exactement le mot dont je me suis servi en parlant avec Valentina. Mais elle m'a dit qu'il ne fallait pas préjuger la question.

— Valentina ? demanda Diane.

Soldatov sourit.

— Évidemment... excusez-moi. Valentina est mon épouse. Vous la rencontrerez ce soir, Miss Hilder, parce que vous allez rester avec nous dans la datcha d'Akademgorodok.

Il se tourna dans l'obscurité vers Bisby et Stovin qui étaient assis côte à côte.

— Nous n'avons malheureusement que deux chambres dans la datcha. Aussi, vous serez logés ailleurs. Dans une école. L'école numéro Deux où j'ai moi-même été élève, il n'y a pas si longtemps. Vous n'y serez pas trop mal. Il y aura d'autres chercheurs dans la même situation que vous. Il doit y avoir au moins une quarantaine de scientifiques qui dorment là en ce moment.

— Des chercheurs étrangers ? demanda Stovin.

— Non, des chercheurs soviétiques.

C'est Diane Hilder qui rompit le petit silence embarrassant qui suivit.

— Madame Soldatov... s'y connaît en loups ?

— Elle sait beaucoup plus de choses sur les papillons.

Soldatov paraissait ravi de changer de conversation.

— Elle est entomologiste. Mais ici, en Sibérie, un zoologue trouve forcément d'autres centres d'intérêt. Comme vous vous en apercevrez vous-même, Miss Hilder.

— Que veut-elle dire par... préjuger la question ?

Soldatov regarda la nuit par la vitre embuée.

— Nous sommes presque arrivés à Akademgorodok et vous pourrez l'interroger personnellement.

Pour les trois Américains, très fatigués, la demi-heure suivante sembla se passer dans un brouillard. La Chaika s'arrêta devant une

grande construction en béton. Une neige très serrée tombait de nouveau d'un grand ciel noir. Bisby et Stovin furent saisis par le froid comme ils passaient rapidement devant quelques bouleaux d'ornement avant d'entrer dans le hall de l'école numéro Deux. C'était, remarqua Stovin, une école comme les autres. Il y régnait cette atmosphère très particulière, faite de l'odeur de parquets cirés, de livres, de cantine et de sueur, qui caractérise les salles de classe des deux côtés de l'Atlantique. Soldatov leur montra leur dortoir. Une pièce avec des pupitres d'écolier à l'ancienne poussés contre un mur et quatre lits de camp de l'Armée rouge alignés contre celui du fond. Au-dessus des lits étaient accrochés une suite de portraits encadrés. Il y avait entre autres Hemingway, Mark Twain, Dickens, George Bernard Shaw, Shelley. Deux lampes à gaz éclairaient la pièce à chaque bout. Deux hommes étaient allongés sur leur lit en train de lire. Ils se levèrent à l'entrée des voyageurs, et Soldatov fit les présentations :

— Sannikov, chimiste, spécialiste des catalyses. Skripyzyn, l'agronome de cet *oblast*.

Les deux Russes s'inclinèrent légèrement et tendirent la main poliment. Ils ne semblaient nullement désireux d'entreprendre une conversation, et ils retournèrent immédiatement à leurs lectures. Stovin poussa sa valise contre son lit et regarda un instant le visage barbu d'Hemingway au-dessus du lit. Il se retourna et surprit alors le regard de Soldatov.

— C'est la salle de classe consacrée au cours d'anglais de niveau supérieur. Ici l'on parle en anglais, on ne lit que des livres anglais ou américains, on ne pense qu'en anglais ou en américain. J'ai étudié ici moi-même.

— Penser en Américain ? demanda Stovin regrettant immédiatement sa phrase.

Mais Soldatov ne parut pas en remarquer l'ironie.

— Penser ? dit-il. Eh bien ! c'est pour cela que nous avons cette école numéro Deux... pour penser en américain, pour penser correctement... de soi-même.

Diane somnolait dans la douce chaleur de la voiture quand Soldatov vint la rejoindre. La Chaika s'enfonça de nouveau dans la nuit parmi les tourbillons de neige. Une sorte de mur blanc, opaque, se dressait devant la voiture et renvoyait la lumière des phares. Quelques minutes plus tard, la Chaika s'arrêta. Les roues glissèrent un peu, puis les chaînes s'enfoncèrent dans la neige. Soldatov sortit de la voiture en se courbant et s'accrocha à la portière pour empêcher la tempête de la

refermer. Diane descendit de voiture à son tour. Un rectangle jaune apparut brusquement au-delà des ténèbres grisâtres. C'était la porte d'entrée de la datcha. Soldatov prit le bras de Diane et la tira vivement à l'intérieur, laissant au chauffeur, emmitouflé de fourrure, le soin de sortir les bagages du coffre. Une femme, petite, aux cheveux bruns, s'avança tandis que les voyageurs, tapant les semelles de leurs chaussures pour en faire tomber la neige, provoquaient un petit remue-ménage dans le hall d'entrée. Ils suivirent la jeune femme dans une longue salle, basse de plafond, éclairée par trois lampes à gaz. Il y avait un feu dans la cheminée et, à l'autre bout de la pièce, un radiateur. Des tableaux et des dessins étaient accrochés au mur. Des livres s'empilaient au sommet d'un secrétaire. Des tapis de couleurs vives recouvraient le plancher de pin ciré. Valentina Soldatov tendit les deux mains en signe d'accueil.

— Bienvenue dans notre maison, dit-elle. Je suis contente que vous soyez arrivés. Le temps est si mauvais que je craignais que vous ne fussiez obligés de passer la nuit à l'aéroport. Ou même que votre avion ne fût détourné sur Omsk. Cela se produit parfois.

— La neige n'était pas si mauvaise que ça à l'aéroport, dit Soldatov. Ça a commencé à se gâter peu de temps après que nous eûmes traversé le campement provisoire. Ils ont sûrement été forcés d'interrompre le travail.

Son visage se crispa un instant. Puis il s'adressa de nouveau aux deux femmes.

— Eh bien ! il me reste à faire les présentations. Professeur Hilder, voici mon épouse Valentina. Elle est également professeur, dit-il avec un large sourire.

— Je préfère pour le moment n'être que Valentina, dit la jeune femme. Et peut-être vous... Vous vous prénommez Diane, n'est-ce pas ? Est-ce que je peux vous appeler par votre prénom ?

— Je vous en prie, dit Diane.

Elle regarda la jeune femme plus attentivement. Valentina Soldatov était toute menue et très jolie. Elle n'avait probablement pas plus de trente ans. Peut-être moins. Autour de vingt-cinq. Elle est sûrement un peu plus jeune que Soldatov. Son visage rayonne d'intelligence.

— Vous devez en avoir assez de vous entendre dire à quel point vous parlez parfaitement l'anglais ?

— Vous êtes très aimable. Mais vous vous apercevrez que ce n'est pas une chose exceptionnelle à Akademgorodok. Beaucoup d'entre nous sont passés par l'école numéro Deux. Là où vos amis dorment ce soir.

Elle se tourna vers son mari.

— Qui est avec eux là-bas ?

— Sannikov et Skripyzyn.

— Skripyzyn, dit Valentina en faisant une petite grimace.

— Que reprochez-vous à Skripyzyn ? demanda Diane en souriant. Je ne suis pas descendue de voiture et je ne l'ai pas vu.

— Une fois, il a dormi ici parce que l'hôtel était plein. Il ronfle. On dirait un brise-glace. Vos amis auront du mal à trouver le sommeil.

— Pas ce soir, dit Diane.

Elle se sentait soudain très fatiguée. Valentina se leva rapidement.

— Bien sûr, vous devez être épuisée, dit-elle. Venez avec moi. Mais d'abord... un petit peu de lait avec du cognac. Vous dormirez ainsi comme une vraie Sibérienne. Gény dit — elle fit un signe en direction de Soldatov — que les Sibériens ne dorment pas mais qu'ils hibernent.

Soldatov accompagna les deux femmes jusqu'à la porte de la salle de séjour. La lumière d'une des lampes à gaz le frappa en plein visage. Pour la première fois, Diane remarqua à quel point il avait les traits tirés, l'air fatigué, presque hagard. Il tendit la main et, à la surprise de la jeune Américaine, il posa son autre main sur la sienne.

— Dormez bien, dit-il. Demain il y aura beaucoup à faire.

« *Bismillah ar-rahmân ar-rahîm.* » Agenouillé, son front touchant le sable, Zayd ag-Akrud était en prière. Des phrases passaient à travers sa gorge gonflée. Il resta ainsi courbé, face contre terre, pendant quelques instants. Puis il déplaça son voile bleu pour atteindre de sa main gauche le petit étui de cuir rouge, contenant un seul verset du Coran, qui pendait à son cou. Il regardait vers l'est, dans l'obscurité, pour tenter d'arriver à une décision. Derrière lui, le ciel bleu du désert s'assombrissait rapidement, perdant ses couleurs, avant de disparaître définitivement parmi les ombres de la nuit. Une vingtaine de mètres plus loin, à côté du trou profond et béant du puits, sa femme Zénoba était accroupie, le visage tordu par l'angoisse. Deux de ses fils, Hamidine et Mohammed, étaient étendus près d'elle dans le sable frais. Le troisième, le petit Ibrahim, avait la tête sur ses genoux et était d'un calme inquiétant.

Péniblement, Zayd se releva et marcha vers le puits. Il regarda dans ses profondeurs comme s'il pouvait par un effort de sa volonté faire qu'il fût aussi plein que naguère. Mais le puits n'était plus qu'un trou dans le sable, d'un mètre de large environ et de cinq mètres de profondeur. Zayd y avait bu depuis qu'il avait cinq ans. Il allait alors

au marché, distant de quelque quatre-vingts kilomètres vers le sud, à dos de chameau, avec son père. Il n'avait jamais vu ce puits à sec. Aujourd'hui, ses alentours, couverts d'une croûte fendillée, étaient marqués d'empreintes et pleins de crottes sèches de chameau, indiquant que d'autres voyageurs s'étaient arrêtés là. Plus loin, l'on pouvait voir quelque chose d'encore plus terrifiant : un chameau mort. Le soleil avait déjà fait éclater la peau. Et des rongeurs, probablement des renards, lui avaient ouvert le ventre. Ils n'avaient rien laissé que la carcasse. Zayd regarda ses propres bêtes.

Il lui restait trois chèvres et deux chameaux dont une femelle donnant du lait. Mais le mâle était malade. Il était couché dans l'ombre au-delà du puits. Cinq minutes plus tôt, Zénoba avait trait la femelle mais elle n'avait récolté qu'une tasse de lait. Aucune chamelle ne donne de lait sans nourriture. Et les chameaux n'avaient pas mangé depuis bien des jours. Les chèvres étaient en moins mauvais état parce que Zénoba avait emmené avec elle quelques bottes d'épineux. Trois chèvres... Zayd avait pris sa décision. Hamidine et Mohammed avaient douze et treize ans, c'étaient presque des hommes. Ils pouvaient encore tenir quelques jours. Mais Ibrahim n'avait que sept ans. Si le chameau mourait demain, l'enfant devrait marcher. Et Zénoba ? Pour un instant l'image de sa femme s'empara de son esprit, mais il la chassa, agacé. Zénoba marcherait aussi longtemps qu'il lui dirait de marcher. Zayd tira son coutelas et se dirigea vers la chèvre la plus âgée. Il empoigna la crinière, lui renversa la tête et lui trancha la gorge. Elle poussa un cri, et quelque chose se mit à bouillonner dans sa gorge avant qu'elle ne s'étouffé avec son propre sang. Zénoba se précipita pour recueillir le sang dans un bol. Puis, pressée de manger, elle traîna la chèvre morte vers le puits. Mais Zayd la réprimanda vertement.

— C'est le repas du soir. Nous ne sommes pas des chacals. Fais ce que tu dois faire, femme.

Obéissante, Zénoba s'approcha du chameau et tira d'un panier qu'il portait sur le dos trois ou quatre morceaux d'épineux séchés. Elle en fit un petit tas. Puis elle versa un peu d'eau, prise d'un *guerbo* en peau de chèvre, dans une bouilloire en fer blanc, craqua une allumette et attendit que l'eau se mît à bouillir. Elle tira alors d'un petit paquet qu'elle avait suspendu autour du cou quelques pincées de thé qu'elle jeta dans la théière en cuivre. Elle transvasa ensuite le mélange dans un bol en cuivre puis dans un autre selon la tradition. Mais Zayd ne pouvait plus la regarder. Il tendit la main et elle lui offrit le bol, l'observant tandis qu'il buvait deux ou trois petites gorgées bouillantes pour se rafraîchir la bouche. Il fit un signe de la tête et Zénoba remit

un peu de thé dans le bol et le porta à ses deux aînés. Ils burent tandis qu'elle s'asseyait de nouveau près d'eux, la tête du petit Ibrahim sur ses genoux. Elle essaya de faire avaler un peu de lait à l'enfant mais, amorphe, il détourna la tête. Patiemment, elle trempa le coin de son voile dans la tasse de lait pour l'imprégner de liquide. Puis elle passa l'étoffe humide sur les lèvres de son fils pour qu'il ouvre la bouche. Il n'avala que quelques gouttes mais le goût du lait réveilla son appétit. Il prit la tasse dans ses mains et commença à boire à petites gorgées. Heureuse, Zénoba se leva, fit encore un peu de thé et but enfin elle-même.

Les deux garçons se disputaient sans conviction en montant le cadre de bois d'une petite tente qu'ils recouvriraient ensuite d'une étoffe bleu-noir prise dans le deuxième panier porté par le chameau. Zénoba était en train de détacher une cuisse de la chèvre morte. Ensuite, elle para le reste de la viande et la découpa en morceaux qu'elle enveloppa dans un linge noir serré par des lanières de cuir. Elle plaça la cuisse sur les braises pour la faire cuire. Mais le feu n'était pas très vif et, malheureusement, il n'était pas question de remettre ne serait-ce que quelques brindilles. La viande n'était pas même à moitié cuite lorsqu'elle la retira du feu. Elle était par endroits saignante, presque crue. Zayd mangea le premier. Puis vint le tour des deux garçons. Leurs visages étaient enfiévrés par la faim. La graisse ruisselait sur leurs mentons tandis qu'ils déchiraient la viande à belles dents. Zénoba mâchonna quelques petits morceaux et les retira de sa bouche pour les mettre dans celle du petit Ibrahim. L'enfant ne mangea presque rien. La journée de demain serait difficile.

— Maintenant, allons dormir, dit Zayd à Zénoba, jusqu'à ce que la lune se lève. Puis nous nous remettrons en marche.

Étonnée, elle ouvrit la bouche pour parler, mais Zayd fit un geste d'impatience de la main. Sa femme entra en silence dans l'ombre de la petite tente, emmenant Ibrahim avec elle. Ils allaient voyager de nuit pour la première fois. Zayd savait qu'un autre jour passé sous le soleil torride du désert pouvait tuer Ibrahim. A cent trente kilomètres à l'est se trouvait Tamanrasset. Et, là, il y avait l'établissement de soins du gouvernement algérien, de l'eau et peut-être même des touristes. A Tamanrasset, Ibrahim ne mourrait pas. Mais il fallait encore de nombreux jours de marche avant d'atteindre Tamanrasset. Il prit le *guerbo* et but un peu d'eau en tremblant. Le vent du désert était maintenant très froid, et Zayd avait très envie de retrouver la douce chaleur de la tente parmi les corps allongés. Mais un petit animal du désert — une gazelle par exemple — pouvait, comme lui, faire l'erreur de croire qu'il y avait de l'eau à l'endroit où il y en avait d'habitude. Il

ne fallait surtout pas manquer l'occasion. Si le monde avait changé, c'était la volonté de Dieu. Mais même sous la loi de Dieu, un homme — mieux qu'un homme, un Touareg — devait faire tout ce qui était en son pouvoir. Zayd s'accroupit dans l'obscurité à une certaine distance du puits, son fusil — un Moser de 7 mm vieux de quarante ans, ayant appartenu à un fantassin de Rommel — posé sur ses genoux. Il dormirait une heure de moins mais ça valait la peine d'essayer.

Une heure après, il revenait vers la tente. Il n'avait rien vu. Rien n'avait remué près du puits, pas même un scorpion. Il leva la portière et regarda à la lumière des étoiles le visage de Zénoba. Une raie séparait la chevelure, et une natte, très serrée, recouvrait sa bouche. Pendant un instant, Zayd sentit le désir s'emparer de lui mais il réprima son envie. Demain il faudrait marcher dans un monde d'incertitude. Il y avait un autre point d'eau à Lissa. Mais s'il était à sec ? Et combien de temps encore le chameau allait-il survivre ? Zénoba devait se reposer le plus possible. Parce que, si le chameau venait à mourir, il lui faudrait marcher, et elle n'était pas un homme, elle n'avait pas la force d'un homme. Et sans Zénoba, Ibrahim mourrait. La lune serait levée dans trois heures. Jusque-là il fallait dormir.

11

Stovin luttait contre la tempête de neige comme un homme qui tente de retenir un mur en train de tomber. Puis, rassemblant toutes ses forces, il reprit sa course pour suivre les silhouettes à peine visibles de Bisby et de Soldatov. La neige tombait si serré qu'on ne voyait qu'à quelques mètres dans cette lueur crépusculaire de ce début d'après-midi sibérien. Stovin se sentait plongé dans un froid pénétrant qui le transperçait de part en part. Des particules de glace, arrachées au sol gelé par le blizzard, s'infiltraient dans la fourrure qui protégeait son visage et le piquaient comme des aiguilles. Par moments, il avait l'impression d'être coupé en deux. Sous les multiples couches de vêtements que lui avait prêtés Soldatov, il sentait la nudité et la vulnérabilité de son corps. De temps en temps, une forme sombre passait près de lui en courant, se dirigeant dans l'autre sens. Ce pas de charge était la seule manière de se déplacer sans danger par une température de quarante degrés en dessous de zéro, leur avait dit Soldatov. « Au moindre ralentissement, votre sang gèle dans vos veines... »

Stovin s'aperçut alors qu'il avait besoin d'un énorme effort de concentration pour oublier l'agression contre son corps et pour accorder une véritable attention à ce qui l'entourait. Les trois hommes traversaient maintenant ce qui avait été naguère le quartier de la gare de Novosibirsk. Une gare importante, l'un des principaux arrêts du Transsibérien allant de Moscou au Pacifique. Rien ne pouvait laisser soupçonner aujourd'hui que des installations de toutes sortes avaient existé ici. Ce n'était plus qu'un désert de glace légèrement vallonné. Tout avait été effacé, une quinzaine de jours auparavant, par le passage du Danseur. Dans cette lumière crépusculaire et dans cette tempête, l'endroit, pensa Stovin, paraissait aussi désertique et inhospitalier que le pôle lui-même. Devant, Bisby et Soldatov commencèrent à ralentir. Les trois hommes étaient essoufflés ; aussi respiraient-ils bruyamment en escaladant le talus de glace auquel le blizzard arrachait sans interruption des particules de glace et de neige gelée qui vous frappaient de front. Ils avançaient lentement contre les rafales, comme des hommes pataugeant dans de la colle. Après qu'ils eurent franchi le sommet, le vent s'arrêta brusquement.

Stovin se rendit compte alors que l'étendue abritée du vent était pleine de gens. Il y avait peut-être là plus de deux cents personnes. On entendait encore la tempête, mais plus faiblement. Elle était couverte par un vacarme plus assourdissant. Une équipe d'une dizaine d'hommes travaillaient au marteau-piqueur pour briser la glace. Soldatov pour se faire entendre était obligé de crier, et la buée qui sortait de sa bouche se cristallisait immédiatement. Il pointa le doigt en direction des machines et des tas de poutrelles métalliques qui se trouvaient devant lui.

— Voilà l'un de nos deux principaux problèmes. Cette ligne de chemin de fer est vitale pour nous.

Il se tut brusquement car un officier, dans un long manteau au col relevé, se précipitait vers eux en levant la main. Il glissait et dérapait sur la pente. Le bruit des marteaux-piqueurs cessa tout d'un coup. Les travailleurs — quelques-uns étaient des femmes — attendaient en silence, fixant le sol à peine visible à cause des flocons de neige et de la lumière crépusculaire. Quelques secondes plus tard, cette demi-obscurité fut déchirée par un éclair violet jaillissant du sol gelé qui se mit à rougeoyer. Un bref instant se dressa une colonne de feu tandis que des particules de glace étaient projetées de tous côtés. Quelques-unes frappèrent Soldatov et ses compagnons. La détonation qui suivit fut si forte que Stovin porta machinalement ses mains gantées à ses oreilles, pourtant déjà protégées par un bonnet de fourrure. L'officier baissa la main, salua et leur fit signe d'avancer. Sous la conduite de

Soldatov, les deux hommes s'approchèrent d'une petite construction préfabriquée, gardée par un soldat tenant son fusil de combat Kalashnikov à travers la poitrine. Maintenant, les bruits de marteaux-piqueurs étaient étouffés par le bâtiment, et Soldatov pouvait parler plus naturellement.

— Comme vous le voyez, nous devons dégager cette ligne de chemin de fer. Nous sommes en effet à quatre jours de Moscou et à deux jours d'Irkutsk. Et au-delà d'Irkutsk, à l'est du lac Baïkal, se trouve environ le tiers de nos réserves de pétrole. Et, dans l'immédiat, nous avons besoin de nourriture. La vie des rescapés dépend du chemin de fer.

Un grand hélicoptère de l'armée à deux rotors vrombissait au-dessus d'eux, ses feux rouges clignotant dans le ciel. Il s'apprêtait à atterrir un peu plus loin dans le brouillard.

— Bien sûr, nous avons les cargos aériens. C'est mieux que rien, mais ça ne suffit pas pour ravitailler sept cent mille personnes. De plus, nous ne sommes pas les seuls à avoir des problèmes. Il n'y a pas assez...

— Que voulez-vous dire par « nous ne sommes pas les seuls à avoir des problèmes » ? demanda Stovin.

— Ce temps, dit Soldatov, est..., un instant s'il vous plaît.

De l'autre côté du bâtiment, le bruit s'était de nouveau arrêté. Quelques hommes étaient en train de creuser la glace avec des pics autour d'une forme noire, enfoncée dans la neige.

Soldatov se tourna vers la tête emmitouflée de Stovin.

— Peut-être serait-il préférable de ne pas...

Bisby l'interrompit avant que Stovin ne pût ouvrir la bouche.

— Ça va, dit-il tristement. Il faudra bien s'y habituer.

Comme l'un des hommes se déplaçait légèrement, Stovin vit de nouveau la forme sombre autour de laquelle on s'activait. Un petit bras, encore couvert par la manche d'un manteau, sortait de la glace. La main était enfoncée dans une mitaine. Soigneusement, presque tendrement, les pics agrandissaient le trou. Stovin aurait voulu détourner les yeux mais quelque chose le poussait à regarder. Un des ouvriers posa son pic, tira un couteau de sa ceinture et s'en servit pour travailler plus précisément. Il gratta la surface et l'on découvrit alors sous une couche blanchâtre un visage. Un petit visage crispé aux yeux fermés. Les cheveux courts et gelés se dressaient curieusement sur la tête. C'était un petit garçon d'une dizaine d'années.

— Je pense que ses parents, ou peut-être un frère ou une sœur aînés, se trouvent là aussi, dit Soldatov sans émotion apparente. Nous sommes exactement à l'endroit de la salle d'attente principale — ces

gens attendaient très probablement le Rossiya... le Transsibérien Express. Nous trouvons sans arrêt des corps. Ce n'est malheureusement qu'une partie des dizaines de milliers de victimes que nous avons eues. Mais, pour les ouvriers, ce n'est pas facile...

— Je comprends, dit Stovin.

Une sensation curieuse s'empara de lui. Il découvrit que c'était de la honte. Sa théorie des changements de climat était une chose, mais ce petit visage mort en était une autre. Il se rendit compte alors avec tristesse que, durant ces dernières semaines, il s'était senti assez satisfait de voir que ce Stovin si discuté avait finalement raison et que ses éminents confrères, qui avaient douté de lui, devaient aujourd'hui écouter ses moindres paroles avec attention. Mais, à Novosibirsk, il ne pouvait y avoir aucune satisfaction de cet ordre. Ici, un petit garçon inconnu lui rappelait la vanité de s'enorgueillir de la puissance de son intelligence. Et, cependant, on allait avoir besoin d'intelligence, de beaucoup d'intelligence pour faire face à ce qui était arrivé. Qui risquait d'arriver, qui arriverait sûrement ailleurs.

— Vous avez dit qu'il y avait deux problèmes principaux. Quel est le second ? demanda-t-il.

Bisby se retourna brusquement comme s'il avait mal entendu. Mais son visage retrouva vite son impassibilité. Il avait appris à se contrôler. Soldatov se détourna de l'enfant qu'on enlevait à la glace et s'avança vers la porte qui se trouvait de l'autre côté de la petite construction. Voici ce que vit alors Stovin. Un grand rectangle d'une centaine de mètres carrés était entouré d'une barrière construite à la hâte. Et, sous de grandes bâches, étaient allongés des corps par centaines, entassés les uns au-dessus des autres.

— On les a sortis du quartier ouvrier près de la rue Sverdlov, dit Soldatov. Environ quatre mille personnes vivaient dans ces appartements. On m'a dit qu'il n'y avait pas eu un seul survivant.

Deux Russes sortaient du petit hangar au moment où Soldatov, suivi des deux Américains, entrait dans la pièce. La sentinelle frappa la crosse de son fusil en guise de salut. A l'intérieur il faisait chaud, presque étouffant. Un brasero rougeoyait dans un coin. Une grande planche posée sur des tréteaux servait de table. Elle était recouverte de dessins et de plans. Sur le mur qui faisait face à la fenêtre était épinglée une carte, aux coins cornés, de la Sibérie. C'était si agréable d'être à l'abri du froid que Stovin faillit ne pas entendre ce que lui disait Soldatov.

— ... aussi notre second problème est-il là.

Il désigna du doigt la fenêtre où s'accrochait de la neige.

— Ce n'est pas la neige dont nous avons l'habitude. Bien sûr, nous,

Sibériens, savons ce que c'est que de la neige. Mais, justement, je n'ai jamais vu une neige de cette espèce... tombant sans arrêt. Elle rend le travail impossible à l'extérieur durant plusieurs heures par jour.

— Quelles sont les conditions météorologiques ailleurs ?

— La région est si étendue que les conditions varient énormément.

Il montra la carte de la Sibérie.

— Savez-vous lire l'alphabet russe, professeur Stovin ?

Stovin fit un signe de tête négatif.

— Bien. Je vais vous expliquer.

Soldatov passa la main sur la carte.

— Presque quinze millions de kilomètres carrés. Divisés grossièrement en deux parties par le cinquantième parallèle de latitude nord. Les vents soufflent différemment au nord et au sud. Au sud, à l'ouest de l'Orbi, nous avons approximativement le même climat que celui de l'Europe du Nord-Ouest — peut-être un peu plus marqué. Au nord, le froid est nettement plus vif. Et au nord-est, nous enregistrons nos plus basses températures. Presque chaque kilomètre en direction du nord-est apporte une chute de la température. Jusqu'à ce que nous atteignons Verkhoyansk et Oymyakon dans la république de Yakut, à à environ trois cent cinquante killomètres de la mer de Laptev. On trouve là les températures les plus basses de l'hémisphère Nord.

— De quel ordre ? demanda Stovin.

— Moins de soixante-sept degrés en dessous de zéro. Et dans tout le Yakut, la température en hiver tourne autour de cinquante-six degrés en dessous de zéro. Presque partout en Sibérie la température moyenne en janvier est de l'ordre de dix-sept degrés en dessous de zéro. Cependant, les étés sont courts mais chauds — nous montons jusqu'à trente-sept degrés au-dessus de zéro à Yakut même, en juillet. C'est assez près de la mer. La ville subit l'influence réchauffante de l'océan Arctique. Mais cet effet réchauffant semble avoir maintenant disparu.

— Vraiment ? dit Stovin. Je ne me souviens pas d'avoir vu des chiffres concernant la température à la surface de la mer de Laptev dans les informations qui nous sont parvenues à Washington.

— En rentrant à la datcha, je vous montrerai tout ça. Il y a une baisse, vous verrez. Et l'été, à Yakut, a été particulièrement court. Trois ou quatre semaines au lieu des huit habituelles. En général, nous avons une forte baisse des températures dans les mois d'octobre-novembre. Cette année, la baisse est survenue en septembre-octobre. Et le climat froid de la région de Yakut s'étend vers le sud. Vers le sud et vers l'ouest. Et puis, il y a eu... ce... cette chose qui nous a

frappés... il y a une quinzaine de jours. Nous pensons qu'il y a eu un changement dans la direction du courant en anneau.

— Je le pense aussi, dit Stovin.

Soldatov le regarda un instant sans répondre. Bisby fut frappé de nouveau par le visage tendu, émacié, du jeune Russe.

— Vous avez vu naturellement ce qui s'est passé avec la température quand cette chose est arrivée à Novosibirsk ?

Stovin acquiesça.

— Nous avons un étalon pour nos stations météorologiques, dit Soldatov à Bisby. Nos instruments sont capables d'enregistrer des températures jusqu'en bas de l'échelle Oymyakon — les températures de Yakut, par exemple. Soixante-huit degrés en dessous de zéro. A Novosibirsk, la température est sortie de l'échelle. Le froid était inimaginable. Nous n'avons aucun chiffre précis parce que nous n'avions pas d'installation susceptible de mesurer de telles températures sur les lieux mêmes. Mais je pense que c'était probablement la température la plus basse jamais enregistrée dans n'importe quelle région du globe.

— Certainement, dit Stovin.

Soldatov poussa un soupir, mais ne répondit pas.

— Il y a une vingtaine d'années, dit Stovin, votre station de Vostok, de l'autre côté du monde dans l'Antarctique, a enregistré des températures de moins quatre-vingt-sept degrés, n'est-ce pas ? Je suis cependant convaincu que vous avez raison. A Novosibirsk, cette nuit-là, la température devait être encore inférieure. Quand nous serons rentrés, vous me montrerez les chiffres et je vous dirai pourquoi je pense ainsi.

— Oui, oui, dit Soldatov.

On avait brusquement l'impression que la conversation ne l'intéressait plus. Un officier du génie de l'Armée rouge entra dans la pièce, apportant avec lui une rafale de neige et un courant d'air glacé. Soldatov lui dit quelques mots et revint vers les Américains.

— On va nous envoyer un véhicule militaire, monté sur chenilles, qui nous reconduira à la datcha. Le temps est de plus en plus mauvais et il n'est plus possible d'utiliser la voiture.

Dix minutes plus tard, la porte s'ouvrait de nouveau et l'officier au long manteau se découpa contre le rideau de neige dans l'encadrement de la porte. Il fit un signe de la main. Soldatov se leva, mit son bras sur l'épaule de Stovin et fit un geste du pouce en direction de la porte.

— J'ai terriblement peur que ce soit un nouveau monde qui nous attende dehors. Je suis vraiment content que vous soyez avec moi.

— Qui doit être avec lui? demanda le directeur des services de Sécurité.

Il tournait le dos à Grigori Volkov, regardant, depuis une fenêtre des étages supérieurs du Kremlin, les grands murs jaunes de l'Arsenal et la neige gelée qui recouvrait les branches des mélèzes dans les jardins d'Alexandre. Volkov remua les pieds avant de répondre. Ce geste d'embarras n'échappa pas à son chef. Il s'écarta de la fenêtre et se tourna vers le jeune attaché du ministère des Affaires étrangères, l'air interrogateur.

— Katkov, camarade directeur. De notre bureau d'Omsk. C'était l'homme disponible le plus proche.

— Et?

Volkov marqua un temps d'hésitation.

— J'imagine que c'est très difficile à Novosibirsk, camarade directeur. On m'a dit que l'hélicoptère de Katkov a dû faire demi-tour à cause du mauvais temps. Autrement, il serait déjà là-bas. Maintenant, il n'arrivera pas avant demain et ce n'est même pas sûr...

— En effet...

— Je pourrais prendre quelqu'un à Novosibirsk même. Gunchenko est disponible.

Le directeur secoua la tête en signe d'impatience et fronça les sourcils, puis retourna à la fenêtre. Volkov, toujours assis, attendait en regardant une peinture à l'huile représentant la rue Gorki. Un joli tableau, bien composé, pensa-t-il. On dirait un Pimenov. Mais ce ne doit pas en être un. Il n'y a aucun Pimenov dans une collection privée en dehors de celui de Léonide Brejnev dans la datcha numéro Un de Jikovka. Il s'agit sans doute d'une reproduction. Mais je ne l'ai jamais vue en vente.

Sans dire un mot, le directeur ouvrit un tiroir de son grand bureau recouvert de cuir vert et en sortit un dossier d'un bleu éclatant. Pour Volkov, de l'autre côté du bureau, les lettres étaient à l'envers, mais ce n'était pas difficile de lire le titre tapé à la machine sur la couverture. C'était en fait le *pervy otdel* de Soldatov. Un exemple des fiches rédigées sur chacun des citoyens soviétiques, indiquant ses activités, ses idées politiques, ses diplômes, ses rapports avec le Parti. Ce dossier-ci était plus volumineux que les fiches ordinaires. Le directeur le feuilleta jusqu'à ce qu'il trouve ce qu'il cherchait. Il frappa alors la page de son index.

— Je vois que Katkov a déjà travaillé avec le membre de l'Académie des sciences Soldatov.

— Oui, dit Volkov. Ils se connaissent.

— Alors, Katkov n'est pas l'homme qu'il faut. Il est préférable de choisir quelqu'un qui n'a jamais eu de contacts avec Soldatov.

— Mais... Soldatov ? dit Volkov, incapable de cacher sa surprise.

Le directeur agita la main.

— Ne vous méprenez pas. Il n'y a rien, absolument rien contre Soldatov. Son dossier prouve qu'il est un serviteur fidèle de l'État. Pourtant, ajouta-t-il avec un sourire, il est peut-être un peu trop détaché des vraies traditions scientifiques. Il est possible que ce soit aussi bien comme ça. Je ne connais rien à toutes ces choses, mais un certain nombre de ceux qui s'y connaissent me disent qu'il a raison. Nous verrons cela. Mais la situation est tout à fait nouvelle. Même pour Soldatov, la situation est entièrement nouvelle. Aussi, je tiens à avoir quelqu'un sans préjugés. En tout cas, je ne veux pas de Katkov. Et je ne veux sûrement pas non plus de l'un de ces culs-terreux de Novosibirsk.

— Oui, dit simplement Volkov, attendant la suite.

Mais le directeur semblait avoir brusquement renoncé au sujet.

— Je suis passé près de la gare Yaroslavlsky ce matin, dit-il. La neige tombait si serré que je pensais que nous ne pourrions pas continuer. Mais la gare... quel spectacle ! Est-ce que vous avez vu ça ?

Volkov fit un signe de tête affirmatif.

— Il y a au moins vingt mille personnes là... L'armée a dressé des tentes tout autour de Leningradskaya. Des abris provisoires jusqu'à ce que les réfugiés puissent être correctement relogés. Mais ça ne va pas être une chose facile.

— Oui. Ils sont arrivés de Kargat avec le Transsibérien, camarade directeur. C'est la partie de la voie la plus proche de Novosibirsk encore en état de fonctionner. Ils ont été amenés là par hélicoptères ou par camions. On les a mis ensuite dans le train. Certains se sont arrêtés à Omsk et à Sverdlovsk, mais la plupart ont été dirigés sur Moscou. Ce sont les plus chanceux. Je n'aimerais pas être à Novosibirsk ce soir...

Le directeur soupira. Parfois, se dit Volkov, il a vraiment l'air d'un vieillard.

— L'hiver va être très dur, Volkov. Espérons que Soldatov et cet Américain vont donner quelques réponses aux questions que nous nous posons. Évidemment, vous avez rencontré ces Américains quand ils sont arrivés, n'est-ce pas ?

— En effet.

121

— Qu'en pensez-vous ?

Volkov réfléchit un instant avant de répondre.

— Je ne les ai pas vus très longtemps, camarade directeur. Mais je me suis fait une petite idée. Stovin, le chercheur... redoutable, renfermé, presque austère. Très intelligent évidemment et pas seulement dans son domaine. La jeune femme... très séduisante, un peu rêveuse... sûrement dépendante de l'homme qui lui plaît. Peut-être pas vraiment épanouie sexuellement. J'irais jusqu'à dire que son intelligence est un peu étroite. Et j'ai aussi eu l'impression...

Volkov hésita.

— Oui ? dit le directeur.

— Qu'il y a quelque chose entre... qu'il y a des relations, peut-être d'ordre sexuel, entre la jeune femme et Stovin. Il est difficile d'être sûr, évidemment.

— Intéressant, dit le directeur. Et l'autre, le pilote... Bisby ?

— Rien à dire. Sans importance. Difficile de savoir pourquoi il est là. On m'a dit que Stovin est volontiers excentrique, qu'il aime étonner. Cela pourrait expliquer la présence de Bisby.

— Hum !

Le directeur se leva. L'entretien était terminé.

— Vous me faites signe aussitôt que vous êtes à Novosibirsk. Il y a un avion de l'armée qui décolle à six heures. Vous verrez par vous-même au sujet du temps. Peut-être pourrez-vous aller là-bas directement. A moins qu'il ne soit préférable de vous faire déposer quelque part et de continuer par la route.

Volkov bredouilla de surprise.

— Je... je..., camarade directeur ? A Novosibirsk ?

— Je crois que vous êtes l'homme qu'il faut là-bas.

Volkov avala sa salive.

— Merci, mais... demain, j'ai une délégation qui arrive de Finlande. C'est arrangé depuis des semaines. J'ai tout préparé. Et personne ne peut...

— Je sais, dit le directeur tranquillement. Vous êtes attaché au ministère des Affaires étrangères. Mais vous êtes aussi un officier du KGB. Vous savez où sont les priorités. Je veux un esprit indépendant pour comprendre ce qui se passe entre cet Américain, Stovin, et Soldatov. Vous êtes l'homme qu'il me faut. Préparez-vous à partir. Je me charge du ministère des Affaires étrangères.

— Merci, camarade directeur.

Après le départ de Volkov, le directeur rangea le *pervy otdel* de Soldatov dans le tiroir et le referma à clef. Puis il ouvrit un autre tiroir et s'empara d'un dossier semblable au premier. C'était le *pervy otdel*

de Volkov. Le directeur le feuilleta jusqu'à ce qu'il trouve la page qu'il cherchait. Il savait parfaitement ce qui était écrit à cet endroit. Mais c'était un homme qui aimait se rassurer lui-même.

« Attitude politique, lut-il une fois de plus, absolument dans la ligne. » Il sourit doucement et remit le dossier dans son tiroir.

— Ce que je veux de Stovin, dit le président pensivement, c'est une prévision sur ce qui va se passer dans les années à venir.

Il eut un rire bref :

— Peut-être dans les mois à venir.

Le directeur de la CIA remua doucement sur sa chaise, mal à l'aise. Il s'empara d'une liasse de photos prises par satellite qui se trouvaient sur la table du Bureau ovale et les regarda distraitement.

— Ceci devrait nous aider, monsieur le président. Ces photos nous montrent que cela arrive tout droit de l'océan Arctique et de la mer de Barents en passant par la Sibérie. Regardez celle-ci... ils ont même des problèmes à Mourmansk. Et tous leurs champs pétrolifères autour d'Igrim et de l'embouchure de l'Orbi... Croyez-moi, ce n'est pas drôle pour eux. De très mauvais moments en perspective !

— On ne peut guère s'en réjouir, dit le président, étant donné qu'on risque exactement la même chose en Alaska, n'est-ce pas, Mel ?

Melvin Brookman remua son grand corps à l'autre bout de la table.

— Je le crains, monsieur le président. Et très bientôt. Notre ordinateur a construit un modèle à partir des températures à la surface de la mer et de données concernant l'atmosphère. Ce modèle nous fait entrevoir ce qui va se passer. S'il est juste, les territoires affectés s'étendront au nord de la baie de Prudhoe et descendront le long de la côte de l'Alaska, peut-être jusqu'à Vladez.

— Cela mettrait nos pipe-lines de pétrole hors service pour un temps indéterminé, dit le président.

Brookman acquiesça. Le directeur de la CIA reprit la parole :

— Nous avons parlé avec les Britanniques, monsieur le président. Ils sont aussi très ennuyés au sujet de leurs installations en mer du Nord. Ils ont mis tous leurs œufs dans le même panier, là-haut du côté des Shetlands.

— Messieurs, dit le président, ce n'est pas le moment d'acheter une voiture. Toujours pas de nouvelles de Stovin.

La phrase était affirmative, mais Brookman savait qu'il s'agissait en fait d'une question.

— Pas encore, monsieur le président. Ce n'est pas la même chose que s'il était, disons, en Grande-Bretagne ou en Allemagne de

l'Ouest. Les Soviétiques ne l'ont pas appelé pour *nous* aider, mais pour qu'il les aide *eux*. Et s'ils pensent qu'il risque d'apprendre trop de choses sur des problèmes cruciaux pour leur pays — cette sorte de choses dont vient de me parler le directeur de la CIA —, alors ils n'hésiteront pas à baisser les volets.

— Que voulez-vous dire par là ?

Brookman ne répondit pas mais regarda le directeur de la CIA. Celui-ci se pencha en avant.

— Le professeur Brookman et moi-même étions justement en train de discuter de ce problème avant d'arriver ici, monsieur le président. Il est possible que le professeur Stovin ait... disons... quelques difficultés... à nous informer rapidement. En effet, ce n'est pas seulement de pétrole qu'il s'agit. Bien que cette question soit déjà très importante. Mais il y a aussi des problèmes de défense nationale — des ports, des bases aériennes, des aires de stockage de missiles. Soyons francs. Si la situation était inversée, si nous étions forcés de montrer la côte de l'Alaska du nord au sud à ce Soldatov... Eh bien ! j'aurais probablement mis un ou deux obstacles, d'apparence anodine, afin qu'il ne puisse pas communiquer ses informations aussi rapidement qu'il l'aurait désiré. Et vous savez, monsieur le président, que les Soviétiques ont la possibilité de faire ce genre de choses bien plus facilement que nous. Car, si ce Soldatov était chez nous, la moitié de la presse des États-Unis serait à ses trousses. Par contre, je suis absolument convaincu qu'il n'y a pas le moindre journaliste autour de Stovin, sauf... sauf si ce journaliste est aussi un colonel du KGB.

Le président acquiesça, mais ne fit aucun commentaire. Il se tourna vers Brookman :

— Vous m'avez dit que l'ordinateur avait construit un modèle ?

— Oui, monsieur le président. Celui du ITC. Évidemment, partout dans le monde on en a construit des dizaines. Mais la difficulté dans l'établissement d'un modèle de la structure de l'atmosphère réside dans le nombre fantastique d'opérations qu'il faut effectuer. Et les ordinateurs, même ceux de la dernière génération tel que le Cray du CNRA, qu'on appelle d'ailleurs là-bas Razzle-Dazzle, n'arrivent pas à les traiter. Il faut mettre en relation des observations concernant plus de cent mille points de l'atmosphère pour avoir tout au plus une idée grossière de l'évolution météorologique à l'échelle mondiale. Et cela ne nous donne encore que le « comment », pas le « pourquoi ».

— Et, bien sûr, la plupart des chefs d'États devront être heureux d'en comprendre le cinquième, dit le président d'un ton sec. J'aimerais vraiment beaucoup revoir le professeur Stovin. Je préfère parler à un homme plutôt qu'à un modèle.

Il se leva.

— Je regrette, messieurs, mais je ne peux disposer de mon temps. Il me faut maintenant voir une délégation des Républiques du centre de l'Afrique... les pays du Sahel. Il sera question de l'aide, au niveau de l'alimentation, à apporter à ces populations. Toujours des dollars. Il va être difficile d'expliquer au public américain que plus de neige en Alaska signifie plus de sécheresse et donc plus de famine au sud du Sahara.

— Pourtant, c'est assez simple à comprendre, dit Brookman. Si l'on pense en termes de parallèles...

— Très peu de gens pensent ainsi, Mel, dit le président en souriant gentiment pour enlever toute agressivité à ses paroles. C'est pourquoi j'aimerais parler à Stovin.

Il se dirigea vers la porte du Bureau ovale, et remarqua une fois de plus que le directeur de la CIA faisait un petit détour pour ne pas marcher sur l'aigle doré, symbole de l'Amérique, qui était le motif central du tapis de laine bleue recouvrant le sol. Brookman s'engagea dessus sans même s'en apercevoir. Le directeur se retourna et fit avant de partir un geste de la main qui avait quelque chose de militaire puis il disparut dans le hall. Le président frissonna. J'ai froid, se dit-il... je dois vieillir.

Diane Hilder eut un mouvement de répulsion avant de pouvoir, grâce à un effort presque physique, retrouver l'attitude clinique détachée qui convenait à ce qu'elle était en train de faire. Le jeune Russe, assistant du laboratoire, avait moins de maîtrise de soi. Il eut plusieurs haut-le-cœur derrière son masque antiseptique avant de s'éloigner de la table où le loup était étendu. Diane prit une pince sur le plateau et, de l'autre main, se servant du côté non tranchant du bistouri, elle souleva doucement, encore une fois, le bord de l'ouverture qu'elle avait faite dans le ventre rasé, en forme de poire, du loup. La forte odeur des sucs gastriques pénétra sous le masque. C'était bien là... Et il n'y avait aucun doute sur ce que c'était : la main gauche et le poignet d'un être humain. En partie digérée, la peau était toute plissée et avait perdu sa couleur. Les os et les ongles étaient écrasés. Ce qui n'était guère surprenant étant donné la puissance d'écrasement des carnassières du loup.

C'était — elle s'obligea de regarder encore — la main d'une femme. Ou celle d'un petit garçon ? Elle était fine, sans poils... non, c'était celle d'une femme. La preuve était là. Avec précaution, se servant de la pince, elle dégagea parmi les esquilles une petite montre-bracelet.

Une montre de dame, plaquée or, avec un bracelet métallique. Un objet bon marché, pas même une montre automatique, pensa-t-elle bizarrement. Le remontoir était énorme. Curieusement, le mécanisme fonctionnait encore. De nouveau, Diane se sentit mal à l'aise. Je ne peux pas continuer, pensa-t-elle, tandis qu'elle explorait plus avant la cavité stomacale. Il n'y avait rien d'autre. La main et le poignet avaient été la part du butin de ce loup-là.

L'assistant était revenu près d'elle. Il avait enlevé son masque et paraissait légèrement honteux. Elle s'écarta de la table, et le jeune homme l'aida à enlever ses gants et sa blouse. Bien qu'elle ne parlât pas le russe, ni lui l'anglais, ils se sentaient étrangement en accord. Ils partageaient la même horreur devant ce qu'ils venaient de voir. Il lui montra la salle d'attente et la quitta en faisant des signes expliquant qu'il devait se rendre ailleurs. La salle était vide, et la voiture qui devait la raccompagner ne serait pas là avant dix minutes. Dans une certaine mesure, ce loup était une aubaine. Elle avait demandé à Soldatov, avant de se coucher la veille, d'essayer de faire en sorte qu'on le lui garde. Il avait téléphoné au poste militaire et avait obtenu que la bête soit transportée à l'Institut de biologie. Autrement, bien sûr, le loup aurait été dépiauté. Diane pourrait ainsi faire une autopsie. Stovin voulait un vrai zoologiste avec lui et, bien entendu, aucun véritable zoologiste n'aurait manqué l'occasion d'observer de près un *Canis lupus* — l'ancêtre de la race — dans la force de la jeunesse. A plus forte raison, un animal d'Union soviétique. Diane n'avait jamais vu un loup de Sibérie auparavant. Il pesait soixante-quatre kilos. C'est-à-dire cinq à six kilos de plus que ce que l'on donne habituellement dans les traités comme poids maximum pour ce genre de bête. En tout cas, leur comportement ne suivait pas la norme. Les loups ne s'aventurent pas dans les lieux comme ce camp plein de tentes, entrevu la nuit dernière. Ils fuient le bruit et l'activité humaine. D'autant plus lorsqu'ils cherchent des cadavres pour se nourrir. Sans doute n'y avait-il plus de cadavres près du camp. On les avait probablement enlevés quelques jours auparavant. Vraiment très curieux...

Bien que l'Institut de biologie ne se trouvât guère à plus d'un kilomètre de la datcha de Soldatov, la neige que Diane avait vue tomber à travers les barreaux de la fenêtre de la salle de dissection lui avait fait croire que la voiture ne pourrait venir la chercher comme prévu. Mais elle découvrait maintenant, à travers les vitres de la double porte de la salle d'attente, que la tempête de neige était finie. Seules quelques bourrasques étaient encore chargées de neige. La voiture arriva à l'heure dite. Elle descendit une large avenue où des

chasse-neige étaient au travail, dégageant les deux sections de la voie. Ils faisaient de grands tas de chaque côté de la rue. Apparemment, on ne manque pas de machines à Akademgorodok, pensa-t-elle, ni de volonté pour faire en sorte que les choses continuent de fonctionner le mieux possible. Il aurait été vraiment difficile, pour quelqu'un qui l'aurait ignoré, d'imaginer qu'à quelques kilomètres de là, une grande ville moderne écrasée, réduite à rien, avait un besoin désespéré de secours. Certes, Akademgorodok était surpeuplé ; mais c'était tout. Des hommes et des femmes emmitouflés marchaient péniblement le long de rues où les voitures se frayaient un chemin en roulant en première. Diane aurait volontiers parié que tous ces gens étaient des chercheurs ou du moins des personnes travaillant pour la science dans des laboratoires ou dans des instituts. Certains venaient sans doute de très loin... Mais il n'y avait pas de réfugiés de Novosibirsk. Pourtant, cette ville consacrée à la science, vu sa proximité du lieu de la catastrophe, aurait pu en recevoir un grand nombre. Il n'y avait pas non plus de patrouille militaire. La vie ici se déroulait à peu près de la même manière qu'elle devait s'écouler avant le passage du Danseur. On se pressait un peu plus, on était un peu plus tendu, mais au fond les choses n'avaient guère changé. En Union soviétique, Akademgorodok avait un rôle à jouer et rien, absolument rien, ne pouvait y faire obstruction.

On était presque arrivé à la datcha. La route longeait ce grand réservoir artificiel qu'est la mer Orbi. A travers la vitre de la voiture où s'accrochaient des flocons et entre les grands tas de neige, Diane apercevait de temps en temps l'étendue noire de l'Orbi gelé.

Son aspect s'était modifié. Il y avait maintenant des centaines de petits points lumineux : certains en mouvement, d'autres immobiles. Avant qu'elle pût demander au chauffeur ce que c'était, la voiture changea de direction et roula parmi les bois de bouleaux d'Akademgorodok. Le grand magasin au coin de la rue, près du restaurant réservé aux scientifiques, était encore ouvert. Des gens chaudement habillés faisaient la queue pour entrer dans le restaurant. Une minute plus tard, la voiture s'arrêtait devant la datcha de Soldatov. Valentina s'empressa auprès de Diane, poussant des exclamations à propos de sa pâleur. Ensuite, elle apporta le café. Stovin n'était pas encore de retour. Pourtant, Diane aurait tellement voulu qu'il fût là. Au Colorado, il lui était apparu que ce voyage pouvait être bénéfique pour eux, agir comme un catalyseur dans leur relation. Mais ce n'avait pas été le cas. Stovin était bien trop excité intellectuellement devant ce qu'il voyait ici pour se laisser envahir en ce moment par des émotions d'ordre sexuel. Elle savait cela parfaitement et, dans une

certaine mesure, elle ne l'en aimait que davantage. Car elle l'aimait. Elle en était sûre. Et, d'ailleurs, il y avait de temps en temps une lueur de désir dans le regard de Stovin. L'aurait-il emmenée avec lui uniquement parce qu'il pensait qu'elle était le zoologiste qu'il lui fallait ? Il faudra que je lui parle de ce loup, se dit-elle. J'ai envie de lui en parler. Mais pas tout de suite. C'est peut-être aussi bien qu'il ne soit pas rentré. Je ne veux plus penser à ça pour le moment...

12

— Ce papillon, dit Valentina Soldatov en le prenant avec une petite pince en argent, est absolument remarquable.

Ses ailes étendues et mortes se mirent à remuer faiblement dans l'air chaud venant du chauffage central.

Bisby était assis près d'elle, à la longue table posée sur des tréteaux et appuyée contre l'un des murs. Elle était encombrée de boîtes empilées les unes sur les autres, contenant des papillons. Il y avait aussi, là, les dossiers de travail de Soldatov. Bisby se pencha pour regarder. Le visage de Valentina était passionné. Elle portait de grandes lunettes sur le bout du nez, ce qui lui donnait à la fois, pensa Bisby, un air cocasse et charmant. En fait, c'est une très séduisante personne. Mais elle ne m'attire pas, pas du tout. Il y a d'ailleurs de moins en moins de femmes qui me troublent. Pas une seule depuis cinq ans.

— Quel est son nom ? demanda-t-il.

— Que voulez-vous dire ?

— A-t-il un nom en russe ? Est-ce qu'on le rencontre souvent ?

La jeune femme se mit à rire.

— Comment dire le nom en américain ? « Sorcier », je crois. Le sorcier de l'Arctique. Mais, pour les scientifiques, le nom latin est... *Oeneis jutta.*

— D'accord, d'accord, dit Bisby avec un sourire forcé.

— Oh ! pardonnez-moi, Paul... Je peux vous appeler Paul ? J'ai oublié, Paul, que vous n'êtes pas un chercheur. Cela doit être difficile pour vous parfois, lorsque vous parlez avec le professeur Stovin ?

— Quelquefois, dit-il d'un air évasif.

Il regarda de l'autre côté de la pièce où se trouvaient Soldatov, Diane et Stovin. Ils étaient en conversation animée près du poêle

d'appoint. Soldatov était assis avec une carte ouverte sur les genoux. De temps en temps, il la frappait vigoureusement du doigt en parlant. Bisby revint à Valentina. Au moins, la jeune femme se donnait du mal pour l'intéresser à quelque chose.

— Pourquoi est-il remarquable ? demanda-t-il en se penchant sur le papillon.

C'était un papillon foncé, d'un brun fuligineux, avec des taches noires en forme d'yeux. Une bordure jaune entourait ses ailes.

— Le sorcier a appris, dit-elle simplement. Il vit dans le Nord. Dans l'ouest de l'Alaska, dans l'est de la Sibérie et aussi au Groenland. Quand il y a du soleil, il se pose sur les rochers. Il est alors impossible de le distinguer des lichens qui l'entourent. Quand le vent froid se met à souffler — il souffle quelquefois en été —, le sorcier se laisse tomber sur le côté et le vent passe au-dessus de lui. Son corps reste chaud. Je ne connais aucun autre papillon qui fasse ça. C'est pourquoi j'aime le sorcier plus que tout. Je suis allée dans le Grand Nord, là-haut près du fleuve Lena. Il fait si froid que votre respiration devient un souffle de glace. Et j'ai regardé les étendues désertiques de neige et de glace et j'ai pensé : « Là, en dessous, il y a des papillons qui dorment. Ou, tout au moins, ce qui deviendra un jour des papillons. L'été prochain ils voleront encore. »

— En effet, c'est tout à fait étonnant, dit Bisby en souriant. Qu'est-ce que c'est que le souffle de glace ?

Valentina eut un petit rire.

— Quand il fait vraiment très froid, votre haleine se condense et gèle immédiatement au moment où elle sort de votre bouche. Elle se transforme — comment dites-vous ? — en cristaux. Voilà ce qu'en Sibérie on appelle le souffle de glace.

— Je l'ai expérimenté ce matin même, dit Diane Hilder.

Bisby leva brusquement la tête. Diane s'était approchée sans qu'on l'entendît, laissant les deux hommes à leur discussion et à leur carte.

— Je vois que vous êtes en train de montrer votre papillon favori.

— Comme je vous l'ai dit ce matin, j'aime voir les animaux s'adapter.

— Même les loups ? demanda Bisby.

Le sourire de Valentina se figea et elle jeta un regard soucieux sur Diane Hilder. L'Américaine changea légèrement de couleur et sa bouche se crispa. Oh ! mon Dieu, pourquoi remet-il ça sur le tapis ? Je sais, je sais, je devrais avoir un détachement tout scientifique, mais je ne peux pas. Et il le sait. Et cela lui fait plaisir de me le rappeler. Peut-être voudrait-il que je sois un affreux zoologiste. Mais il est malin. C'est le seul parmi nous qui ait vu tout de suite ce que l'on pouvait

tirer de la montre. « Elle marchait encore ? avait-il demandé. Alors cela signifie que sa propriétaire a été attaquée vivante. Une montre automatique aurait pu continuer de fonctionner durant assez longtemps, pas une montre à remontoir. Ce genre de mécanisme s'arrête très vite. C'est dommage que vous ne l'ayez pas ramenée. On aurait pu l'examiner et calculer quand elle avait été remontée pour la dernière fois. » Diane frissonna. Évidemment, il avait raison. Ce loup n'était pas un nécrophage. Il ne mettait pas en morceaux les cadavres, les victimes, une quinzaine de jours plus tôt, du Danseur. Non, celui-là et les autres membres de la meute — ceux qui se sont partagé les restes du corps — ont dû réussir à isoler cette pauvre femme de la masse des réfugiés du camp. Peut-être cela ne s'est-il passé qu'une heure ou deux avant notre arrivée? Selon Soldatov, des gens disparaissent tous les jours — ce qui n'est pas étonnant vu le temps et les circonstances. Mais combien de disparitions sont imputables aux loups? C'est tout simplement impensable d'imaginer des loups s'attaquant à une telle foule humaine. On pense au Petit Chaperon rouge et plus du tout à la zoologie. Néanmoins, même sans extrapoler, il faut bien admettre...

— Même les loups ? répéta Bisby.

Diane haussa les épaules. Elle avait retrouvé son calme.

— La situation est nouvelle aussi pour les loups. On ne peut jamais vraiment prévoir comment un animal réagira à un nouvel environnement. La seule chose dont on puisse être sûr, c'est qu'il ne se conduira pas d'une manière qui ne corresponde pas à sa nature. Il ne peut faire que ce qu'il doit faire. Et il nous faudra découvrir ce que c'est exactement.

— Bien sûr, dit Valentina qui avait envie de changer de sujet.

Elle vit avec plaisir que Yevgeny et Stovin venaient les rejoindre. Bisby regarda Stovin avec un air indéfinissable que celui-ci ne sembla pas remarquer. Soldatov tira le rideau de la grande fenêtre à triple vitre.

— La neige a recommencé, dit-il d'un ton maussade.

Ils regardèrent tous ensemble les blancs et lourds tourbillons. Bien au chaud, ils entendaient le rugissement amorti du vent. Mais, de toute évidence, la tempête avait repris avec violence. Et les rafales étaient chargées de neige. De temps en temps, le rideau blanc s'entrouvrait légèrement, et ils pouvaient alors apercevoir l'étendue noire et vide de la glace recouvrant l'Orbi.

— Tiens, dit Diane, il n'y a plus de lumières.

Soldatov éclata de rire un court instant.

— Il n'en est pas question. Les lumières que vous avez vues étaient

celles de gens en train de pêcher. Personne ne voudrait rester sur la glace de l'Orbi par un temps pareil. Naguère, c'était une distraction. Parfois de nuit, mais le plus souvent de jour. On mettait de grosses fourrures, on apportait une bouteille de vodka, parfois même un livre, on creusait un trou dans la glace et l'on pêchait à la ligne durant des heures. C'était un passe-temps, pas un métier.

— Est-ce qu'ils attrapent quelque chose ? demanda Diane.

Soldatov haussa les épaules.

— Avec un peu de chance, quelques perches. Mais pas de gros poissons. Les gros poissons descendent au fond en hiver.

— Alors, pourquoi ces gens pêchent-ils en ce moment et en tel nombre ?

— Pour manger, dit Soldatov. On manque de nourriture à Novosibirsk. L'armée fait ce qu'elle peut, mais il y a encore quelques centaines de milliers de personnes... Aussi, même de petits poissons c'est mieux que rien. L'armée a reçu l'ordre de laisser passer les pères de famille.

Diane s'étonna :

— Passer où ?

— Bien sûr, dit Soldatov, vous ne l'avez pas remarqué, mais il y a des postes de contrôle militaires sur la route aux abords d'Akademgorodok. Il n'est pas possible pour le moment d'entrer dans la ville sans laissez-passer. Les pères de famille ont reçu une autorisation pour pêcher.

— Mais, pourquoi les autres ne peuvent-ils pas entrer ?

Soldatov ne tenta pas de se dérober.

— Si nous voulons faire face aux problèmes qui nous assaillent, nous devons pouvoir travailler calmement. Pour les sinistrés eux-mêmes, il est important que nous puissions faire notre travail. Le libre accès de notre ville scientifique à quelques centaines d'entre eux, qui inévitablement pertuberaient notre recherche, ne leur apporterait pas grand-chose.

C'est, se dit Stovin amèrement, exactement ce que j'ai pensé ce matin devant l'énorme entassement de cadavres à la gare de Novosibirsk. Mais Bisby, apparemment, n'était pas de cet avis :

— Même s'ils meurent, ces quelques centaines ? Même s'ils meurent de faim ? Vous ne manquez pas de nourriture ici ? Vous nous avez fait — Bisby se tourna vers Valentina — un très bon repas ce soir...

— De l'élan, dit Valentina. Il venait du congélateur. Ce morceau avait été congelé il y a plus de six mois. Mais nous ne mourrons pas de faim. Les aliments ne sont guère variés à Akademgorodok et l'on est

en train de mettre au point un système de rationnement, mais nous ne mourrons pas de faim. Même avec trois cents chercheurs de plus dans la ville. Akademgorodok aura, comme toujours, un traitement de faveur. C'est ici que nos centres de recherche travaillent. La science soviétique est ici.

— Je vois, dit Bisby.

Il me paraît prêt, pensa Stovin, à entreprendre une discussion mouvementée. Mais, à cet instant, retentit la sonnerie du téléphone. Une longue sonnerie qui ne se répéta pas. Soldatov se dirigea vers la table de travail qui se trouvait de l'autre côté de la pièce et décrocha le récepteur. Il tira un crayon de sa poche et commença à gribouiller des chiffres sur un calepin. Au bout d'une minute, il dit quelques mots en russe et raccrocha. Il se tourna vers Stovin :

— C'est l'Institut du permagel de Yakutsk. L'armée semble avoir réussi à rétablir les communications téléphoniques grâce à son réseau de secours. L'Institut s'occupe des données concernant le climat depuis que nous avons des difficultés à Novosibirsk. J'ai une collaboratrice là-bas : Galia Kalmykova, mon adjointe. Elle vient de me donner — il tapota sur le calepin — quelques-uns des chiffres disponibles. Ils sont stupéfiants.

Les deux hommes se penchèrent sur les chiffres. Diane et Bisby, rapprochés par leur manque de savoir, les observaient en silence. La conversation dura bien cinq minutes... « très forte augmentation de pourcentage de l'albédo, bien sûr, après les abondantes précipitations des deux derniers hivers... » Stovin approuvait en silence, faisant des calculs sur une page vierge de son agenda. Et de nouveau la voix de Soldatov... « étant donné un pourcentage de l'albédo de l'ordre de cinquante-cinq pour cent, on peut s'attendre à une rétroaction tout à fait extraordinaire... », maintenant la voix de Stovin... « cela nous pendait au nez depuis longtemps mais nous nous sommes voilé la face pour ne pas voir... ».

Soudain, il regarda en direction de Diane et de Bisby, assis l'un près de l'autre. Il se leva précipitamment. Il ne voulait pas, absolument pas, que Bisby ait l'impression d'être tenu à l'écart. Et Diane ? Certes, elle n'est pas climatologiste, mais c'est une scientifique. Elle sait raisonner. Même si, pour l'instant, elle ne saisit pas la spécificité des arguments. Elle peut se débrouiller toute seule. Mais il devait une explication à Bisby.

— Eh bien ! Paul, ça nous arrive dessus et ça arrive vite !

— Oh !

— Ces chiffres que Gény était en train de me montrer sont les pourcentages de l'albédo concernant la couverture de neige de la côte

nord près de l'océan Arctique. Ils ne sont pas bons. Pas du tout rassurants.

Bisby remua nerveusement sur sa chaise. Son visage, pensa Soldatov, n'était pas loin de refléter de la colère.

— Je ne sais pas ce que c'est que l'albédo, Sto. Sans parler du reste.

Stovin s'arrêta un instant, cherchant ses mots :

— L'albédo est la fraction de lumière reçue que diffuse un corps non lumineux. Exemple, le soleil éclaire la terre, une partie des rayons solaires sont absorbés par le sol qui s'en trouve réchauffé. D'autres sont réfléchis et renvoyés dans l'espace. Bien entendu, la neige et la glace ont la propriété d'augmenter la réflexion — donc l'albédo. La lumière est renvoyée dans l'atmosphère en plus grande quantité et la température de la terre baisse. Maintenant, si d'autres facteurs — disons des taches de soleil, des poussières de volcans, des pollutions créées par l'homme ou les trois à la fois — viennent amoindrir la puissance solaire en même temps que la neige et la glace augmentent l'albédo, la surface des glaces s'accroît. Et, de nouveau, l'albédo augmente. C'est une rétroaction inévitable, purement mécanique. Plus de neige et plus de glace équivaut à un pourcentage plus élevé de l'albédo. Moins de rayons solaires absorbés par le sol, donc de nouveau de la neige et de la glace et ainsi de suite. Il n'y a rien là de très nouveau. Ce processus, à vrai dire terrifiant, a pris place il y a plus de dix ans dans la terre de Baffin.

— Alors, pourquoi y a-t-il eu toutes ces controverses ?

— Pour la plupart d'entre nous, dit Stovin, il ne s'agissait pas de débattre si la terre se refroidissait ou non. Je crois que nous étions presque tous d'accord sur ce point. Elle se refroidit. Mais beaucoup de chercheurs continuaient de se cramponner à l'idée que les changements de climats sont toujours lents, très lents même. Les pessimistes pensaient qu'il y aurait probablement un petit âge glaciaire dans environ deux siècles. Les optimistes disaient dix mille ans. Pourtant, en Angleterre, quelqu'un annonçait qu'avant cinquante ans nous verrions l'arrivée d'un âge glaciaire de grande envergure. Quant à moi, j'ai toujours pensé que ce serait bien avant cela. Et Gény était apparemment de cet avis. Et nous avions raison.

Bisby regardait Stovin les yeux plissés. Stovin lui rendit son regard, et une idée curieuse traversa son esprit. Si cette pensée n'avait pas été incongrue, il aurait juré que Bisby avait... eh ! bien, avait presque un air de triomphe sur le visage.

— Comment le savez-vous ?

— Nous avons des pilonnages de neige, ici, en Sibérie. Et ça descend vers le sud. Nous allons en avoir en Alaska, dans le nord du

Canada et peut-être dans le nord des États-Unis, si je ne m'abuse. Je n'ai pas eu Boulder aujourd'hui, mais je les appellerai demain.

— Pilonnage de neige ? demanda Diane.

— Quand la neige qui tombe gèle immédiatement sans fondre, contrairement à ce qui se passe dans des conditions normales, chaque chute de neige s'ajoute à la précédente. Lorsque cela arrive, on peut suivre son avance sur la carte. Jusqu'ici, les pilonnages de neige n'avaient été qu'une hypothèse mathématique — quelque chose qui pouvait arriver si plusieurs conditions étaient remplies. Je vais vous donner un exemple. Herman Flohn — le météorologiste allemand qui travaille à Bonn — estime qu'une élévation même relativement minime de l'albédo durant un ou deux ans peut déclencher un enneigement tel qu'il recouvrirait une forêt de quinze mètres de haut en une vingtaine d'années. Avec les chiffres que Gény vient d'obtenir de l'Institut du permagel, il faudrait diviser ce laps de temps par dix. Ce qui nous donne deux ans, peut-être beaucoup moins.

— Deux ans pour recouvrir une forêt de quinze mètres de haut ? dit Diane avec incrédulité. Et jusqu'à quel parallèle ?

Soldatov qui, avec Valentina à ses côtés, avait écouté attentivement la conversation entre les Américains, prit la parole.

— Jusqu'à quel parallèle au sud ? Ah ! dit-il, c'est la question — comment dites-vous — à soixante-cinq mille dollars ?

— Soixante-quatre mille, dit Bisby, en souriant.

— Soixante-quatre ? Très bien, Paul... Diane... voulez-vous regarder...

Il déplia de nouveau la carte qu'il avait tout à l'heure sur les genoux.

— Les ennuis ont déjà commencé sur la côte nord, dans la mer Blanche, dans la mer de Kara et dans l'île de Novia Zemlia. Et tout s'est passé en quatre jours. Heureusement, il n'y avait pas grand monde là-haut, et les gens ont pu être évacués. Mais nous avons là des installations pétrolières et même de très importantes installations.

— Qu'est-ce qui se passe aux États-Unis ? demanda Diane.

Soldatov fit un geste d'ignorance.

— Je n'ai aucune information. Je me renseignerai demain. Mais j'imagine que vous devez avoir des problèmes en Alaska. Aux actualités de ce soir, à la télévision, ils ont dit qu'il y avait eu des chutes de neige sans précédent à New York. Et, pourtant, New York c'est bien plus au sud que la Sibérie !

— D'accord, mais nous avons quand même de rudes hivers, dit Bisby pensivement.

Il mit un doigt sur la carte et le déplaça pour tracer une ligne qui

partait de l'île en forme de croissant de Novia Zemlia pour rejoindre le continent et atteindre la ville de Vorkout.

— C'est cette région qui a des problèmes ?

Soldatov acquiesça.

— Oui, ils ont eu... ce que vous appelez, je crois, un Danseur... à Vorkout. Tout près d'un affluent de l'Orbi, vers l'embouchure.

Et, se tournant vers Stovin :

— C'est curieux comme ce phénomène semble attiré par l'eau. Vous ne trouvez pas ?

Stovin se caressa le menton.

— C'est quelque chose que je n'ai pas...

Mais Bisby lui coupa la parole. Il regardait toujours la carte :

— Mais toute cette région, c'est... Êtes-vous sûr de pouvoir tout nous dire ?

— Mais, évidemment, dit Soldatov surpris. Que voulez-vous dire ?

— Eh bien ! ce sont des points, disons, névralgiques..., dit Bisby lentement. Est-ce qu'il n'y aurait pas par là quelques mesures particulières de sécurité ?

Soldatov éclata de rire et mit une main sur l'épaule de Bisby.

— Écoutez, mon cher Paul, ce qui se passe est autrement important que des mesures de sécurité. Ce ne sera ni l'infanterie, ni la marine, ni même notre aviation, dit-il en souriant au jeune Américain, qui vont nous donner des réponses. Ce seront nous, les scientifiques, des gens comme Sto, comme moi, comme Valentina et Diane, qui les apporterons chacun dans notre domaine. Nous ne pouvons travailler à moins d'être parfaitement informés de tout ce que nous avons besoin de savoir. Aussi ne vous inquiétez pas...

— Qu'est-ce que c'est ? dit Valentina.

A travers les trois épaisseurs de vitre arrivait une sorte de ronflement sourd. La maison se mit à trembler légèrement, et la neige qui se trouvait sur le toit très en pente commença à tomber sur le sol. Le bruit devenait de plus en plus fort. Ils regardèrent à travers la tempête de neige et aperçurent, de moments en moments, les clignotements des feux de position d'avions en formation qui se préparaient à atterrir.

— Mais il y en a des dizaines, dit Soldatov. Qui leur a donné l'ordre de voler par une nuit pareille ? Il va y avoir des accidents.

— C'est exactement ce que je pensais, dit Bisby. Mais là-haut, à cet endroit que vous venez de nous montrer sur la carte, il y a une ligne de défense. En cas de conflit, l'aviation est prête à attaquer en passant par le pôle. J'imagine qu'il vous faut maintenant évacuer ces bases. La piste ici est encore en état. Et c'est nettement plus au sud, même si le

Danseur a déjà frappé. Aussi sont-ils en train de cantonner une esquadrille de l'Arctique par ici. Peut-être même en laisseront-ils plusieurs. Les ennuis doivent être sérieux là-haut car, autrement, ils n'auraient jamais décidé de voler dans une telle tempête. Ils vont perdre à tout coup quelques appareils. Voilà pourquoi je vous posais des questions au sujet de la sécurité. Nous ne voudrions pas, Gény, vous attirer des désagréments...

C'était la première fois que Bisby appelait Soldatov par son prénom. Le Russe en fut très heureux sans savoir pourquoi.

— Oh ! Il n'est pas question que les...

— Il y a une chenillette dehors, dit Valentina. Sans doute un véhicule de l'armée.

Elle avait été la première à quitter le ciel des yeux. On frappa un grand coup à la porte d'entrée de la datcha. Elle se précipita pour ouvrir. Une silhouette emmitouflée de fourrures tapait du pied pour enlever la neige de ses bottes. Deux soldats, après avoir déposé chacun une valise, retournaient en courant vers le véhicule qu'on apercevait entre les rafales de neige.

Stovin eut un choc en découvrant qu'il connaissait l'homme qui se tenait sur le seuil.

L'arrivant ferma rapidement la porte et ôta son bonnet de fourrure. Il fit un geste de la main pour enlever la neige qui s'accrochait à ses sourcils. A cause de la chaleur de la pièce, son visage rouge devint humide.

— Camarade Soldatov ? dit-il en se tournant vers Yevgeny.

— Oui, bien sûr.

L'arrivant fit un petit salut.

— Grigori Volkov de Moscou. Du ministère des Affaires étrangères. Professeur Soldatov, c'est un plaisir pour moi de vous rencontrer. Vous et votre charmante épouse. J'ai beaucoup entendu parler de vous.

Il se tourna vers les Américains :

— Nous nous sommes déjà vus, n'est-ce pas ? J'espère que vous ne vous sentez pas trop mal. Nous ne donnons jamais à nos invités un accueil aussi glacial. Même en Sibérie. Quelle nuit !

— Avez-vous été affecté ici par le Conseil ? demanda Valentina, en s'avançant pour faire entrer le visiteur dans la salle de séjour. Nous n'avons pas beaucoup de place étant donné la présence de Miss Hilder parmi nous. Mais, bien entendu, nous serons heureux de vous aider.

— Pour quelques jours seulement, dit Volkov qui semblait ne pas vouloir faire d'embarras.

— J'imagine que vous êtes ici détaché par le ministère des Affaires étrangères ? demanda Soldatov.

Il semble quelque peu troublé, se dit Stovin.

— D'une certaine manière, répondit Volkov.

Et, se tournant vers Stovin :

— Je suis ici pour m'assurer que vous disposez de tout ce dont vous avez besoin.

— Encore combien d'hommes à évacuer, Wally ? demanda l'ingénieur de service au chef d'équipe, en regardant décoller le gros hélicoptère orange — un Sikorsky S-61 — du cercle jaune sale sur le pont du troisième étage de la plate-forme de Géranium Un.

— Dix. Plus vous et moi, répondit l'homme sèchement. Bon, maintenant je file au pont B pour prendre mes grolles. M'ont coûté cent vingt dollars à Houston. Ne vais pas les abandonner sur cette saleté de Meccano géant. Encore un voyage et c'est bouclé. J'ai eu Cruden Bay il y a cinq minutes. Le dernier hélicoptère est en route. Parti depuis une heure environ.

— Sera jamais là trop tôt, dit l'ingénieur de service. Décidément, je n'aime pas l'aspect de ce machin.

Il reprit ses jumelles et regarda attentivement par la fenêtre du bureau de contrôle. Par endroits, sur la vitre, s'était formée une croûte de sel. On se trouvait à l'étage central d'une plate-forme de forage construite en poutrelles métalliques bleu acier. Il fit un calcul mental pour trouver l'heure d'arrivée de l'hélicoptère. Géranium Un était l'une des quatre plates-formes de forage géantes qui se dressaient à près de cent mètres au-dessus des eaux de la mer du Nord au nord-est d'Aberdeen. Cruden Bay, en Ecosse, était à un peu plus de trois cents kilomètres. L'hélicoptère était parti de là-bas. En admettant qu'il vole à sa vitesse normale, c'est-à-dire à deux cent vingt kilomètres à l'heure, il sera là dans... une cinquantaine de minutes. Si ce vent debout ne le gêne pas. Il sortit du bureau et fut immédiatement assourdi par les grincements et les craquements familiers de l'infrastructure qui pesait quelque trente-cinq mille tonnes. Tout en bas, la mer gris-bleu, parsemée d'écume blanche, était couverte de longues rides qui, au niveau de l'eau, étaient en réalité d'énormes vagues. Le vent chargé de neige et de pluie balayait le pont et le rendait glissant. Il passait en sifflant entre les poutrelles métalliques qui s'enfonçaient dans la demi-obscurité vers le ciel. Pourtant, ce n'était pas la tempête qui le rendait soucieux. Il s'empara de nouveau de ses jumelles et regarda en direction du nord. C'était là, sans aucun

doute possible. Une ligne blanche à l'horizon. On aurait dit une falaise. Mais, évidemment, il n'y avait aucune falaise dans les parages. Ça scintillait faiblement dans la pauvre lumière de cet après-midi d'hiver. Bon Dieu, ça ne devait pas être à plus d'une quinzaine de kilomètres maintenant. Il descendit rapidement l'escalier métallique, passa devant les cabines du pont B et s'enfonça en direction de la salle de contrôle qui se trouvait tout en bas. Il décrocha le téléphone-radio.

— Géranium Un appelle Cruden Bay. Vous m'entendez ?

— Reçu, dit la voix tranquille de la côte écossaise.

— Frank, quoi de nouveau sur cet iceberg ? On a l'impression qu'il fonce sur nous.

— Oui. Il se dirige vers vous. C'est pour ça qu'on vous évacue tous. Les mecs de la RAF ont calculé sa direction et sa vitesse. Il avance à un peu plus de quatre kilomètres à l'heure.

— Écoute, Frank, d'après mes calculs cela ne nous donne guère plus de trois heures. Pour l'amour du Ciel, j'espère que cet hélicoptère ne va pas avoir une panne, ou quelque chose comme ça. Cet iceberg va frapper à notre porte dans très peu de temps. Je n'ai jamais vu une chose pareille. Il est aussi gros que l'île de Wight.

Il y eut un petit rire à l'autre bout du fil.

— Oui, oui. On m'a dit ça. Mais ne t'énerve pas. L'hélicoptère est en route. On était encore en contact avec eux il y a à peine dix minutes. Les trois autres plates-formes ont été évacuées, non ?

— Oui.

— Alors, ne t'en fais pas, mon vieux. Laisse les soucis au bureau central. Et à la Lloyds. Ça va leur coûter plus d'un milliard.

— Oui, j'imagine. Sommes-nous assurés contre les icebergs ?

De nouveau, le petit rire.

— J'en sais rien, mon vieux. J'ai assez d'ennuis avec l'assurance de ma bagnole. Ça va comme ça. Écoute, je te paie un scotch ce soir. Je termine à six heures. Je t'attendrai au Royal vers huit heures. Ça va ?

— Si je peux venir. Dieu sait la tonne de paperasseries que tout cela va demander. Et ils sont capables d'exiger un rapport tout de suite.

— Dis-leur que tu fais une dépression nerveuse, dit la voix du continent.

— Bon Dieu, c'est vrai, dit l'ingénieur de service.

Et il raccrocha.

Il remonta l'escalier de fer qui conduisait au pont B. Je crois qu'il vaut mieux dire aux hommes que l'hélicoptère est presque arrivé. Ils commencent à s'énerver.

Trois heures plus tard, la dernière équipe de douze hommes de la

plate-forme de forage Géranium Un qui, quarante-huit heures plus tôt, fournissait encore cent trente mille barils de pétrole chaque jour aux réservoirs du continent, arrivait à Cruden Bay. Les hommes se dégagèrent des sièges étroits et sortirent du Sikorsky.

Seul un avion de reconnaissance Nimrod de la RAF restait encore là-bas. Il décrivait des cercles et photographiait les lieux au moment où le milliard de tonnes de glace de l'iceberg, long de presque un kilomètre, s'approchait des installations pétrolières. A côté du commandant du Nimrod était assis un glaciologue, envoyé comme observateur par le ministère de l'Air. Très absorbé par ce qu'il voyait, il secouait de temps en temps la tête en silence. Finalement, il se tourna vers le commandant :

— Une chose est sûre, dit-il tranquillement, ce ne devrait pas être là. Pas à cette époque de l'année en tout cas. Nous avons vraiment été stupéfaits il y a trois jours quand nous avons reçu la première information. La saison des icebergs c'est au printemps, pas en hiver. Et même en admettant qu'il puisse y en avoir un à cet endroit, il ne serait pas comme ça. Ce serait un iceberg de glacier comme ceux qui descendent du Groenland. Regardez celui-ci. C'est un iceberg tabulaire... une véritable île mouvante. Ils se forment lorsque tout un morceau de la côte se détache du continent. Et cela n'arrive que dans l'Antarctique. Ce genre d'iceberg n'a rien à faire ici !

— Quelqu'un devrait aller expliquer ça à ce petit bout de glace, dit le pilote sèchement. Regardez...

En dessous d'eux, l'iceberg atteignait les constructions. Les énormes pylônes d'acier de Géranium Un, maintenus par quarante corps morts de cinquante tonnes chacun, étaient arrachés du fond de la mer comme des fétus de paille. Les ponts, maintenant déserts, s'inclinèrent, penchèrent de plus en plus ; puis le derrick géant bascula, et toutes les installations se détachèrent de l'armature avec d'incroyables craquements et tombèrent dans la mer bleu-vert tout contre l'iceberg qui les écrasait de sa masse. Le derrick resta accroché au mur de glace et remua comme un balancier durant un instant puis s'enfonça dans les vagues. A cent trente mètres en dessous de la surface de la mer, les pipe-lines de huit mètres de diamètre, qui reliaient la plate-forme à Cruden Bay, se tordaient et étaient traînés au fond de la mer. Ils se brisèrent en crachant quelques centaines de tonnes de pétrole qu'ils contenaient encore, malgré la fermeture des vannes la veille. Toutes les installations, poussées par l'iceberg, se trouvaient maintenant sens dessus dessous. Deux minutes plus tard, une pointe de glace frappait, tout près de là, la tour de Géranium Quatre et l'effaçait de la surface de la mer comme une botte qui écrase une boîte d'allumettes. Les

hommes du Nimrod, six cents mètres au-dessus, observèrent la scène en silence. Puis le commandant se tourna vers l'envoyé du ministère de l'Air :

— Voilà une chose que je n'oublierai jamais. J'espère que les appareils de photos ont fonctionné normalement. Bien. Rentrons à la base.

Le glaciologue passa une main sur son front et prononça quelques mots comme pour lui-même :

— Il faut un changement radical dans les pressions et les tensions de la côte de l'Arctique pour produire un iceberg comme celui-là. Il faut aussi un changement profond dans la forme des courants de l'océan Arctique. Mais, nom de Dieu, qu'est-ce qui se passe ?

— Évacuer Anchorage ? dit le ministre de l'Intérieur. Jamais. Il y a au moins cinquante mille personnes là-bas.

— Monsieur le ministre, dit le gouverneur de l'Alaska d'un air las, c'est le réel qui m'impressionne, pas les mots. Nous avons affaire à une situation tout à fait nouvelle là-haut.

Il passa sa main sur son front. Nom de Dieu, pensa-t-il, il faudrait quand même que je prenne un peu de sommeil !

De l'autre côté de la table de travail, dans le bureau qui se trouvait au dernier étage des bâtiments du ministère de l'Intérieur, le ministre regarda le gouverneur l'air soucieux. Il appuya sur un bouton placé devant lui. Presque immédiatement entra un jeune secrétaire vêtu de flanelle grise.

— Le gouverneur et moi-même aimerions prendre un peu de café.

Puis, pour donner à son visiteur le temps de se ressaisir, il regarda distraitement par la fenêtre les magnolias saupoudrés de neige de Rawling Square.

— Quand êtes-vous arrivé de Juneau ? demanda-t-il enfin.

— J'ai atterri il y a une heure environ. Mais je ne viens pas de Juneau. J'arrive de Point Hope. Je crois bien que c'était le dernier avion à pouvoir décoller de là-bas. Vous savez que nous avons été obligés d'abandonner l'Institut océanographique ?

— Oui, pour le moment, dit le ministre.

— Jim, dit le gouverneur avec un air de profond sérieux, j'espère, grâce à vous, pouvoir faire descendre tous ces gens de là-haut. Mais ce ne sera pas « pour le moment ». Ce sera pour de bon ! Enfin, autant que nous puissions faire des pronostics. Les gens de l'industrie pétrolière vont être obligés de quitter Barrow.

Son débit s'accéléra :

— Ce n'est pas une neige comme d'habitude, Jim. Ce n'est pas un genre de neige qu'on rencontre par ici, même en Alaska. Et ça n'a rien à voir avec ça.

Il fit un geste méprisant vers Rawling Square :

— Il neige sans discontinuer. On ne voit plus la différence entre aujourd'hui et demain. Et j'ai l'impression qu'il n'y aura pas de demain. Ça tombe durant le jour, durant la nuit, toute la semaine, tout le mois. En vivant là-haut, nous pensions savoir ce que c'est que l'hiver — c'était dur mais on savait s'en accommoder. Pas cette fois, Jim ! Vous pouvez mettre tous les chasse-neige et tous les bulldozers des États-Unis dans la région d'Anchorage et ça ne changera absolument rien à ce qui se passe. On ne sait même plus où mettre toute cette foutue neige. Les talus le long des routes ont maintenant douze mètres de haut. Des maisons sont ensevelies chaque jour. On dort dans les salles de restaurant, dans les couloirs des hôtels. Hier, nous avons dû enlever les automobiles des étages d'un parking pour permettre aux gens de s'y installer. Et Dieu seul sait ce que deviennent les Esquimaux dans leurs caravanes le long du fleuve Ninilchik. Les Ponts et Chaussées ont dégagé un fragment de route au sud de la ville il y a trois jours. Un ingénieur est allé là-bas. Il dit qu'on ne peut même plus savoir s'il y a jamais eu des caravanes et des cabanes. Rien que la neige et la glace du fleuve. Et aucun Esquimau dans les parages pour demander de l'aide. Évidemment, la plupart d'entre eux doivent être maintenant en ville. Installés probablement dans ce parking. Vous savez qu'il est déjà difficile en temps normal de garder le contact avec les Esquimaux...

— Eh bien ! dit le ministre, en admettant qu'il faille évacuer cinquante mille personnes...

— Il faut. Il faut absolument, dit le gouverneur sèchement.

— En admettant qu'il faille..., reprit le ministre, quels sont vos plans d'urgence ?

— Nous pouvons prendre... disons dix mille personnes à Juneau, pas plus. Oui, oui, Juneau est la capitale de l'État. Mais vous savez comme moi que c'est une petite ville. Nous pourrons — pour le moment les villes de l'intérieur sont moins touchées que les villes de la côte — en mettre probablement un peu plus d'un millier dans des endroits comme Fairbanks. Sous certaines conditions, évidemment. Et, bien entendu, avec l'aide massive de l'administration fédérale.

— Quelles conditions ? demanda le ministre.

— Des conditions auxquelles ni vous ni moi ne pouvons rien, Jim. Les conditions atmosphériques. Il faut que le temps s'adoucisse un peu, autrement nous aurons des problèmes même dans des villes

relativement au sud comme Juneau. Les Canadiens... vous savez ce qui se passe au Canada ?

— J'ai reçu un rapport ce matin...

Le gouverneur l'interrompit :

— L'armée a établi des ponts aériens pour évacuer le Yukon. J'ai l'impression que nous allons être obligés de faire de même.

— Et nous recommencerons au printemps dans l'autre sens ?

Le gouverneur poussa un soupir.

— Écoutez, Jim, si j'étais vous je demanderais un compte rendu ce matin même à mes services scientifiques. Il n'y aura pas d'amélioration au printemps. Pas de la manière que vous croyez. Les informations que j'ai eues et qui viennent directement de notre Institut — de ce qui était notre Institut —, à Point Hope, font apparaître que, même si le printemps arrivait demain — je parle au niveau des températures évidemment —, et s'il était suivi par un été normal, la neige et la glace ne seraient pas fondues à moitié pour le prochain hiver. Et une chute de neige raisonnable durant le nouvel hiver s'ajouterait tout simplement à la masse déjà existante. Nous allons être obligés de refaire les cartes, Jim !

— C'est possible, c'est possible, dit le ministre doucement. Mais je ne peux m'empêcher de croire que d'ici l'hiver nous aurons trouvé un moyen de faire face à la situation...

Jim, se dit le gouverneur, une demi-heure plus tard dans la voiture qui le reconduisait à son hôtel à Georgetown, raisonne comme un imbécile. Non, ce n'est pas un imbécile... je suis injuste. Il est comme la grande majorité des gens ici. Il lit des rapports, des estimations, des chiffres. Dans une certaine mesure, ils se rendent compte mais ils n'y croient pas vraiment. C'est normal. Tant qu'on n'a pas vu, on n'arrive pas à y croire. Mais une fois qu'on a vu...

— Ce dont j'ai besoin, Christopher, dit le premier ministre britannique, regardant le portrait de sir Robert Peel, accroché au-dessus de la cheminée de son bureau de Downing Street, c'est d'une date. La date probable de la remise en service de nos installations de Sullum Voe. Dieu seul sait ce que tout cela va faire à notre balance des paiements. Il faut que j'aille à la chambre des Communes et que je puisse dire : ce sera en mai, en juin ou même en juillet. Mais il faut une date. Quelque chose qui calme le marché. On ne peut pas tergiverser plus longtemps alors qu'il s'agit du pétrole de la mer du Nord.

— Je ne peux pas, monsieur le premier ministre, vous donner une

date, dit sir Christopher Ledbester, l'attaché scientifique du gouvernement. Personne au monde ne peut vous donner une date. Mais je vais vous donner mon avis : Sullum Voe ne sera pas réouvert dans des délais aussi rapprochés que mai, juin ou juillet. Ce ne sera pas réouvert l'année prochaine. Les Shetlands ne seront plus une région habitable — il n'y aura plus là-bas que des missions scientifiques. Nous allons être obligés de repenser de fond en comble la technologie d'extraction du pétrole. Car les conditions vont être maintenant celles de l'Arctique. Ce ne sera pas facile. Et il est tout à fait possible que ni les Shetlands ni Sullum Voe puissent encore faire partie de nos projets. D'une certaine manière, nous avons de la chance. Nous avons commencé à prospecter des gisements à l'ouest. Le pétrole pourra être dirigé sur Bristol. Nous aurons probablement moins d'ennuis de ce côté. Mais la côte est... Eh bien ! je ne conseillerais à personne d'établir un centre de stockage au nord de Harwich.

— Mais c'est donc si terrible ?

— Pas encore, monsieur le premier ministre. Mais ça arrive. La question est de savoir *quand ?* J'aimerais bien avoir des nouvelles de Sibérie. Le meilleur climatologiste du monde est là-bas et il n'a toujours pas envoyé d'informations, ni à Washington ni à nous. Si les Américains tiennent leur parole et nous communiquent tout ce qu'ils reçoivent.

— Oh ! il n'y a pas de problèmes à ce sujet, Christopher. Ils n'aimeraient pas avoir les Français sur le dos. L'Europe entière est dans tous ses états. Il circule des bruits impossibles à la CEE. On parle de fin du monde. Il faudra bien qu'ils informent quelqu'un.

— L'ennui avec la fin du monde, dit Ledbester — on l'appelait Lhébété à Cambridge à cause de la lourdeur de ses jeux de mots —, c'est que, quand elle est là, plus personne n'en voit la fin.

13

Bisby, assis au bout du banc de bois d'une chenillette de l'armée destinée au transport de troupe, était heureux. Devant lui, debout, le lieutenant de l'Armée rouge dans sa tourelle blindée se balançait de gauche à droite pour rester, malgré les secousses, en équilibre. Le véhicule se frayait un chemin dans la forêt enneigée, à trente kilomètres au nord de Novosibirsk. Devant le lieutenant, mais

nettement plus bas que lui, dans l'avant en pente de l'engin, était assis le conducteur. Bisby ne voyait que sa tête prise dans un casque. Elle tressautait au centre de l'ouverture. Au-dessus d'eux, se dressait vers l'avant un court canon de 73 mm. Le tireur n'était pas à son poste. Nous ne sommes pas, pensa Bisby, une patrouille en opération. En fait, il est difficile de dire ce que nous sommes exactement... De toute façon, ça n'a pas grande importance. C'est tellement bon d'être ici, loin pour quelques heures de l'univers scientifique étouffant d'Akademgorodok.

Il jeta un coup d'œil aux autres occupants de la chenillette. En bonnet de fourrure, emmitouflés dans de chauds vêtements pour se protéger du vent glacé qui arrivait par les ouvertures latérales, Soldatov et Stovin, assis l'un à côté de l'autre, étaient silencieux. Un peu plus loin sur la banquette, Diane et Valentina étaient en conversation. Il était toutefois impossible d'entendre ce qu'elles disaient à cause du bruit du moteur. De temps en temps, Diane éclatait de rire tandis que la jeune Russe ponctuait son discours de grands gestes de la main. Bisby la regarda à la dérobée. Diane n'était pas la même quand elle riait. Son expression un peu hautaine disparaissait complètement. Elle semblait plus accessible, plus ouverte. Ouverte à quoi ? A Stovin, j'imagine. Il lui suffirait de lever le petit doigt pour qu'elle soit tout à lui. Le visage du chercheur américain était impassible, presque figé. Celui-là n'était sûrement pas heureux en ce moment. Et rien d'étonnant à cela. Brusquement, le flot d'informations scientifiques et techniques — venant aussi bien du monde extérieur que de Russie — s'était tari. « Quand donc verrai-je les données sur les isotopes, Gény ? » Bisby avait entendu Stovin demander à Soldatov ce matin. « Je ne suis pas ici en touriste. Vous savez cela, n'est-ce pas ? » Soldatov avait eu l'air embarrassé, s'était embrouillé dans ses phrases, avait laissé entendre des retards et finalement avait promis de tout faire pour accélérer les choses. Dix minutes plus tard, il avait eu une discussion sérieuse avec Volkov. Mais il n'avait rien pu tirer de ce visage de pierre. Bisby regarda Volkov à l'autre bout de la banquette. Comme toujours, il était en train d'écrire, indifférent aux mouvements de la chenillette, sur un bloc-notes blanc fixé à une planchette. Qu'avait-il dit lorsque nous sommes arrivés à Moscou ? « Notre pays aime la paperasserie. » Il était en train de le prouver. Et, naturellement, Stovin savait, Soldatov savait, tout le monde savait pourquoi l'information ne circulait plus. Elle ne circulait plus à cause de Volkov. Rien qu'on aurait pu démontrer clairement. La technique était simple. Lorsque Stovin demandait quelque chose, Volkov disait : « Mais bien sûr... tout de

suite. » Et puis, pour une raison ou pour une autre, ce n'était pas tout de suite. Des imprévus surgissaient. Il fallait attendre. Mais on allait s'occuper de tout ça, immédiatement. Puis, tout à fait désolé, Volkov demandait à Stovin de bien vouloir patienter. Ce matin, par exemple, Stovin avait voulu se rendre dans un des centres de recherche d'Akademgorodok avec Soldatov pour travailler sur un ordinateur. Et, justement, cet ordinateur-là, ce jour-là, était en réparation. « Très bien, avait dit Stovin, nous allons retourner à la datcha, Gény et moi, et nous nous servirons de nos cervelles. » « Bien sûr, bien sûr », avait répondu Volkov. Puis il avait ajouté : « Mais il serait peut-être préférable aujourd'hui d'aller voir l'endroit où s'est formé cet extraordinaire phénomène qui a frappé Novosibirsk, là-bas dans la forêt. » Soldatov avait eu beau protester et dire que leur temps serait mieux employé à Akademgorodok, il avait fallu se rendre. Volkov avait mis en avant que l'armée ne pouvait fournir deux véhicules pour ce voyage qu'aujourd'hui. Mais pourquoi avait-on besoin de deux véhicules ? Volkov avait alors agité un doigt sévère en disant : « Un véhicule peut tomber en panne, avoir des difficultés, perdre sa route. C'est une règle absolue dans l'armée : un véhicule ne circule jamais seul dans la taïga. » C'était la première fois que Bisby lui donnait raison. Ça tombait sous le sens, deux véhicules valent mieux qu'un. Les jours d'hiver sont extrêmement courts en Sibérie. Et Bisby n'avait nulle envie de passer toute une nuit dans une chenillette par un temps pareil. Même si pour le moment, la neige s'était arrêtée de tomber.

Il regarda sur la droite en direction de l'autre véhicule qui, parallèlement à eux, avançait dans la neige en laissant une longue traînée blanche derrière lui. Huit fantassins étaient assis à l'arrière, le canon de leur fusil s'agitant irrégulièrement au-dessus des parois, camouflées en blanc sale, de la chenillette. Ils sont vraiment serrés là-bas, pensa Bisby. Nous avons plus de place ici.

Devant lui, le lieutenant lança un ordre dans son microphone. Immédiatement, l'engin vira sur la gauche et passa au-dessus de blocs de glace, en direction de ce que Bisby savait être l'Orbi. Çà et là étaient alignées des souches de sapins et de mélèzes. Les abords du grand fleuve gelé étaient assez dégagés. Mais, à huit cents mètres environ, se dressait le haut mur de troncs de la taïga : des centaines de milliers de bouleaux, serrés les uns contre les autres jusqu'à l'horizon. La chenillette ralentit, roula au pas, pivota, glissa sur ses chenilles et s'arrêta. Le deuxième véhicule en fit autant. On était à une centaine de mètres du bord d'une dépression de forme circulaire, située sur la pente qui descendait vers l'Orbi. Légèrement engourdis, ils sortirent des véhicules. Les soldats, remarqua Bisby, se mirent immédiatement

en position de défense, traversant d'un pas lourd le cratère pour former un cercle d'une centaine de mètres de diamètre. La manœuvre se fit rapidement. De toute évidence, elle avait été répétée maintes fois. Tout ici était immobile. Un aigle pourtant, au-dessus d'eux, planait sans effort, scrutant les rives du fleuve à la recherche du moindre mouvement qui lui indiquerait où trouver de la nourriture. Derrière le mur noir des bouleaux et des mélèzes, bas dans le ciel sombre de l'Arctique, on pouvait voir le disque orange du soleil sur la ligne d'horizon. A l'est, les nuages avaient cet aspect laineux et cette couleur gris-bleu annonciateurs de neige. Déjà, quelques flocons tombaient sur le large visage de Bisby tandis qu'il observait les évolutions de l'aigle.

Volkov, Stovin et Soldatov escaladaient côte à côte l'escarpement couvert de neige qui conduisait au bord du cratère. Valentina observait à la jumelle le vol de l'aigle, Diane se tenait près de Bisby, enfonçant la pointe de sa botte dans la neige.

— Regardez, Paul, dit-elle surprise, c'est de la neige relativement fraîche. Elle est toute molle. Regardez...

Elle se baissa et enfonça sa main gantée dans la couche blanche jusqu'au poignet. Ella se redressa en faisant voltiger des milliers de cristaux autour d'elle. Bisby se pencha à son tour. Puis, il se secoua les mains. Un peu de mousse gris-jaune — de la sphaigne — s'était accrochée au bout de ses doigts sur les gants. Il regarda Diane avec étonnement.

— Vous voyez ça... cette mousse devrait être en dessous sur le permagel. Et la neige devrait être dure comme de la glace avant de fondre cet été.

Elle acquiesça et, tout étonnée, regarda autour d'elle.

— Ce n'est pas une cuvette naturelle, dit-elle. On a cru ça tout d'abord parce que la neige a tout recouvert. Mais si on regarde attentivement, on voit que ce cercle est trop régulier pour être là depuis très longtemps. En fait, ça ressemble à un cratère de météore.

— C'est bien un cratère, dit Stovin, mais ce n'est pas un cratère de météore. Il faudrait inventer de nouveaux mots pour ça. Disons que c'est un « cratère d'excavation ».

Accompagné de Soldatov, il venait de rejoindre Diane et Bisby, laissant Volkov en conversation avec le jeune lieutenant. Soldatov se tourna vers le ciel gris :

— Vous pensez au courant en anneau... naturellement ?

Stovin acquiesça :

— Oui. C'est descendu ici comme... un doigt. Dieu seul sait à combien de profondeur il s'est enfoncé dans cette rive du fleuve. La

neige qui est tombée depuis nous interdit d'en avoir une idée précise. Mais ça devait ressembler à quelque chose comme le marteau-piqueur de Dieu. Ce rebord sur lequel nous nous trouvons maintenant, ce sont les déblais. Ils ont gelés, bien sûr, et se sont couverts de neige. C'est pourquoi on découvre de la mousse si près de la surface. Elle devrait être à au moins quatre mètres de profondeur dans le permagel. Elle a été arrachée et entraînée avec les déblais.

— Même avec des engins très sophistiqués, c'est difficile, très difficile de creuser le permagel, fit remarquer Soldatov. Mais ça m'a tout l'air d'être très peu de chose pour un Danseur.

— Le phénomène a trouvé une sorte d'équilibre ici, poursuivit Stovin. Alors, il s'est stabilisé un peu au-dessus du sol et s'est mis en mouvement. Vers Novosibirsk. Si le doigt était resté enfoncé dans le sol, nous n'aurions pas un cratère de six mètres de profondeur mais une énorme tranchée de six mètres de profondeur qui aurait rejoint cette malheureuse ville.

Il se tourna vers Soldatov.

— Vous vous souvenez m'avoir dit l'autre jour combien vous trouviez étrange que le phénomène fût attiré par l'eau. Je suis convaincu que cela a une signification... mais il y a autre chose.

— Quoi d'autre ? demanda Bisby.

Il frissonna sous son épais parka et regarda au-delà du bord du cratère, vers la lisière de la forêt, dans la vacillante lumière du crépuscule. Quelque chose remuait là-bas... ou avait remué. Un mouvement imperceptible tout contre la masse des troncs de bouleaux. Il se concentrait si fort sur l'endroit qu'il n'entendit qu'à demi la réponse de Stovin.

— Le Danseur cherche la chaleur. Non pas ce que nous appelons chaleur, mais une température supérieure à la moyenne environnante. L'eau près d'une côte ou d'une rive. Une agglomération comme Hays. Une ville comme Novosibirsk. Et peut-être, il y a vingt mille ans, la chaleur des mammouths. Un troupeau de mammouths devait obligatoirement dégager de la chaleur. Aussi le Danseur a-t-il frappé ceux de Berezovka. Et, vingt siècles après, nous avons pu manger la viande.

Un des soldats, posté sur l'autre côté du cratère, à une soixantaine de mètres, tendit la main en direction de la forêt en criant. Le lieutenant remonta vers lui précipitamment en s'enfonçant dans la neige, puis revint vers Volkov. Il lui présenta ses jumelles en souriant. Bisby s'approcha, fixant toujours la demi-obscurité. Quelque chose remuait de nouveau. Volkov expliqua de quoi il s'agissait et poliment offrit les jumelles.

— Peu de visiteurs ont la chance de voir ça, monsieur Bisby.

L'Américain, après avoir réglé les jumelles, découvrit l'auteur de ces mouvements. Un grand loup de l'Arctique, un mâle, presque entièrement blanc, dont l'épaisse fourrure du cou se gonflait derrière la tête. Il se dressait sur un petit monticule rocheux juste devant les arbres. Sa queue était baissée, mais une de ses pattes de devant était comme en suspens dans l'air. On pensait irrésistiblement à une sculpture. Le loup regardait dans leur direction. Puis, sans se préoccuper le moins du monde d'être observé lui-même, il tourna la tête vers la masse sombre de la deuxième chenillette arrêtée sur la pente.

— Ce véhicule doit le surprendre, dit Bisby à Diane, qui détaillait l'animal grâce aux jumelles de Valentina.

— Regardez, il lève la queue.

Le loup avançait tranquillement, parallèlement au fleuve, offrant son flanc à la vue. Derrière lui, quelque chose remua. Diane s'empara du bras de Bisby. Il devait se souvenir plus tard que ce contact physique — le premier qu'il avait eu avec la jeune femme — lui avait, malgré l'attention qu'il portait à ce qui se passait dans cette lumière crépusculaire, procuré une sensation d'ordre sexuel extrêmement violente.

— Mais il y en a d'autres, dit-elle. Un... trois... quatre.

Les cinq loups conduits par le chef marchaient sans se presser le long du fleuve. Ils se dirigeaient vers un endroit précis, mais ne montraient aucune curiosité particulière — autant que l'on pût s'en rendre compte — vis-à-vis des hommes dans le cratère et des chenillettes sur la pente. Et, brusquement, après une rapide reptation, ils disparurent.

— Ils sont couchés, dit Diane d'une voix légèrement altérée.

— Ils se confondent complètement avec la neige, dit Bisby avec admiration. Mais à quoi jouent-ils ?

Diane ne quittait pas les loups des yeux. Volkov avait repris ses jumelles et se tenait près d'elle.

— Que croyez-vous qu'ils sont en train de faire, Miss Hilder ? demanda-t-il. En fin de compte, c'est vous le spécialiste.

Diane se tourna vers les deux hommes. Son visage encadré par la bordure de fourrure du capuchon de son parka était perplexe.

— Ils adoptent une tactique de chasse. Ces loups ont repéré une proie.

— Quelle proie, Miss Hilder ? dit Volkov. Nous sommes là depuis une demi-heure maintenant. Nous avons sûrement fait fuir tous les animaux dans les parages. Je suis sûr qu'il n'y a plus un seul élan dans un rayon d'un kilomètre.

La voix du Russe, remarqua Bisby, était exactement comme celle de Diane, légèrement altérée.

— Je suis d'accord avec vous, ce ne sont pas des élans qu'ils chassent. C'est nous !

Bisby éclata de rire.

— Ils sont complètement piqués. La folie des grandeurs. Cinq loups, même totalement suicidaires, ne vont pas faire beaucoup de mal à deux chenillettes blindées et à dix hommes en arme.

— Vous avez raison, dit Diane.

Elle semblait plus détendue maintenant :

— Ils n'attaqueront jamais, même s'ils étaient plus nombreux. Ou alors, ils se conduiraient d'une manière parfaitement aberrante. Évidemment, ils ne savent pas que nous avons des armes.

— Il faut le leur montrer, dit Volkov vivement.

Il lança un ordre au lieutenant qui fit un geste à l'un des fantassins accroupis au bord du cratère. Trois secondes plus tard retentissait une détonation. Bisby était même absolument certain d'avoir entendu l'impact de la balle de 7.62 au moment où elle atteignait le loup. Mais ce petit bruit — l'avait-il seulement discerné ? — n'avait aucun rapport avec le hurlement qui suivit. Le loup fut projeté à près de deux mètres de haut, fit une sorte de cabriole et retomba sur le dos, éparpillant de la neige rougie autour de lui. Il agita les pattes un instant en pleurant comme un chien. Il y eut une seconde détonation et tout fut silencieux.

Diane fit un pas rapide vers Volkov :

— Je ne pense pas que c'était nécessaire...

Le Russe lui coupa la parole :

— Il faut leur donner une leçon. Il faut qu'ils sachent qu'on ne joue pas impunément avec des êtres humains.

Dans un éclair, la jeune femme revit la table de dissection, le loup au ventre ouvert, la main et la montre. Mais ses années d'études, son goût de l'écologie reprirent le dessus.

— C'était absolument inutile, s'écria-t-elle avec colère. Ils ont le droit d'être là au même titre que nous. C'est une sorte de meurtre... Je ne veux pas...

— Seigneur ! s'exclama Bisby.

Il pointait son index en direction de la ligne sombre de la forêt. Une sorte de vague blanche, brisée par endroits, s'avançait vers eux. Il fallut bien trois bonnes secondes à Diane avant de réaliser que c'étaient des loups... des dizaines et des dizaines de loups. Il y en avait peut-être une centaine. Ils poussaient leur cri de chasse rauque et frénétique en se dirigeant vers la chenillette qui se trouvait un peu à

l'écart. Dedans ne restaient que le chauffeur et le radio. La vague se déplaçait à une vitesse étonnante dans le crépuscule sibérien. Le lieutenant courut vers le bord du cratère et les deux hommes près de lui ouvrirent un feu nourri sur la masse en mouvement.

Bisby saisit le bras de Diane. Il fit un geste pour indiquer derrière eux, de l'autre côté du cratère, l'endroit où les quatre loups qui restaient du premier groupe de cinq s'étaient couchés. Ils étaient de nouveau dressés et les regardaient. Le chef légèrement en avant avait repris la même pose qu'il avait — une patte en l'air — lorsqu'il avait été aperçu la première fois. Il jeta la tête en arrière et se mit à hurler. Son cri couvrit les appels des soldats et les glapissements de la meute. Le vacarme autour du cratère empêcha Diane d'entendre ce que lui disait Bisby. Mais, comme il continuait de tendre son index vers le chef des loups, la jeune femme finit par comprendre. Elle tapa sur l'épaule de Volkov qui semblait frappé de stupeur. Il tourna vers elle un visage bouleversé. Elle lui montra du doigt le loup :

— Il faut abattre celui-là, tout de suite. C'est lui qui organise tout.

Volkov la regarda durant quelques secondes comme s'il ne comprenait pas. Puis il courut en trébuchant vers le lieutenant qui, en compagnie de Soldatov, de Valentina et de Stovin, se tenait debout sur le bord du cratère. Il leur indiqua le loup. Mais c'était trop tard. Le grand loup et ses compagnons avaient disparu : ils avaient rempli leur mission de diversion. Ce qui se déroulait près de la chenillette la plus éloignée dépassait l'imagination. Les premiers loups avaient atteint le véhicule. Deux d'entre eux s'accrochaient et glissaient sur l'acier de l'avant en pente de la carrosserie. L'un des animaux se jeta sur la tête du conducteur. De la tourelle parvint un bruit de mitraillage. Une rafale s'abattit sur le gros de la bande. On entendit quelques grognements et une bête ou deux tombèrent sur le sol. Un grand loup blanc et gris abandonna la mêlée en rampant et se coucha dans la neige. Un instant plus tard, les loups recouvraient complètement le véhicule. Ils claquaient furieusement des mâchoires. Valentina se cacha le visage dans les mains. Du rebord du cratère parvenait le bruit déchirant de détonations irrégulières. Les soldats n'osaient pas tirer sur les loups qui étaient montés sur la chenillette de peur d'atteindre les deux hommes qui se trouvaient à l'intérieur. Le lieutenant poussa une sorte de rugissement, s'empara du fusil d'un soldat, escalada le talus et, moitié marchant, moitié glissant, se précipita vers la meute qui encerclait la chenillette. Tout en avançant, il envoyait des décharges en appuyant le fusil sur sa hanche. Un loup s'écroula, un autre hurla à la mort. Et, brusquement, surgit derrière l'officier le grand loup blanc entouré de ses trois congénères. Ils se

jetèrent sur lui et commencèrent à le déchirer. Le lieutenant n'était pas à vingt mètres de ses soldats mais aucun d'eux n'osa se servir de son arme.

En moins d'une minute, tout était terminé. Il faisait presque nuit et le petit groupe avait quelques difficultés à voir précisément ce qui se passait. Les loups maintenant regagnaient la forêt. Quatre d'entre eux tiraient en grondant le corps de l'opérateur radio. Apparemment, il n'y avait pas trace du corps du conducteur. Sans doute le chauffeur était-il resté coincé dans son étroit habitacle. Les loups n'étaient pas parvenus à l'en faire sortir. Mais l'homme n'était pas sauf pour autant. Un loup qui trottait vers la forêt laissa tomber quelque chose de sa gueule. Il poussa la chose un instant du museau pour la retourner afin de trouver une meilleure prise pour ses dents. Totalement horrifiés, on découvrit alors que le loup tenait la tête du conducteur.

— Qu'allons-nous faire de ce pauvre lieutenant ? demanda Stovin, en montrant le corps étendu dans la neige.

Sa voix était étonnamment calme. Derrière lui, un bras passé autour des épaules de sa femme, Soldatov regardait la masse sombre de la forêt en silence. La tête de la jeune femme était enfoncée dans l'épais tissu du parka de son mari. De temps en temps, tout son corps était secoué par un sanglot. Bisby regardait aussi la forêt, là où les loups avaient disparu. Son visage était curieusement animé, remarqua Stovin. De la lisière parvenaient des grondements et des grognements.

— Vous entendez ça, dit Bisby. Ils sont toujours là.

— Ils mangent, dit Diane sourdement.

— Manger ? Mais ils sont au moins une centaine, peut-être davantage. Et ils n'ont qu'un cadavre.

— Le chef va manger. Et aussi, sans doute, ceux qui ont traîné le corps. Les autres attendent, dit Diane.

— Vous voulez dire qu'ils *nous* attendent ?

— C'est ça.

Stovin regarda de nouveau la forêt. Volkov, en dérapant, grimpa sur le rebord du cratère pour parler au sergent. Après la mort du lieutenant, c'était lui qui était responsable de la petite patrouille. Protégés par les fusils de leurs camarades, deux soldats s'étaient enfoncés de quelques dizaines de mètres dans l'obscurité pour aller chercher le corps de leur officier. Volkov montra de la main la deuxième chenillette qui se trouvait à une soixantaine de mètres. Le sergent secoua la tête violemment pour indiquer qu'il n'était pas d'accord. Volkov haussa les épaules et revint vers les Américains :

— Il me semblait qu'il était préférable pour nous de regagner la chenillette mais le sergent n'est pas de cet avis. Il pense que nous

serions trop exposés avant de l'atteindre si jamais les loups revenaient.

— Il a entièrement raison, dit Diane.

Elle était tout étonnée de découvrir qu'elle pouvait réfléchir calmement. Elle était parvenue à dominer sa peur. Il est absolument certain qu'ils attaqueront si nous tentons d'aller jusqu'à la chenillette. Je crois bien que ce sont ces voitures qui ont provoqué leur attaque... mais je n'en connais pas la raison. Pourquoi ne sont-ils pas venus ici dans le cratère ? Où il y avait plus... à manger. Et où la nourriture était plus accessible...

— Peut-être ne sont-ils pas venus vers le cratère parce qu'ils en ont peur, dit Stovin. N'est-ce pas plausible ?

Il rentrait la tête dans ses épaules pour tenter de se protéger du vent glacé qui courait sur la neige.

Elle le regarda un instant sans répondre.

— Si, dit-elle enfin. Vous vous souvenez... j'avais parlé de mémoire ancestrale. Ce comportement pourrait être en effet déterminé par quelque chose comme ça. Un Danseur est venu ici. Ou bien les loups l'ont vu ou bien, au plus profond de leur inconscient, « ils s'en souviennent ». Dans les deux cas, ils sont émerveillés et terrifiés. Aussi, tant que nous sommes dans le cratère, nous ne craignons rien. Si nous tentons de traverser nous aurons des ennuis.

— Mais la radio est dans la chenillette, dit Bisby. Et c'est le seul moyen dont nous disposons pour avertir Novosibirsk de notre situation.

Volkov s'adressa alors sur un ton bourru au sergent, puis se tourna vers eux.

— Aucun problème, dit-il. Un certain nombre de dispositions régissent les patrouilles en forêt. Quand notre retard sera supérieur à quarante-cinq minutes, un hélicoptère partira de Novosibirsk à notre recherche. Ils savent où nous sommes. Aussi ne perdront-ils pas de temps à nous trouver. Tout ce que nous avons à faire, c'est d'attendre.

— Nous allons avoir très, très froid, dit Bisby en frissonnant.

Durant l'heure qui suivit, ils se tinrent recroquevillés, serrés les uns contre les autres pour se tenir chaud. Heureusement, il ne neigeait presque plus. A un moment donné, deux soldats escaladèrent le rebord du cratère dans l'espoir d'atteindre la chenillette. Immédiatement, des loups s'avancèrent vers eux à travers la neige. Les hommes rebroussèrent chemin et regagnèrent l'abri du cratère en courant. Un peu à l'écart du petit groupe reposait le corps du lieutenant, la face contre le sol. Un soldat montait la garde. La mort infligée par les

loups n'est pas belle à voir, se dit Bisby. Il avait aperçu le visage du lieutenant au moment où on l'avait ramené. C'était horrible. Il était intéressant de constater — si l'on envisageait la chose sur un plan purement technique — que l'épais uniforme d'hiver de l'armée soviétique, que lui, Bisby, aurait pensé suffisamment solide pour résister aux dents de n'importe quel carnivore, avait été mis en lambeaux par ces animaux si bien conçus pour donner la mort. Le bras gauche du lieutenant avait été arraché, mais les loups avaient dû abandonner le corps avant de pouvoir le déchirer davantage.

Enfin une lueur dans le ciel, au-dessus de la masse noire de la forêt, indiqua l'arrivée de l'hélicoptère. Durant un instant, ils furent éblouis par le phare qui balayait l'endroit pour découvrir les chenillettes. Puis des feux clignotants s'allumèrent et, dans un bruit assourdissant de rotors, l'appareil se posa à une quinzaine de mètres du cratère sur une étendue de neige relativement plate. Un officier bondit de la cabine. Volkov alla à sa rencontre. Puis, il revint vers les autres.

— Il y a huit places, hurla-t-il pour se faire entendre malgré le ronflement des moteurs. Nous rentrons maintenant. Un autre appareil viendra chercher les soldats.

En silence, titubant, ils se dirigèrent vers l'hélicoptère. Un soldat coiffé d'un bonnet de fourrure soutenait Valentina pour l'aider à monter à bord. Le visage de la jeune femme dans la lumière blanche de la cabine était livide. Diane et Soldatov grimpèrent à leur tour, suivis des autres. Transis de froid, ils se déplaçaient avec difficulté. Avec un grondement à la fois sourd et sifflant, le gros appareil quitta le sol en projetant un tourbillon de neige sur les soldats encore à terre. Stovin essuya la buée sur la vitre. La forêt se balança un instant en dessous d'eux, puis il n'y eut plus rien d'autre que le noir. Quelque part, là, dans les bois, les loups attendaient encore. Mais c'est fini maintenant, pensa Stovin, tandis que l'hélicoptère prenait la direction du sud pour rejoindre Novosibirsk. C'était une réaction à la fatigue.

— Eh bien, c'est fini maintenant! dit-il avec soulagement à voix haute.

Près de lui, Bisby remua sur son siège et se frotta lentement les mains.

— Vous croyez, dit-il. Jusqu'ici je n'avais jamais pensé que vous étiez un optimiste à tous crins. Ça ne fait que commencer, Sto.

Le président du Conseil des ministres, assis dans son bureau de Moscou, s'empara du téléphone qui le reliait directement aux services de Sécurité.

— Andréi ?

— Oui, camarade président.

— J'ai lu votre rapport qui s'appuyait sur les observations de Volkov à Novosibirsk. C'est très clair. Mais je n'en comprends pas bien les implications.

— Oui, en effet...

Il y eut un silence à l'autre bout de la ligne. Le chef de la Commission de sécurité de l'État attendit jusqu'à ce que le président reprenne la parole :

— Il faut que nous en sachions davantage. A partir de maintenant, les Américains doivent obtenir tout ce qu'ils désirent.

— Tout, camarade président ?

— Tout ce qui est à la disposition de nos propres chercheurs. Les Américains ne nous seront d'aucune utilité si on les laisse dans le noir...

Extrait d'une lettre du professeur Diane Hilder au professeur Francis Van Gelder, directeur de l'Institut de zoologie comparée Hahn, attaché à l'université du Nouveau-Mexique, Albuquerque.

... troisième point — qui n'est pas, il s'en faut, le moins important : cette conduite est aberrante. Elle n'est absolument pas caractéristique du *Canis lupus* en tant qu'espèce, tel que nous l'avons défini ou tel que nous pensions l'avoir défini, Frank.

Une meute au moins quatre fois plus nombreuse que ce que nous croyions être une unité sociale cohérente ; le choix d'êtres humains en tant que proie ; une tactique simple mais très efficace d'attaque, qu'on pourrait imaginer avoir été répétée un grand nombre de fois...

Ce qui me frappa le plus — lorsque j'eus réussi à me remettre de l'horreur qui m'avait saisie —, c'était que ce comportement correspondait exactement à celui que nous avions toujours considéré comme appartenant au mythe ou à la légende : le loup ennemi acharné de l'homme. Celui qui inspira *le Petit Chaperon rouge* (un conte, crois-moi, que je ne raconterai sûrement jamais à mes enfants lorsque j'en aurai) ; ou celui qui hante les légendes nordiques, le représentant de l'esprit diabolique...

Nous savons que les hommes et les loups sont les deux créatures qui surent le mieux développer des techniques de chasse efficaces dans la toundra des périodes glaciaires. Et nous avions toujours supposé que l'homme avait très facilement pris le dessus, que le loup s'était engagé dans

une sorte d'impasse au niveau de l'évolution, que c'était l'homme qui avait profité au mieux des défis imposés par la glaciation pour devenir ce qu'il est aujourd'hui. Mais je commence à me demander si la victoire a été aussi facile. Est-ce que la lutte n'a pas été bien plus violente que ce que nous pensions ? Et même, tout au fond de moi, j'ai honte de le dire, je ne suis pas certaine que la partie soit jouée !

L'autre chose qui m'est apparue et qui peut t'intéresser concerne l'attaque des deux véhicules. Était-ce un écho du passé le plus reculé, une sorte de mémoire ancestrale, qui fit que les loups confondirent deux grosses masses sur la neige avec des mammouths vivants ? Parce que nous avons eu affaire à une tactique de chasse aux mammouths. Cette bande — souviens-toi de ce que tu m'as dit un certain après-midi à Albuquerque — avait une taille suffisante pour attaquer et isoler en même temps un ou deux individus du reste du troupeau.

Mais, de toute façon, ce n'est pas si clair. Parce qu'il n'y a plus de mammouths. Pourquoi une meute se constituerait-elle pour chasser ce qui n'existe pas ? Car la bande s'était formée *avant* de rencontrer les deux chenillettes. Elle était organisée pour chasser le mammouth dans un pays où les troupeaux de mammouths ont disparu depuis des millénaires. Et, bien entendu, les individus isolés n'ont guère survécu à la fin des troupeaux. Il est possible que quelque facteur d'ordre général — température ou pression atmosphérique — ait influencé leur comportement. Ces animaux se pliaient apparemment aux conditions climatiques qui étaient celles du dernier âge glaciaire à l'époque où il y avait encore des mammouths. Ils étaient à la recherche de mammouths et trouvèrent... ce que tu sais.

Peut-être les loups sont-ils, d'une certaine manière, mieux équipés que nous autres pour réaliser que les choses sont en train de changer...

14

Les nouvelles tempêtes de neige qui, à la fin décembre, s'abattirent sur l'hémisphère Nord, apparurent d'abord aux yeux des météorologistes du monde entier comme peu différentes des anomalies observées depuis quelques années au cours par exemple des « mauvais » hivers de 1976 et 1978. Le quatrième jour, les médias, en quinze langues, parlèrent de « la pire tempête du siècle ». Et l'on attendit le dégel. Par rapport aux années précédentes, les observations météorologiques — prenant pour modèle l'expérience globale de 1979 —

étaient nombreuses et de très bonne qualité. Bateaux, avions, satellites, ballons sondes et bouées des États-Unis, d'Union soviétique, de France et du Japon avaient fourni une masse de données venant de tous les continents, des profondeurs des océans et de l'atmosphère jusqu'à une hauteur de trente-deux kilomètres. Toutes ces données avaient été traitées par ordinateur. Pourtant..., il fallut attendre le cinquième jour pour que les chercheurs s'avisent qu'ils étaient en train d'assister à un bouleversement radical du climat à l'échelle planétaire. Les calculs et les modèles antérieurs n'étaient plus opérationnels. Dès cet instant, l'étendue de la catastrophe parut évidente, même aux yeux les moins avertis. Certains faits étaient réellement surprenants. La sécheresse dans les pays du Sahel s'intensifia, mais le long de la frontière nord du Sahara, la pluie, de mémoire d'homme, tomba pour la première fois. Un dictateur libyen s'écria qu'il était aimé d'Allah. Dans l'Antarctique, d'une manière tout aussi étonnante, le centre de McMurdo enregistra des températures de dix degrés et demi. Elles étaient les plus élevées jamais enregistrées dans la région. Le pôle Sud lui-même bénéficiait de températures relativement douces de l'ordre de douze degrés.

La situation dans l'hémisphère Nord était bien trop critique pour qu'on se préoccupât de telles bizarreries. La tempête de neige, après le pôle Nord, balaya les régions arctiques puis celles de cultures céréalières du Canada, le Groenland, la péninsule scandinave, la mer de Barents, le nord de l'Allemagne, la mer Baltique, le Danemark, la Pologne et tout le nord de l'URSS. Descendant toujours, elle atteignit les Iles britanniques et le nord des États-Unis. Les grandes villes du nord étaient totalement paralysées. Les amas de neige se transformaient en glace. Certains ports d'Europe et d'Amérique étaient pris dans les glaces. Le phénomène s'étendait sur plusieurs parallèles simultanément. La tempête dura plus de quinze jours. Neige et glace. Glace et neige. Un climatologiste français, à l'observatoire du Pic du Midi, dit à un de ses collègues : « Ça ressemble à une offensive militaire. L'ennemi s'infiltre dans tous les points faibles. » A Bergame, dans les Dolomites, l'un des spécialistes italiens de service, dramatisant à peine, déclara avec justesse : « *E finito il nostro mondo.* »

La vitesse avec laquelle le phénomène gagnait du terrain stupéfia même les chercheurs les plus pessimistes, ceux qui avaient parlé de fin du monde dans les trois décennies à venir. Soudain, le mécanisme délicat, qui permettait à la société technologique moderne d'exister, n'était plus en mesure de faire face à des situations dans lesquelles la neige tombait sans arrêt pendant deux... cinq... dix... quinze jours.

Les paysages étaient méconnaissables. Les points de repère les plus familiers disparaissaient. Toute la technologie des pays civilisés était utilisée dans un seul but : tenter de garder ouverts un nombre limité de routes, de ports et d'aérodromes pour éviter que des dizaines de millions de personnes ne meurent de froid et de faim. Le monde changeait, tout devenait aléatoire...

Pyotr Bilibin était originaire d'un hameau de la Sibérie de l'Est, près des rives du lac Baïkal. Cette mer intérieure gèle si fort en hiver que les gros camions de transport la traversent dans toute sa longueur jusqu'au printemps. La route est balisée par des troncs enfoncés dans la glace. Mais Pyotr n'avait jamais vu quelque chose comme ça. Il était assis, aux commandes de son char, dans son habitacle ouvert. Il scrutait le mur de neige, qui s'avançait vers lui, pour tenter de voir les feux arrière du tank qui le précédait. Le char de Bilibin n'était que le centième d'un convoi qui en comprenait deux cent dix. Ils se frayaient un chemin vers le nord à travers l'Allemagne de l'Est dans la tempête de neige la plus violente que Bilibin ait jamais vue. La division blindée au complet — chars, chenillettes, camions et quelque onze mille hommes — parcourait en ce moment l'étape, longue d'une centaine de kilomètres, de Pritzwalk à Rostock sur la mer Baltique. Là, elle serait embarquée pour l'Union soviétique. De temps en temps, une voix presque étrange à force d'être calme parvenait jusqu'à Bilibin grâce à l'interphone. C'était celle du commandant du char. Il était recroquevillé dans sa tourelle comme un fœtus. Mais Bilibin savait parfaitement que son supérieur ne voyait rien de plus que lui. On roulait maintenant depuis deux heures, et l'on n'avait parcouru qu'une dizaine de kilomètres. La traversée du village de Falkenhagen s'était effectuée dans un tunnel de glace. La neige dégagée par la tête du convoi était accumulée en talus de dix mètres de haut, de chaque côté de la route. Bilibin savait que c'était Falkenhagen parce qu'il était passé sans le vouloir sur la pancarte annonçant la fin du village. Du char on ne voyait ni arbres, ni maisons, ni lumières mais uniquement ce tunnel blanc et les feux rouges du véhicule qu'on suivait.

Quand, un quart d'heure plus tard, le feu rouge disparut brusquement, Bilibin espéra pendant un moment que cette disparition avait été provoquée par une rafale de neige. Mais les feux rouges ne réapparurent pas. Au bout de quelques secondes, le bruit des chenilles ne fut plus le même. On s'enfonçait dans la neige. Totalement perdu, Bilibin avançait dans le talus du côté droit de la

157

route. Il pénétra dans des couches successives de neige et de glace et finalement les traversa. De nouveau, le bruit des chenilles avait un son différent. On avait quitté la route empierrée et l'on roulait à travers champs. La couche avait bien quatre mètres d'épaisseur, et Bilibin avait l'impression de s'engouffrer dans quelque chose de mou. La visibilité sur les côtés était nulle. Et il n'y avait aucun indice signalant la présence d'un véhicule devant lui. Derrière, par contre, le reste de la division, suivant avec obstination ses feux arrière, s'était engagé dans la mauvaise voie. Bilibin entendit un juron étouffé, transmis par l'interphone, et son commandant lui ordonna d'arrêter le char. Un instant plus tard, l'officier, armé d'une torche électrique, se laissa glisser le long de la paroi et, remontant la colonne, disparut dans les tourbillons de neige. Réglant son moteur sur le régime le plus bas, Bilibin attendit. Il jeta avec plaisir un coup d'œil à sa nouvelle montre allemande. Il était neuf heures. Mourant de froid et tout ankylosé, il essaya de faire un petit somme. Au-dessus de lui, le radio, coupé du reste de la division par les interférences provoquées par le blizzard, posa sa tête sur son appareil et ferma les yeux. Une heure plus tard, alors que la neige s'entassait sur la fermeture de son habitacle, Bilibin remua légèrement et tendit son poignet vers la petite lumière qui arrivait d'en haut. Il était dix heures et demie et le commandant n'était toujours pas là...

A l'état-major de la division, dans une école de Pritzwalk, un capitaine interrogea un lieutenant :

— Ont-ils atteint Mayenbourg ?

— Pas que je sache. Nous n'avons plus de contact radio, et il n'est pas question d'envoyer une estafette motocycliste. Qui a eu l'idée de déplacer une division blindée par un temps pareil ?

— Le quartier général, évidemment, dit le capitaine.

— Mais pourquoi ?

— Ce n'est pas votre affaire, Savinkov. Ni la mienne d'ailleurs. On obéit aux ordres. Mais les raisons me semblent assez claires.

— Ah ! Oui.

— Nous rentrons en Russie, dit le capitaine patiemment, parce que nous sommes une division blindée. Parce que nous avons quelque deux cents chars et un tas de matériel lourd. En fait, nous sommes des tracteurs montés sur chenilles. Vous voyez quelle est la situation ici. Ne pouvez-vous imaginer ce qu'elle doit être chez nous ? Nous rentrons, non pas parce que nous sommes des soldats mais parce que nous pouvons nous servir, entretenir et conduire de puissants engins

de traction... des tanks. En Russie, nous manquons d'engins de traction... de véhicules capables de tirer de lourdes charges dans la neige et d'arracher d'autres véhicules à la neige. Tous les pays d'Europe manquent d'engins tracteurs. Ainsi, dans une nouvelle stratégie, nous avons un nouveau rôle à jouer. Pas de tir, camarade, des tractions.

Il ricana en tapotant l'épaule du lieutenant :

— Finalement, nous avons trouvé un emploi pour nos chars. Vous ne pensiez pas, en vous engageant dans l'armée, que vous alliez vous occuper de tracteurs, n'est-ce pas ? Ah ! je donnerais volontiers une semaine de permission pour savoir où est cette division.

Quatre heures plus tard, le capitaine, le visage livide, appela par téléphone l'état-major pour l'informer de la disparition des chars.

— Disparition ? hurla le général. Qu'est-ce que ça veut dire ?

— Nous ne savons pas où ils sont, camarade général. Dix-huit d'entre eux ont traversé Meyenbourg et sont en sécurité... ils se sont arrêtés à dix kilomètres au nord. Les autres, on ne sait pas où ils sont passés.

— Hélicoptère alors. A l'aube. J'y serai. On verra bien où ils sont.

En dessous de l'hélicoptère du général, neuf heures plus tard, s'étendait un désert blanc. La tempête de neige s'était calmée pour le moment. Un soleil pâle projetait l'ombre de l'appareil sur la neige qui s'étalait à perte de vue comme une mer houleuse, aux vagues figées. On n'apercevait aucune route. Cependant, quelques toits — ceux des maisons de Falkenhagen — parsemaient le blanc manteau. Dessus, des gens faisaient de grands gestes désespérés vers l'hélicoptère. Ce n'est que deux kilomètres plus loin que l'on découvrit le premier indice concernant la division. Une rangée de petits tubes métalliques brillants jaillissaient de la neige comme des plantes surréalistes dans un tableau de Dali.

— Les antennes radio, camarade général, cria le pilote pour se faire entendre malgré le ronflement des rotors. Vingt... trente. Il y a plein de chars là-dessous. Et il y en a plein par là aussi.

Le général s'effondra sur son siège.

— C'est ça ma division ? dit-il à la fin. C'est ça ?

Un vent sec mais étonnamment froid soulevait en tourbillons une poussière piquante dans la rue Janpath à Delhi. Les hommes en haillons, que l'on voyait habituellement jouer à des jeux compliqués à même le sol, avaient abandonné les lieux depuis deux jours. Ils se blottissaient maintenant dans les encoignures de portes près des

colonnades de la place Connaught. Ils bavardaient tout en jetant de temps en temps un coup d'œil vers le ciel. Les vendeurs de clous et d'outils, près de Chandni Chowk, avaient remballé leur marchandise et quitté l'endroit. Quelques pousse-pousse, tirés par des tricycles, bravaient le froid, Çà et là, un mendiant sur son plateau à roulettes traversait les rafales de poussière pour tendre la main vers quelques Européens qui couraient pour retrouver la douce chaleur de l'hôtel Impérial après un peu de shopping.

— Je croyais que c'était la meilleure saison de l'année, dit une Anglaise à un grand Indien qui prenait le thé avec elle, près d'une large baie, dans un des salons de l'hôtel.

L'Indien travaillait pour le Bureau national de l'agriculture. Il avait passé la matinée en discussions harassantes avec son supérieur immédiat.

— Habituellement, oui. Chaud et agréable le jour, frais la nuit. Mais le temps est curieux en ce moment. Je n'ai jamais eu aussi froid en décembre. Il paraît qu'il y a eu d'abondantes chutes de neige dans le Cachemire, et nettement au sud de la limite où elle s'arrête habituellement. Et aussi sur tout le versant sud de l'Himalaya. Peut-être, ajouta l'Indien en souriant, devrions-nous, ici en Inde, accorder une plus grande attention aux sports d'hiver.

— Il fait vraiment froid, dit la dame sans sourire. On se croirait à Manchester.

Si seulement elle pouvait y être! pensa l'Indien. Mais il fallait la distraire. C'était l'épouse de l'envoyé de l'ONU, actuellement en conférence avec son supérieur pour parler des mesures à prendre afin d'éviter la famine qui les frapperait à l'été et à l'automne si, cette année, comme l'année dernière, la mousson n'était pas normale. En fait, le Bureau de climatologie de Simla l'avait informé que ce serait *pire* que l'année dernière. C'était une supposition insensée. Pourtant, on se demandait si, cette année, il y aurait la moindre mousson. Et, sans cette pluie d'été, il n'était pas question de récolte. L'Indien repensa à ce qu'il avait trouvé dans les archives de la bibliothèque de la ville — il en avait remis une photocopie à son chef. Deux cents ans plus tôt, un Anglais avait tenu son journal à Delhi. Il avait décrit ce vent, ce froid en décembre. Et, cette année-là, il n'y avait pas eu de mousson. La famine avait été affreuse. A cette époque, pourtant, la population était bien moins nombreuse et elle n'était pas entassée comme aujourd'hui dans les villes. Il frissonna. Cinq ou six milans, leurs grandes ailes noires étendues, volaient difficilement dans les jardins de l'hôtel. Ils étaient les seuls oiseaux. Pourtant, normalement, en cette saison, il y avait un vol ininterrompu de perruches

vertes, de mynahs et de perroquets multicolores. Les milans auraient sûrement faim cette année. Et pendant combien de temps ?

Dérapant et glissant le long de la dune, le chameau se coucha de nouveau dans le sable fin du désert. Zénoba, qui marchait à ses côtés, eut juste le temps de rattraper le petit Ibrahim qui glissait du dos de la bête. Zayd ag-Akrud fit demi-tour et descendit la pente brûlée par le soleil. Il appela Hamidine et Mohammed qui étaient devant avec la chamelle. Puis, avec force cris et jurons, l'homme et les adolescents tirèrent sur la corde, attachée à l'anneau qui traversait les naseaux du chameau. Zénoba, le petit Ibrahim près d'elle, regardait la scène en silence. L'animal poussa un grognement puis blatéra, en donnant des coups de pattes, mais resta couché. Finalement, étouffé par la chaleur, Zayd renonça à tirer sur la corde. Il alla vers la chamelle qui attendait patiemment. Elle ne s'intéressait nullement à la lutte qui se déroulait à quelques mètres d'elle. Du chargement enveloppé dans une couverture, accroché aux flancs de la bête, Zayd prit une poignée de brindilles d'épineux, la jeta sous le chameau et y mit le feu. Les yeux égarés, l'animal blatéra de nouveau horriblement. L'odeur des poils et de la chair brûlés piquait les narines. Par saccades, il parvint à s'agenouiller. Avec un cri de victoire, Zayd tira sur la corde. Un instant après, la bête était debout. Zayd prit dans la couverture une boîte en fer-blanc que Zénoba emmenait toujours avec elle. Elle y avait recueilli la graisse de la chèvre. Il en remplit sa main et en frotta les brûlures et les cloques qui couvraient le flanc. En même temps, il jeta un coup d'œil à la charge. Le chameau était jeune : il n'avait pas vingt ans. Il entrait dans la force de l'âge. Un chargement de trois cents kilos était peu de chose pour lui. Ibrahim et Zénoba, à eux deux, pesaient moins de cent kilos et les paquets, installés de chaque côté de la bête, ne dépassaient pas cent cinquante kilos. Évidemment, le chameau était malade mais, pour alléger la charge, il fallait que Zénoba marche davantage chaque jour. De toute façon, il faudrait qu'elle marche. L'animal les retardait. Et il y avait encore au moins six jours pour Tamanrasset et trois avant d'atteindre Lissa. Obéissant à Zayd, Zénoba mélangea un peu de sang coagulé du bol avec un peu de l'eau qui restait encore dans le récipient de cuir. Ils s'asseyèrent ensuite pendant une demi-heure sur le versant le plus ferme de la dune. Le sable, poussé depuis des siècles dans la même direction, était aussi dur que du ciment. Le chameau avait besoin d'un peu de repos pour se remettre du traitement qu'il venait de subir. Et le petit Ibrahim n'était pas très bien. Ils burent chacun une gorgée du mélange

d'eau et de sang, puis Zayd fit une courte prière, prosterné vers l'est. Ils reprirent alors la route de Lissa et de Tamanrasset. Quand cela était possible, ils marchaient sur le côté le plus résistant des dunes et dans l'ombre des moindres replis de terrain. De temps en temps, le chameau glissait sur le sable ou vacillait sur ses pattes, mais il suivait sans trop rechigner la femme qui tenait l'attache et avançait obstinément vers l'est.

Le directeur du Centre national pour la recherche atmosphérique était assis dans son bureau glacé. Les bâtiments étaient situés au-dessus de Boulder. Il attendait que le chauffage — deux pauvres heures de chaleur chaque jour — se mette en marche. Ce serait maintenant dans moins de dix minutes. Il se dirigea vers la fenêtre piquetée de blanc et regarda, frissonnant dans son manteau, les tourbillons de neige. Au-delà d'une dizaine de mètres, on ne voyait pratiquement rien. Il regarda en direction des garages qui se trouvaient derrière les parties réservées à l'administration. Les boxes et les véhicules qu'ils abritaient avaient disparu. La neige recouvrait tout depuis quelques jours. Elle s'était entassée jusqu'au-dessus des toits et, en gelant, avait formé d'énormes blocs de glace sur lesquels s'accumulaient régulièrement de nouvelles couches de neige. Au-delà se trouvait la petite ville de Boulder. La route de montagne qui y conduisait était coupée depuis plusieurs jours. Et, déjà, on manquait de mazout et de nourriture.

Je suis ici, pensa le directeur, dans ce temple dédié à la recherche atmosphérique, et je suis incapable de comprendre ce qui se passe. Déjà, il y a eu des victimes à Boulder. Au moins quarante, si l'on en croit les informations données par les émissions — réduites à leur plus simple expression, à cause du manque de courant — de la radio. C'est absurde, presque monstrueux... Oh non! pas encore! La porte venait de s'ouvrir et une assistante, tenant un plateau plein d'épingles, entra. Elle se dirigea vers le grand mur, face au bureau, où était accroché un planisphère, et commença à enfoncer des épingles à tête orange dans le papier. Le directeur s'approcha. Chaque épingle indiquait un nouveau point critique. Les endroits où les conditions atmosphériques étaient telles qu'on ne pouvait plus — au moins temporairement — les affronter. Les épingles déterminaient de vastes étendues au Canada et au nord des États-Unis... autour d'Edmonton dans l'Alberta, de Regina dans le Saskatchewan, de Butte dans le Montana, d'Anoka près de Minneapolis et à un endroit appelé — le directeur plissa les yeux pour lire plus facilement le nom — Faribault au sud de la même

ville. Le directeur s'était habitué depuis quelques jours à cette progression. Mais, comme la jeune femme piquait ses dernières épingles, il eut un sursaut. L'une s'enfonça à Salomon, à l'ouest d'Abilene dans le Kansas, et l'autre — c'était vraiment incroyable — à Kingfisher, un tout petit peu au nord d'Oklahoma.

— Si loin au sud, déjà ? dit-il.

— Il y avait quatre-vingt-six points à six heures ce matin aux États-Unis et au Canada. Et bien plus en Europe. L'information venant des pays occidentaux circule fort bien mais l'on n'a pratiquement rien d'Union soviétique.

Elle enfonçait maintenant des épingles à tête bleue dans la carte de la Grande-Bretagne : Sumburgh dans les Shetlands, Elrick près d'Aberdeen, Inverurie plus au nord. Beaucoup d'épingles déjà le long du golfe de Moray en Écosse, remarqua le directeur : Elgin, Banff, Nairn, Lossiemouth, Cullen. Et de nouvelles étaient en train de se planter le long de la côte de la mer du Nord, pénétrant profondément au sud du pays, jusqu'à Newcastle. Le directeur suivait le trajet des épingles au fur et à mesure que la jeune femme les piquait dans la carte : Blyth dans le Northumberland, Whitley Bay près de l'embouchure de la Tyne. Lorsqu'il était jeune, le directeur avait travaillé durant un an à l'université de Newcastle, grâce aux échanges culturels entre les États-Unis et la Grande-Bretagne. Il avait occupé ses weekends à faire des promenades dans les environs : le long des grandes plages argentées, dans les petits ports de pêche et aux abords des châteaux en ruine qui marquaient la route d'Écosse. Il retourna à son bureau et jeta de nouveau un coup d'œil au rapport du PRA. C'était incroyable... Ou du moins cela aurait été incroyable quinze jours ou trois semaines auparavant. Mais c'était là, sur le bureau, vérifié et revérifié et très proprement dactylographié. Newcastle, cette grande ville sur la Tyne qui bourdonnait d'activités industrielles, qui se flattait de sa technologie, de son *know-how,* était coupée du reste du pays depuis cinq jours. Réellement coupée. La neige tombait là-bas depuis plus de deux semaines. En fait, ce n'était pas une chute de neige : c'était un blizzard. Toutes les routes étaient obstruées. La moins atteinte, celle qui, venant du sud, passait à Durham, était enfouie sous neuf mètres de neige. La moitié de l'armée britannique tentait d'ouvrir un passage. L'aéroport était inutilisable depuis plusieurs jours, et aucun port dans un rayon d'une cinquantaine de kilomètres n'était en mesure de fonctionner. Les hélicoptères avaient pu atterrir — il feuilleta le rapport — jusqu'à avant-hier. Maintenant, le risque était trop grand de s'enfoncer dans la neige fraîche et de ne pas pouvoir repartir. Ils hissaient à leur bord les malades considérés

comme des cas urgents et déchargeaient des aliments. Les estimations concernant le nombre des victimes, même à Newcastle, n'étaient pas aisées à faire. Le premier ministre de Grande-Bretagne avait dit au président qu'il y avait au moins deux mille morts dans la ville et sa banlieue, et probablement autant dans les campagnes. En Écosse, on parlait d'un millier de morts. Évidemment, les chiffres concernant les régions rurales étaient des plus grossiers. Certaines communes isolées, coupées de tout contact extérieur, attendant un radoucissement de la température, vivaient vraiment en état de siège. Des gens mouraient dans leur voiture, dans leur maison sans chauffage, entre les murs de neige des rues lorsqu'ils partaient à la recherche de nourriture. La discipline, curieusement, était étonnamment bonne. Il n'y avait pas eu ou presque pas eu de pillage. Mais cela n'allait pas durer. La faim, pensa le directeur, pousse les gens à des excès encore plus dangereux que le sexe. Ce qui arrivait à Newcastle était l'une des plus grandes catastrophes naturelles du siècle. Les victimes étaient déjà deux fois plus nombreuses que lors du tremblement de terre de San Francisco, en 1906. Si seulement nous pouvions penser en termes de catastrophe, comme ce serait réconfortant. Mais ce n'est pas une catastrophe. C'est un changement... un changement gigantesque et irréversible, un changement qui s'installe à une vitesse incroyable. Et pas seulement aux États-Unis, en Grande-Bretagne et en Russie. L'Europe continentale, elle aussi, est touchée. Les épingles, cette fois, étaient rouges. Elles transpercèrent le nord de la France et de l'Allemagne. Le directeur n'oubliait pas qu'il y avait quelque chose de bien pire que Newcastle. Il y avait eu Novosibirsk. C'est curieux comme ce qui arrive aux Soviétiques ne nous concerne pas vraiment, pensa-t-il avec un peu de honte. Où donc est Stovin ? Lui et ses compagnons sont peut-être morts à l'heure actuelle, vu ce qui doit se passer en Sibérie.

Il n'y avait aucune nouvelle d'URSS. Les photographies de satellite avaient montré au début qu'un désastre était survenu dans la région d'Archangel. Maintenant, la neige et les nuages bas, chargés de neige, ne permettaient plus de prendre de clichés. Mais l'on pouvait aisément supposer que le nord de la Russie allait avoir des moments difficiles. Radio-Moscou faisait allusion à d' « énormes difficultés » maintenant « surmontées ». Même à Moscou, il devenait impossible de dissimuler totalement la vérité. Le rationnement était plus sévère que durant la dernière guerre. Le courant n'était fourni aux particuliers que deux heures par jour. Et la température était de moins quarante...

Le petit voyant rouge du téléphone s'alluma. Le directeur attendait cet appel. Il décrocha l'appareil.

— Le professeur Brookman est en ligne, monsieur, annonça la standardiste.

— Mel ?

— Oui, c'est moi.

Curieux, pensa le directeur, il semble plus gai, moins épuisé que durant ces dernières semaines.

— Où êtes-vous, Mel ?

— A l'Institut de technologie du Connecticut. Je dois aller à Washington, mais ce n'est pas facile. Je suis arrivé en train de Westport, mais ce n'est plus guère possible... De toute façon, l'aéroport de La Guardia est encore fermé aujourd'hui. Donc, il n'y aura pas de navette.

— Vous ne pouvez pas prendre un avion militaire ?

— Oui. Je pourrais essayer. Mais je suis peut-être aussi bien ici. Nous avons un tas d'installations même si nous n'avons pas Razzle-Dazzle. A propos, comment se porte-t-il ?

— Il fonctionne grâce au mazout de rationnement. On a établi un circuit de secours pour garder une température constante dans la salle-machine. Ça veut dire que nous n'avons, nous autres, que deux heures de chauffage le jour, et quatre la nuit. Il ne fait pas chaud.

— Combien de temps pouvez-vous tenir ?

— Vous voulez dire Razzle-Dazzle ? Eh bien ! je pense que nous pouvons encore garder une température constante dans la salle-ordinateur pendant trois semaines. A condition de réduire notre consommation personnelle.

— Combien êtes-vous encore au Centre ?

— Trente-huit, moi compris. L'équipe scientifique est au complet. Mais nous avons un personnel réduit.

— Vous avez eu du mal à persuader les gens de rester ?

Le directeur se mit à rire.

— J'ai eu du mal à en convaincre quelques-uns de partir pendant que les hélicoptères pouvaient encore atterrir. Tout le monde voulait jouer à Robinson.

Brookman soupira.

— Quand nous avons construit ce Centre, là-haut dans le Colorado, on n'imaginait pas une chose pareille. Je suppose qu'il n'y a aucune chance que vous puissiez avoir plus de fuel ?

— Non. A moins que la neige ne s'arrête pendant quelques jours. On pourrait alors déblayer une aire d'atterrissage pour les hélicoptères. Mais même cela ne serait pas facile. Un des assistants, un tout jeune, a tenté une sortie hier par la porte principale. Il a creusé un tunnel d'une dizaine de mètres. Vraiment un tunnel. Il a pu mesurer

l'épaisseur de la neige. Elle était de quinze mètres. De quinze mètres hier à midi ! Et il n'a pas arrêté de neiger depuis.

— En effet. Mais j'ai de bonnes nouvelles pour vous, directeur. On a le premier rapport de Stovin. Un Russe nous l'a apporté hier au soir. Vol spécial sur New York. Heureusement, Kennedy Airport était ouvert. C'est Ehrlich qui y est allé. Il nous a dit que les Soviétiques ne pouvaient être plus coopérants. Tout d'un coup, on n'entendait plus que ce mot : « coopérant ». Après des semaines de fermeture...

— C'est déjà ça, dit le directeur. Parce que, comme vous le savez, tout indique que ce temps — en fait on ne peut même pas appeler ça du temps —, que ce récent changement dans le climat a débuté dans le nord de la Sibérie. Je devrais d'ailleurs préciser... Je devrais dire que la preuve, la première preuve de ce changement de climat nous a été fournie en Sibérie. Et que ce que nous supportons en ce moment n'en est que la suite.

— J'ai envoyé une copie du rapport de Stovin à la Maison-Blanche. J'ai jeté un premier coup d'œil dessus. Il pense avoir la confirmation de sa théorie sur les aberrations du courant en anneau et être sur le point de savoir pourquoi ce courant est devenu sujet à ces extraordinaires mouvements verticaux. Il y a un tas d'autres choses aussi. Toutes très caractéristiques de la manière de Stovin. Il est très difficile de le mettre en défaut sur la climatologie, mais vous le connaissez... il ne pense pas que la climatologie puisse répondre à toutes les questions...

— Quelles autres choses ? demanda prudemment le directeur.

— Vous savez bien... Il croit à l'indivisibilité de la connaissance. Il paraît plus intéressé en ce moment par ce que lui dit cette fille, la petite Hilder, que par le fait de découvrir pourquoi le climat a changé.

— D'accord pour l'indivisibilité des connaissances, dit le directeur, mais ce qui m'ennuie, c'est qu'il n'est guère possible d'assimiler beaucoup plus que le centième de ce qui est à notre disposition. Si vous parlez à un biologiste, à un zoologiste ou à un botaniste, brusquement vous êtes dans un autre univers. Et dans ce nouveau monde, vous êtes comme un enfant. Exactement comme eux sont des enfants dans le vôtre.

— C'est pourquoi le président fait confiance à Stovin. Pour la Maison-Blanche, le monde scientifique est constitué de groupes de pression, possédant chacun leur propre langage, que ni le président ni aucun profane n'est capable de comprendre. Et tous demandent de l'argent, un tas de facilités et des soutiens. Le président est incapable de décider s'ils ont tort ou raison. Mais, Stovin... eh ! bien, Stovin le lui dit. Stovin attache beaucoup d'importance aux autres disciplines.

Le président utilise la cervelle des autres. Churchill faisait de même. Il avait près de lui un petit chercheur qui le tenait au courant d'un tas de choses. Il s'appelait Lindemann.

— Je ne dirais pas que Stovin est un petit chercheur, dit le directeur. C'est le meilleur climatologiste que je connaisse.

— A propos, quelques-unes des conclusions concernant la théorie sur le courant en anneau que vous allez lire ont été confirmées, dans une large mesure, par des données qui nous arrivent de l'université d'East Anglia en Grande-Bretagne. Ils ont de sérieux ennuis là-bas, mais ils sont comme vous. Ils tiennent le coup dans la nouvelle station météorologique de l'université. Les Anglais ont nommé un ministre et son cabinet pour travailler avec les chercheurs. Une sorte d'état-major de guerre.

— Un ministre, et quoi encore ? dit le directeur. Je vous en supplie, arrangez-vous pour que cette idée ne vienne à personne. Quand aurai-je le rapport de Stovin ?

— Par télex, dans une dizaine de minutes. Mais nous pouvons faire mieux. Nous pouvons vous conduire à Stovin. Il arrive d'Union soviétique demain ou après-demain. Les Russes veulent organiser une conférence à grande échelle des pays de l'hémisphère Nord. J'imagine qu'ils vont faire tous leurs efforts pour se rendre aussi utiles que possible. Stovin amène avec lui toute l'équipe... Soldatov et Bisby, le pilote, la petite Hilder et une autre femme. Quelqu'un m'a dit que c'était la femme de Soldatov, mais je n'en suis pas sûr. De toute façon, vous les verrez tous à la réunion. Je vous informerai de la date dès qu'elle sera fixée.

— Mais comment irai-je là-bas ? A moins que le temps ne change, personne ne prendra le risque de faire atterrir un hélicoptère ici.

Brookman rit de nouveau.

— J'espère que vous n'avez pas le vertige, directeur. J'ai parlé ce matin au général Weightman à la base de secours de Truscott. Il m'a dit qu'il n'y avait pas de problème. Il vous enverra un hélicoptère et l'on vous hissera à bord. De Truscott, on vous conduira ensuite sur les lieux de la conférence quels qu'ils soient. On m'a parlé de Santa Fe. Je ne crois quand même pas qu'il va neiger là-bas.

— Écoutez, Mel, je suis trop vieux pour jouer les Superman. Cependant, je serais heureux de parler à Stovin. Razzle-Dazzle est le maître du combinatoire mais il manque d'imagination. Et l'on commence à avoir besoin d'un peu d'imagination.

— Et vous pensez que Stovin en a ?

— Il a une imagination folle, vous voulez dire ! Il a fait ses preuves !

— Une imagination folle? Ce n'est pas un compliment pour un chercheur.

— Mel, dit le directeur doucement, c'est le plus grand qu'on puisse faire à un scientifique et vous le savez...

Le directeur marqua un temps d'arrêt :

— Vous êtes au courant de la dernière information?

— Vous voulez parler sans doute du Kansas? dit Brookman. Je n'ai pas l'impression que ça va être une bonne année pour la moisson.

— On ne peut absolument pas envisager — à moins d'avoir un été long et chaud : ce qui n'arrivera pas — des récoltes de céréales normales. On est en droit de se demander s'il y aura même des récoltes cette année. Il va falloir repenser toute la politique internationale agricole. Et, pendant ce temps, une foule de gens vont mourir de faim.

— Il y a les céréales d'hiver, dit Brookman.

— Combien d'hectares sont ensemencés? Nous parlons de l'année qui arrive, Mel, du pain pour les gens et du fourrage pour le bétail. On va vider les silos et puis après? Je regarde ces sacrées épingles sur ma carte et j'ai peur. Voyez ce qui est arrivé en Alaska. Est-ce qu'il y a encore du monde à Anchorage?

— Quelques communautés esquimaudes, comprenant quinze cents ou deux mille personnes, et quelques Blancs sont encore dans les environs de la ville. J'ai interrogé un pilote qui est allé là-bas, il y a une semaine. Il neige toujours, et Anchorage a disparu. Une grande ville moderne a été complètement effacée. Il paraît qu'on ne peut même plus se rendre compte qu'une ville était à cet emplacement. Pourtant, il y a un mois, des hôtels entiers étaient loués pour les touristes.

— En tout cas, un coup de chapeau au gouverneur. C'est lui qui a réussi à convaincre l'administration d'évacuer la ville à temps. Heureusement, l'Alaska n'est pas surpeuplé... Mais si je regarde la carte et que je songe à des villes comme Chicago... Ce n'est pas quelque chose auquel il faut penser avant d'éteindre sa lampe de chevet.

— Certes..., dit Brookman. Eh bien! nous nous verrons, à Santa Fe ou ailleurs. Ce sera une conférence à l'échelon le plus élevé. Le président sera là.

— Qu'est-ce qu'il dit de tout ça?

— Il m'a donné un message pour vous. Il dit que ça peut vous aider. Genèse 8,22. Simplement ça...

Une minute plus tard, le directeur appuya sur un bouton pour appeler sa secrétaire.

— Jennifer, dit-il, je suppose que nous n'avons pas de Bible ici au Centre ?

— Bien sûr que si, monsieur le directeur, dit-elle avec indignation. J'en ai une dans mon bureau.

Elle l'apporta. Il chercha le chapitre 8, verset 22, et le lut attentivement :

« *Désormais, tant que la terre durera, les semailles et la moisson, le froid et le chaud, l'été et l'hiver, le jour et la nuit ne cesseront point.* »

Il regarda la secrétaire et dit d'une voix neutre :

— Quel brave homme notre président, n'est-ce pas ?

La jeune fille n'était pas jolie mais son visage s'illumina.

— Oh oui ! s'écria-t-elle.

Annexe n° 1 au rapport du professeur W. F. Stovin, titulaire de la chaire de climatologie à l'université du Nouveau-Mexique et du professeur Y. M. Soldatov, membre de l'Académie des sciences de l'Union soviétique. Commencement de la présente glaciation, et prévision sur son développement à court terme.

Contenu : Résumé explicatif destiné aux chefs de gouvernement.

1. Le facteur le plus surprenant et pour l'instant le plus inquiétant de la présente glaciation est la vitesse — que personne n'avait prévue — avec laquelle elle s'installe sur d'énormes étendues d'une manière, autant qu'on puisse en juger, irréversible. Les deux auteurs du rapport ci-joint ont avancé naguère auprès d'un certain nombre d'organismes scientifiques et de délégués de leurs gouvernements respectifs que la structure du climat s'était, depuis un certain temps déjà, modifiée et que cette nouvelle conformation allait apporter de rapides changements d'ordre climatique. Ce point de vue a été adopté par un nombre croissant de spécialistes dans plusieurs pays. Personne, cependant, n'avait envisagé que ces changements interviendraient en l'espace de quelques semaines. Les estimations les plus « pessimistes » (celles des deux auteurs) donnaient un délai de l'ordre de deux à trois ans.

2. Nous savons maintenant, grâce à une vue rétrospective, que la preuve de changements extrêmement rapides était inscrite depuis longtemps dans les faits. Mais ces preuves ont échappé à nos investigations à cause de la spécialisation excessive et de la compartimentation des disciplines scientifiques telles que la zoologie, la botanique, la géologie, la météorologie, etc. Nous pensons, en effet, que des indices venant de la zoologie et de la

paléozoologie n'ont pas été confrontés d'une manière satisfaisante avec des indices plus conventionnels de la climatologie. Par exemple, les morts en masse de mammouths le long de la côte sibérienne il y a quarante mille ans ; les changements survenus dans le comportement de certains animaux tels que les loups (voir annexe 4 : rapport du professeur Diane Hilder), les caribous, les tatous et de certaines espèces de papillons et d'oiseaux migrateurs, de certains poissons d'eau froide comme la morue et les harengs, de certains mammifères marins comme la baleine franche et la baleine bleue...

3. Puisqu'il est d'une importance vitale que les dimensions et les échéances de cette glaciation soient prévues avec la plus grande justesse, nous préconisons que des programmes de recherche internationaux soient mis en œuvre immédiatement dans les régions du globe appropriées afin de déterminer les réactions des mammifères, des reptiles, des poissons et des insectes à la nouvelle situation, et de découvrir quelle sorte d'avertissements instinctifs reçoivent les animaux concernant d'éventuels changements des conditions climatiques.

4. Les communautés réussissant à survivre aux abords des régions touchées retiendront particulièrement notre attention. Il serait bon que de nombreux chercheurs soient originaires de ces régions. L'éducation des enfants ne devra pas perdre de vue cet objectif.

5. La présente glaciation n'a pas encore atteint ses limites définitives. Cet hiver et celui de l'année à venir établiront les bases d'un retour rapide à la forme du climat dit « de Wurm » (ou « du Wisconsin »). Cette époque a débuté il y a quatre-vingt mille ans et s'est achevée il y a douze mille ans. Durant cette période, la couverture de glace s'étendait pratiquement sur tout le Canada, sur le nord des États-Unis, sur le nord de l'Europe et sur le nord et le centre de l'Union soviétique.

6. Les changements occasionnés par le déplacement en direction du sud des zones climatiques (il faut s'attendre à ce que le sud de la France ait très rapidement un climat correspondant à celui qui existait encore récemment dans le nord de la Grande-Bretagne et dans les pays scandinaves) provoqueront des modifications radicales dans le cycle pluie-culture. C'est ainsi, par exemple, que les sécheresses du Sahel seront compensées — et cela est déjà évident — par une saison de pluie au nord du Sahara. Il se peut qu'après une période d'adaptation difficile, l'Afrique puisse retrouver un équilibre au niveau de son écologie et de sa population.

7. Ce ne sera le cas, ni pour l'Amérique du Nord ni pour l'Europe du Nord, y compris l'URSS, ni pour l'Inde, ni pour le Pakistan, ni pour la plus grande partie du Sud-Est asiatique. La République populaire de Chine, qui abrite pourtant le quart de la population mondiale, reste le facteur inconnu. Mais ce facteur n'est jamais loin de la préoccupation des auteurs. Pour des raisons

politiques évidentes, ni les États-Unis ni l'Union soviétique n'ont été capables de se faire une image cohérente des changements climatiques survenus dans cet immense territoire. La détente actuelle ne s'est pas fait sentir jusque dans ce domaine, et aucune information détaillée n'a été fournie sur ce qui est considéré là-bas comme un désastre national. Des photographies, prises par satellite, en provenance d'Union soviétique (annexe 8 ; documents série C/102/4/5/6/7), révèlent que le nord de la Chine subit de terribles transformations climatiques et que le phénomène, maintenant connu sous le nom de « Danseur », s'est produit près de Palikun dans le Sin-k'iang et aussi à l'est de Wu-chuang dans la Mongolie-Intérieure.

8. Il n'appartient pas aux auteurs de déterminer les changements à effectuer dans l'organisation des sociétés (politique) pour faire face à cette situation. Toutefois, il faudra se méfier tout particulièrement des solutions que nous appellerons de « panique ». La destruction de la calotte glaciaire à l'aide de bombes à hydrogène a déjà été proposée dans certains milieux aussi bien aux États-Unis qu'en Union soviétique. Ces mesures seraient certainement désastreuses. L'homme pourra peut-être, sans que l'anarchie s'installe, s'adapter à cette situation nouvelle grâce aux recherches sur les aliments de synthèse. Il n'est nullement certain que les cadres actuels de gouvernement doivent être modifiés. Mais une coopération internationale sans précédent sera nécessaire.

9. L'âge glaciaire prend place très rapidement. Ne pourrait-il pas se retirer tout aussi rapidement ? La réponse des deux auteurs est un *non* catégorique. Le résultat le plus immédiat d'une glaciation est l'augmentation de l'albédo (réflexion), de sorte que de très forts ensoleillements ne parviennent plus à réchauffer les régions gelées de la planète. Selon les prévisions les plus optimistes, cette nouvelle glaciation peut se transformer en période interglaciaire dans environ trois mille ans. Mais si l'on observe les formes des glaciations antérieures, une telle prévision est *très* optimiste. De nombreuses raisons nous font croire que la planète est dans une phase de glaciation. Beaucoup de régions près des pôles sont toujours soumises aux conditions du dernier âge glaciaire dont l'achèvement, il y a douze mille ans, a permis l'évolution de l'homme et l'arrivée de la civilisation. Malgré ce réchauffement, de grandes régions habitées de notre planète retournent chaque hiver aux conditions de l'âge glaciaire. Nous n'avons toujours pas compris les facteurs — alignement des planètes, radiations solaires, activité volcanique ou la combinaison des trois — qui ont permis l'interruption de l'âge glaciaire et apporté la douceur de la période interglaciaire. Toutefois, il n'y a pas lieu de croire que cette nouvelle glaciation ne suivra pas la forme des précédentes. Sur cette base, il faut s'attendre à ce que le nouvel âge' glaciaire dure environ quarante mille ans.

15

— N'est-ce pas un document trop particulier pour recevoir, sans le visa de la censure, l'agrément gouvernemental? dit le chef de la Sécurité d'État. Il fait même allusion à des changements d'ordre politique. Je vois bien le problème, évidemment. La situation s'aggrave et l'ancienne réglementation ne peut plus être suivie au pied de la lettre. C'est pourquoi j'ai demandé au colonel Volkov de faciliter au maximum le travail des Américains après l'épisode des loups. Cependant, je reconnais... avoir des doutes, camarade président.

Le président du Conseil s'enfonça dans son fauteuil rembourré. Oh! que mon dos me fait mal! se dit-il. Encore ces maudits reins... Oh! Je vous en prie, plus d'opération. Il regarda, par la fenêtre du Kremlin, la neige qui n'arrêtait pas de tomber en rafales sur les murs de la vieille forteresse.

— Je sais, Andréi, je sais, dit-il à la fin. Mais la situation l'exige. Je vais assister à cette conférence de l'hémisphère Nord aux États-Unis. Quelle attitude pourrais-je avoir là-bas s'ils ont la preuve que nous n'avons pas tout fait pour les aider? En tout cas, le fait que ce jeune Soldatov a joué un grand rôle dans l'élaboration de ce rapport nous fera de la propagande. Mais la propagande, je le crains, n'aura guère d'importance à Santa Fe.

— Mais le rapport Soldatov-Stovin pourrait être... retardé, dit le chef des services de Sécurité.

Le président fit un signe négatif de la tête.

— Non, Andréi. J'ai décidé, avec l'accord du Conseil des ministres, de faire paraître le rapport *in extenso* dans la *Pravda*. Le peuple soviétique sera informé. Ils sortiront un numéro spécial le jour même de la conférence. On m'a dit que ce ne serait pas facile d'en assurer la distribution dans les conditions actuelles. Mais ce sera fait.

— Le rapport dans sa totalité? demanda le chef de la Sécurité d'une voix calme.

— Oui, dit le président du Conseil. Nous avons mis sur pied un système politique, Andréi. Peut-être n'est-il pas absolument parfait...

Le chef de la Sécurité ouvrit de grands yeux durant un instant.

— ... mais ce système, en tout cas, devrait être capable de faire face à une telle situation. De tous les pays du monde, nous sommes le plus

atteint. Ou bien notre système de gouvernement fonctionne, ou il ne fonctionne pas. C'est le moment de le découvrir...

— Il n'a pas toujours fonctionné, dit le chef de la Sécurité, en prenant pour règle l'information à outrance de chaque citoyen soviétique.

— Pendant la révolution d'Octobre, répondit le président, on nous disait tout. Je n'étais alors qu'un enfant, mais j'étais au courant de tout.

Le président remua sur son fauteuil.

— Merci de vos conseils, Andréi. Et de votre souci des affaires de l'État.

Le directeur du service de Sécurité se leva.

— Je m'occuperai personnellement des arrangements concernant le départ de Soldatov et des Américains. Mais il y a un point sur lequel j'aimerais avoir votre accord. Je ne pense pas utile de faire passer ce petit monde par Moscou. La ville est pleine de soldats. Comme vous le savez, nous avons fait venir ici plus de la moitié de nos troupes placées sous l'égide du pacte de Varsovie. Nous avons besoin de main-d'œuvre. Aussi, les ferai-je passer par Los Angeles, via le Pacifique. Je ne vois aucune raison de faire, par l'intermédiaire de ce Bisby qui n'a pas les yeux dans ses poches, un cadeau à la CIA.

Le président agita une main.

— Comme vous voulez, Andréi. Je vous laisse le soin de régler les détails...

— Eh bien ! Qu'en pensez-vous ? demanda Stovin, assis sur un fauteuil dans la datcha de Soldatov, alors que Bisby venait de refermer la couverture bleue de la photocopie du rapport.

— Pour être tout à fait franc, Sto, la seule partie que j'aie comprise est cette annexe destinée aux chefs de gouvernement. C'est très intéressant... tout particulièrement les paragraphes 3 et 4. Mais ce que vous affirmez dans le paragraphe 4 n'est pas juste.

— Oh ? s'écria Stovin.

— Tout le reste, dit Bisby, ces trucs sur les pourquoi et les comment... eh bien ! je n'y comprends rien, et je ne pense pas que beaucoup de gens qui le liront les comprennent. Ça n'a pas d'importance d'ailleurs.

— Ah oui ? dit Stovin.

Parce que Bisby le regardait avec attention, il tenta sans y parvenir complètement de dissimuler l'ironie qui se répandait sur son visage.

— Ce qui est important maintenant, poursuivit Bisby, c'est ce qui

est arrivé et non pourquoi c'est arrivé. Quant à ce que vous écrivez dans le paragraphe 4 : « Les communautés réussissant à survivre aux abords des régions touchées... », il y a toujours eu depuis des millénaires des gens qui vivent dans des conditions climatiques très rigoureuses, Sto.

— Vous pensez aux Esquimaux, bien sûr.

Bisby eut un rire amer.

— Oui. Les Esquimaux. Mon peuple. Ces pauvres sacrés Esquimaux. Vous savez bien comme les *kallunaak* — les Blancs — parlent des Esquimaux. « Ils sont si gentils mais vraiment bons à rien. De vrais enfants. Ils sont incapables d'affronter le monde moderne. Ils ne souffrent pas de la même manière que nous. Il faut qu'on s'occupe d'eux, il faut qu'ils apprennent notre manière de vivre, certes. Mais l'on n'arrivera jamais à faire grand-chose avec les Esquimaux. Ils n'ont pas le même sens du droit que nous. Ils en sont encore à l'âge de pierre. » C'est ainsi que les Blancs parlent des Esquimaux.

— Vous êtes quand même devenu pilote militaire ?

Bisby, près de la fenêtre, regardait les congères qui se formaient sans arrêt. Elles descendaient jusqu'à l'Orbi gelé. Il se retourna brusquement vers Stovin :

— Je ne suis pas esquimau et vous le savez. J'aimerais l'être. Je suis à moitié nuniungmiut, à moitié kallunaak. C'est autre chose. Au lycée, à New York, puis à l'université, à Cornell, c'était une sorte d'avantage d'être à demi esquimau. Une originalité, une particularité qui fait que les intellectuels de gauche s'intéressent beaucoup à vous. Et, bien entendu, les filles vous regardent. Et aussi les plaisanteries : Qu'est-ce que ça donne à moins vingt ? Mais aucune parmi elles n'aurait voulu se marier avec un véritable Esquimau. Ce fut dur pour mon père. Quand il a épousé ma mère, vous savez ce qui est arrivé ? Il n'y avait qu'une vingtaine de Blancs dans cette région. La moitié d'entre eux ne lui ont plus adressé la parole. Quant aux autres... ils hochèrent tristement la tête ou ricanèrent. C'était aussi bien que je m'en aille comme je l'ai fait. Je ne voulais pas être pilote d'avion à réaction. J'aurais préféré être *sivooaychta* et me tenir à la proue d'un bateau esquimau avec un harpon.

— En êtes-vous sûr ? demanda Stovin.

Il ajouta immédiatement :

— En voulez-vous à votre père ?

Bisby fit un signe négatif de la tête. Pendant une seconde, l'image de la vieille boîte en fer-blanc sous son lit et du livre usagé, plein de taches brunes, traversa son esprit.

— Non, dit-il. Bien sûr, j'aurais aimé qu'il soit comme ma mère,

qu'il fasse partie du Peuple. Il connaissait des choses que peu de gens connaissaient. Il savait que tout devait changer. C'est ce qu'il m'a appris. Et, depuis, j'ai toujours attendu.

— Pourquoi ?

— Parce qu'on m'a dit d'attendre, dit Bisby d'une voix soudain lointaine.

— Qui vous a dit ça ?

Bisby regarda Stovin un instant sans répondre. Puis, ce fut lui qui posa une question :

— Pourquoi m'avez-vous emmené ici, Sto ? Ça n'a pas dû être facile.

Stovin hésita un instant :

— J'ai eu le sentiment — et ce que vous dites renforce cette première impression — que vous connaissiez le Nord, que vous étiez un enfant du Grand Nord. Et puis, j'ai honte de le dire, je n'y ai pas beaucoup repensé depuis.

Il montra la longue table sur tréteaux, recouverte de dossiers, de papiers et de larges bandes d'imprimantes, où lui et Soldatov avaient travaillé ces dernières semaines.

— Nous avons été très occupés, mais j'aurais dû...

Bisby l'interrompit. Il semblait ne pas avoir entendu les dernières phrases de Stovin.

— Vous aviez une impression... ?

— Oui.

Bisby enfonça les mains dans les poches de son pantalon et retourna près de la fenêtre. Il paraissait embarrassé, presque gêné.

— Vous vous souvenez à Anchorage... la route qui longe le fleuve Ninilchik et passe près des caravanes ? Nous l'avons prise une fois pour aller à l'aérodrome.

— Oui, en effet.

— Un homme vit là. Il s'appelle Julius...

Il y eut soudain de l'agitation à la porte extérieure. Une seconde plus tard, Diane et Valentina entraient suivies de Soldatov tout souriant et, un petit moment plus tard, de Volkov. Le représentant du ministère des Affaires étrangères était hilare.

— Tout est arrangé, dit-il. Nous partons demain pour les États-Unis.

— Nous tous ! s'exclama Valentina.

Ses yeux pétillaient, et elle se mit à rire nerveusement.

Voilà pourquoi Volkov a l'air si réjoui, pensa Stovin. Il vient aussi. Mais Stovin était content. L'attaché du ministère des Affaires étrangères s'était depuis quelque temps révélé extrêmement utile.

Quelque part, dans la hiérarchie soviétique — et ce ne devait pas être au dernier échelon —, il y avait eu un revirement. Peut-être à cause de la proximité de la conférence de l'hémisphère Nord. En tout cas, la situation n'était plus la même. Lui et Soldatov avaient pu, grâce à l'intervention de Volkov, obtenir des informations qu'aucun chercheur occidental n'avait jamais obtenues... La température de surface des mers de Kara, de Laptev, de Sibérie orientale, d'Okhotsk ; les chiffres concernant les projections des volcans en activité de la presqu'île de Kamchatka — la Terre du feu, comme l'appellent les Soviétiques ; les chiffres de l'albédo de la surface de la terre pris à des intervalles réguliers tout le long de la côte nord de la Sibérie, en tenant compte des couvertures de neige ou de végétation ; la profondeur et l'étendue des glaces et des formations glaciaires depuis dix ans. Certaines de ces informations étaient dues à des observations réalisées depuis longtemps. Mais la plupart d'entre elles avaient à peine trois mois. Elles étaient le résultat d'enquêtes scientifiques faisant partie d'un programme d'urgence. L'effort scientifique avait dû être énorme et l'argent dépensé fantastique, pensa Stovin. Lui et Soldatov avaient obtenu tout ce qu'ils avaient demandé. Volkov avait veillé à cela. Les ordinateurs d'Akademgorodok avaient été mis à leur entière disposition. Le seul pays au monde capable d'un tel effort dans des délais aussi courts était son propre pays... les États-Unis.

— Je ne suis jamais allée aux États-Unis, dit Valentina. Je ne suis jamais sortie d'Union soviétique. Sauf une fois, pour aller à Prague. Je n'arrive pas à croire, même en ce moment, dit-elle en jetant un coup d'œil à la dérobée à Volkov, que je vais y aller. New York...

— C'est tout à fait normal pour la femme du professeur Soldatov d'accompagner son mari, dit Volkov négligemment. Mais je crains de vous décevoir. Vous n'irez pas à New York...

Le visage de Valentina devint pâle.

— Ah ! Ne vous méprenez pas. Vous allez aux États-Unis, mais nous passons par le Pacifique. Los Angeles, pas New York.

— Pourquoi cela ? demanda Bisby.

— Nous avons plus de chances à Novosibirsk qu'à Moscou, répondit Volkov. Le temps est particulièrement mauvais là-bas. Il n'y a pas eu, comme ici, de répit dans les chutes de neige.

— Je crains, dit Soldatov, que ce répit ne soit de très courte durée.

— De toute façon, dit Volkov, l'aérodrome est plus sûr que celui de Sheremetyevo, à Moscou. Deux pistes sont inutilisables là-bas. La semaine dernière, l'aéroport a été complètement fermé durant deux jours. De plus, le trafic est intense, bien plus que d'habitude. Nous

sommes obligés de faire venir de grandes quantités de matériel pour nous aider à tenir la neige en échec.

— Je comprends, dit Bisby. Mais je ne savais pas qu'il y avait une ligne jusqu'à la côte du Pacifique... je parle de la côte américaine, bien entendu.

— Oh! dit Volkov en souriant finement, c'est sans importance. Aéroflot a mis un long courrier à notre disposition. L'appareil est là. Il est arrivé tout à l'heure d'Alma Ata.

Bisby souriait aussi. C'est curieux, pensa Stovin qui le regardait, comme Bisby et Volkov, quoique se lançant sans arrêt des piques, semblent se comprendre l'un l'autre et parviennent finalement à s'entendre.

— C'est formidable, dit Bisby. C'est formidable de disposer d'une ligne aérienne d'État si docile.

— Certes, dit Volkov. Peut-être devriez-vous essayer aux États-Unis!

Ils mangèrent ensemble, puis Stovin et Soldatov s'installèrent à la grande table posée sur des tréteaux. Ils étaient en train de mettre au point une nouvelle annexe du rapport qui tentait d'établir les effets du changement de climat sur le Caucase et sur les régions pétrolifères d'Iran. Bisby et Volkov jouaient aux échecs. L'Américain était parfaitement conscient de ne pas être à la hauteur. Valentina et Diane préparaient les valises. Après la troisième partie, Volkov, comme toujours, expliqua exactement où Bisby avait fait une faute, puis il se leva.

— Cette nuit, dit-il à Stovin, je vous en prie, restez ici. J'irai à l'école numéro Deux avec M. Bisby. Vous et le professeur Soldatov avez encore beaucoup de travail à faire. Cela vous donnera une heure de plus...

De nouveau, les rafales de vent secouaient la petite maison, et la neige tombait de plus belle. Stovin ne protesta que par politesse quand la chenillette de l'armée arriva quelques minutes plus tard. Soldatov accompagna Volkov à la porte et revint près de Stovin. Ils travaillèrent encore une heure, puis l'Américain se mit à bâiller.

— Nous allons avoir une longue journée demain, dit Soldatov, ce serait peut-être aussi bien de s'arrêter maintenant. On peut emporter tout ça à Santa Fe. Il doit bien y avoir des ordinateurs dans les parages. A l'université d'Albuquerque, par exemple.

— Naturellement, dit Stovin.

Je ne serai pas fâché de revoir ce campus, pensa-t-il. Je n'ai pas apprécié suffisamment le soleil la dernière fois.

177

— Bonne nuit, dit Soldatov en posant timidement et amicalement sa main sur le bras de l'Américain.

En passant par la ligne prioritaire de l'école numéro Deux, il fallut vingt minutes à Volkov pour obtenir le numéro codé du directeur de la Sécurité à Moscou. Volkov s'attendait à trouver un subordonné et il ne put cacher sa surprise en reconnaissant la voix de son chef.

— Je dors dans mon bureau, dit le directeur de la Sécurité. Beaucoup d'entre nous font ça maintenant à Moscou. Se déplacer devient trop difficile en ce moment. Bon... le voyage est arrangé ?

— Oui, dit Volkov. J'ai un Antonov de l'Aéroflot. Naturellement, ils ont soulevé des objections à Alma Ata mais ils ont fini par se rendre.

— Oui, dit le directeur de la Sécurité. Vous avez annoncé la nouvelle à Valentina Soldatov ?

— Elle est enchantée, dit Volkov.

— Quelle femme ne serait pas enchantée d'aller en Amérique ! dit le directeur sèchement.

— J'étais un peu surpris, dit Volkov. (Le ton est particulièrement prudent, remarqua le directeur avec amusement.) Bien sûr, je sais que ce n'est pas totalement inhabituel, dans des circonstances normales, pour une femme d'accompagner son mari. C'est une faveur raisonnable. Mais les circonstances ne sont pas normales.

— C'est bien vrai, dit le directeur. C'est vous qui m'avez soufflé la solution dans votre rapport. Vous y décrivez Soldatov comme un homme exceptionnellement heureux en ménage.

— Oui, dit Volkov, mais...

— Un homme qui aime profondément sa femme se fera du souci s'il la laisse derrière lui, dans un endroit comme Novosibirsk, dans des circonstances qui, comme vous le dites, ne sont pas normales. Si le professeur Soldatov se tourmente, il ne fera pas du bon travail. Et c'est important pour tous qu'il fasse du bon travail. Donc, Valentina Soldatov l'accompagne.

— Je comprends, dit Volkov.

— Vous devriez vous en réjouir, colonel Volkov. Cela vous donne l'occasion de voir du soleil.

— Ah ?

— Si Valentina Soldatov n'allait pas là-bas, dit le directeur, vous n'iriez pas non plus. Je compte sur vous pour la surveiller. Pour les surveiller tous les deux. Bonne nuit.

Diane Hilder lisait au lit dans la petite chambre de la datcha. La tempête de neige soufflait avec rage sur l'Orbi gelé. Diane était contente de rentrer aux États-Unis. On ne parlait plus de ce qui s'était passé dans la forêt, des soldats tués par les loups. Mais tout le monde était hanté par ce souvenir. Diane découvrit pourtant avec surprise que cet épisode ne l'avait pas marquée autant que l'horrible découverte d'une main et d'un poignet dans le ventre du loup. Le travail qu'elle avait réalisé ici était important et de grande valeur. Elle avait d'ailleurs été parfaitement secondée, au niveau des questions matérielles, par l'Institut de zoologie. Stovin avait déclaré que son travail était capital et qu'à long terme cette annexe deviendrait peut-être la partie la plus intéressante du rapport. Cela ressemblait bien à Stovin. Il aimait les paradoxes. La jeune femme doutait qu'elle pût encore continuer ses recherches sur les loups. De retour en Amérique, elle trouverait bien autre chose. Non, elle ne voulait plus entendre parler des loups... En fait, elle était trop sensible pour être un bon chercheur. Elle n'était pas comme Stovin. Apparemment, rien ne semblait le toucher. Son cerveau dominait parfaitement la situation. Je ne le touche sûrement pas. Ni physiquement ni intellectuellement. Quand il m'a demandé de venir, j'avais imaginé... eh bien ! qu'est-ce que j'avais imaginé ? Que peut-être... Mon Dieu, je me sens seule ! J'aimerais que Stovin soit avec moi, juste maintenant, là à côté de moi — elle sourit soudain —, je devrais dire *sur* moi...

Obéissant à une impulsion, elle sortit du lit et porta la lampe à gaz — le seul moyen d'éclairage lorsque la coupure de courant de vingt et une heures était effective — sur la petite table surmontée d'un miroir qui lui servait de coiffeuse. Elle commença de brosser ses cheveux courts et brillants. Puis elle mit derrière son oreille un peu de parfum qu'elle avait acheté hors taxe dans l'avion, durant le vol vers Moscou. Pas mal, dit-elle, en se regardant d'un œil critique. Assez attirante. Si j'étais un homme, j'aurais envie de toi, Hilder. Elle rejeta ses cheveux en arrière. C'était mieux comme ça.

Elle entendit un craquement dans les escaliers. Stovin montait se coucher... il allait dormir, bien sûr, dans l'ancienne chambre de Volkov. Diane restait là assise sans bouger, ne sachant que faire. Demain, pensa-t-elle, nous serons de retour en Amérique et nous ne serons plus jamais ensemble de cette manière. Elle jeta de nouveau ses cheveux en arrière. Elle se sentait trembler. Soudain, elle se leva et ouvrit la porte. La chambre des Soldatov, au bout du couloir, était éteinte, mais il y avait un rai de lumière sous la porte de Stovin tout à côté de la sienne. Doucement, elle tourna la poignée.

179

Il était dans son lit en train de lire. Le livre était appuyé contre les couvertures. Tandis qu'elle entrait dans la chambre, il leva la tête et la regarda. Elle ferma soigneusement la porte derrière elle. Elle ne trouvait rien à dire.

— Qu'est-ce que tu lis ? finit-elle par murmurer sentant l'absurdité de sa question.

— Herman Flohn. (Son visage était dans l'ombre, et Diane ne pouvait pas voir ses yeux.) Es-tu...

Elle mit un index sur ses lèvres pour signifier qu'il n'était pas nécessaire de parler. Il la regarda en silence.

— J'ai terriblement froid, dit-elle.

Il posa le livre et tendit la main.

— Fais-moi voir ça... En effet.

Il la dévisageait tandis qu'elle se tenait au-dessus de lui. Elle vit qu'une petite veine battait près de son sourcil gauche.

— Tu sens bon, dit-il.

— C'est vrai ?

— Assieds-toi là, tu seras mieux.

Il leva la main et lui caressa doucement les cheveux. Puis il l'embrassa. C'était si facile... Ce n'était pourtant que la deuxième fois qu'il l'embrassait sur la bouche. Diane, tout en répondant à l'étreinte, faisait de petits mouvements, comme pour se dégager. Stovin paraissait curieusement à bout de souffle. Il ouvrit le lit.

— Si tu as froid, tu seras mieux là-dedans.

Elle s'allongea contre lui. Leurs deux corps se pressaient l'un contre l'autre... genoux, cuisses, ventres, lèvres. Il bougea la main à la recherche de son corps. Elle mit les siennes derrière sa nuque et saisit l'épaisse chevelure grise pour attirer la tête vers elle. C'était elle maintenant qui donnait des baisers avec fougue.

— Est-ce que tu te réchauffes ? demanda-t-il, après avoir repris son souffle. Es-tu contente d'être dans mon lit ?

— Stovin, j'ai cru que tu ne me le demanderais jamais.

Ils firent l'amour comme elle avait toujours désiré le faire. Une complicité qu'elle n'avait jamais rencontrée auparavant. Ses expériences n'étaient pas nombreuses. Elle n'en avait eu que deux — l'une et l'autre en l'espace de quelques mois avec deux partenaires différents et cela remontait à deux ans. Ce n'avait été que des expériences, mais excitantes tout de même. Cependant, elle ne s'était pas sentie particulièrement heureuse après. Avec Stovin, c'était mieux, beaucoup mieux. Il était tendre et attentif, mais fort et dominateur en même temps. Couchée près de lui, elle se sentait plus satisfaite qu'elle ne l'avait jamais été.

— Pourquoi avoir mis tant de temps ? demanda-t-elle en caressant distraitement son épaule.

— Que veux-tu dire par tant de temps ? Je croyais que ça n'avait pas duré assez.

Elle s'appuya sur le coude et le regarda. Le visage de Stovin était encore couvert de sueur.

— Ce n'est pas ce que je veux dire et tu le sais bien. Je voulais dire pourquoi n'as-tu pas essayé plus tôt ?

Il se tourna dans le lit, légèrement mal à l'aise.

— Je suis quelqu'un de très secret, Diane. Je ne comprends pas les gens. Je me débrouille mieux avec les idées. Je crois que je n'ai pas envie de m'engager.

— Te sens-tu engagé maintenant, Stovin ? Moi, je le suis.

Il la regarda intensément. Sa main reposait sur le corps de la jeune femme.

— Je suis plus âgé que toi, Diane. Je serai un vieil homme avant même que tu aies atteint la maturité. Ça posera des problèmes. Et, de toute façon, il y a tant de choses qui sont en train de changer qu'il n'est pas question de pouvoir même imaginer ce que sera l'avenir.

Elle le regarda en riant.

— Je ne suis pas spécialement un tendron, dit-elle. J'ai presque trente ans.

— Oh ! la la, dit-il en souriant. Je me demande comment tu fais pour porter le poids des ans !

Il s'allongea de nouveau sur elle. Comme il la poussait très fort contre le lit, elle ouvrit la bouche pour reprendre son souffle.

— J'ai l'impression que ce n'est pas le seul poids que je vais avoir à porter, dit-elle en écrasant ses lèvres contre son épaule. Est-ce que tu te rends compte que le lit craque, Stovin ?

— Aucune importance. Tout à l'heure, c'était celui des Soldatov. Un feu d'artifice. Ils dorment maintenant comme tous les gens mariés...

— C'est ce qui arrive aux gens mariés ? demanda-t-elle en nouant ses mains derrière le dos de Stovin.

— Oui. Quand ils sont heureux.

A cinq cents mètres de là, dans un coin obscur d'une des salles de l'école numéro Deux, Bisby se pencha sous sa couchette et en tira la boîte à biscuits en fer-blanc. Avec précaution, il fouilla dedans et toucha le petit crâne amulette d'un blanc brillant, le livre avec des taches brunes sur la couverture, la photographie jaunie d'un homme

181

se tenant près d'une maison en bois. Il plaça les objets sur la chaise qui se trouvait près de son lit. Il sortit encore un grattoir en silex, semblable à ceux qu'on expose dans les salles des musées consacrées à la préhistoire, quelques clous et, bizarrement, une poignée rouge sur laquelle était écrit en blanc « siège éjectable ». Il trouva enfin ce qu'il cherchait au fond de la boîte. Avec précaution, il tira la peau d'un jeune oiseau recouverte de plumes noires, grises et blanches légèrement froissées. Elles brillaient dans le faisceau de sa lampe électrique. Il posa la main sur les plumes et prononça à voix haute cinq ou six mots liés les uns aux autres de telle sorte qu'ils semblaient n'en faire qu'un. Il demeura ainsi un moment, les yeux fixés dans le noir, puis lentement il remit les objets dans leur boîte.

— Je vole demain, dit-il. Est-ce qu'il y a un signe ?

Il attendit cinq bonnes minutes avant de se déshabiller et de se mettre au lit. Sur la couchette qui lui faisait face, Volkov dormait déjà. Il remua dans son sommeil et ouvrit un bras. Ce n'est pas ça, un signe, pensa Bisby. Pourquoi n'y a-t-il jamais de signe ?

État-major de région. Service de Sécurité d'État de la province de Magadan. Zone autonome tchouktche. District d'Anadyr'. Rapport hebdomadaire des services de renseignement.

Une situation anormale se développe depuis cinq jours :

1. Un mouvement illégal de population s'effectue dans le nord de la zone autonome. Ce mouvement est le fait, essentiellement, des populations tchouktches. Mais on rencontre aussi un nombre non négligeable de familles evenks, yakuts et esquimaudes. Le nombre total des participants est évalué à environ trois mille personnes.

2. Le mouvement — constitué de deux cents véhicules, traîneaux tirés par des chiens ou par des rennes — se dirige vers le nord-est. Ce qui surprend. En effet, si les conditions atmosphériques sont très rigoureuses ici pour cette époque de l'année, celles de la région vers laquelle se dirige le mouvement illégal sont bien plus mauvaises.

3. La ville d'Anadyr' est en train de se vider sans autorisation de l'administration ni même du Soviet local.

4. Le mouvement illégal semble spontané et n'a pas, apparemment, de meneur politique.

5. Des tentatives faites par l'armée, cantonnée à la station d'observation radar d'Ugoinaya (deux compagnies de fantassins, comprenant surtout des

citoyens tchouktches) pour arrêter le mouvement, se sont révélées inefficaces. Barrages et points de contrôle ont été franchis par le mouvement au nord d'Anadyr'. Aucun coup de feu n'a été tiré. Un certain nombre de soldats et un officier ont rejoint le mouvement.

6. Dans les conditions atmosphériques actuelles, toute tentative de faire venir des troupes d'un autre groupe ethnique ne semble pas réaliste. L'aéroport, à l'ouest de la ville, est fermé depuis trois jours. Les hélicoptères eux-mêmes n'arrivent plus à atterrir. Des troupes venant de Khabarovsk pourraient être amenées à Magadan par la route K. Elles stationneraient à Magadan en attendant une amélioration des conditions atmosphériques.

7. Étant donné, encore, les conditions atmosphériques, l'observation par air du mouvement illégal au moment de sa formation a été rendue extrêmement difficile. Les trois hélicoptères de l'armée stationnés à Anadyr' ont effectué neuf missions de reconnaissance durant les deux premiers jours. Un hélicoptère et son équipage sont considérés comme perdus. Des photographies aériennes prises au cours de ces vols montrent que le mouvement s'étire sur une centaine de kilomètres en direction du nord-est. Les conditions climatiques particulièrement dures ont fait quelques victimes. Dix-sept corps ont été dénombrés sur la route de la côte près de Geikal à une soixantaine de kilomètres au nord-est d'Anadyr'.

8. Pour le moment, il n'est plus possible d'entreprendre de nouveaux vols d'observation photographique. Il est en effet important de conserver les deux hélicoptères encore en service pour le déplacement ou pour l'évacuation du personnel responsable.

16

Volkov était assis dans le bureau glacé que le Soviet d'Anadyr' avait mis provisoirement à sa disposition. Il se faisait un sang d'encre. A travers la porte vitrée, il pouvait voir les employés debout en train de discuter. Ils n'étaient plus très nombreux. De temps en temps, la sonnerie du téléphone retentissait. Parfois, l'un des employés décrochait l'appareil mais, le plus souvent, on laissait sonner interminablement sans répondre. La plus grande confusion régnait partout. Dans le couloir, des hommes et des femmes marchaient de long en large, parlaient à voix très haute et s'agitaient. Personne n'a fait le moindre effort pour organiser tout ça, pensa Volkov avec colère. On dirait une ville attendant l'entrée des troupes ennemies, pas celle d'une région

autonome d'Union soviétique. Pourtant, il s'agissait bien d'une région autonome, avec une population de quatre-vingt mille personnes répartie un peu partout dans cette presqu'île du fin fond de la Sibérie qui fait face à l'Alaska. Il décrocha de nouveau l'appareil pour tenter d'entrer en communication avec Moscou, puis avec Magadan et enfin avec Khabarovsk. Il n'obtenait pas de sonnerie. Le circuit automatique devait être en dérangement. Il jeta un coup d'œil sur le bloc-notes qui se trouvait devant lui et composa une fois de plus le numéro de l'aéroport d'Anadyr'. Cette fois, à l'autre bout du fil, une sonnerie se fit entendre. Après quelques minutes, on décrocha. La voix était rude. Visiblement ce n'était pas celle du standardiste.

— Oui ?

— Ici colonel Volkov... Sécurité d'État... à Anadyr'.

En temps normal, Volkov ne se serait jamais présenté ainsi au téléphone, même si sa position au KGB était assez claire pour tous. Mais il fallait secouer ces gens.

— Oui ? dit la voix.

— Est-ce que les pistes sont ouvertes ?

Un rire bref.

— Qu'est-ce que vous voulez dire par là ? Il n'y a qu'une piste ici et elle est fermée.

— Quand sera-t-elle réouverte ?

Il y eut une sorte de grognement au bout du fil.

— Nous ne sommes plus que six sur ce terrain. La piste, depuis la nuit dernière, est enfouie sous deux mètres de neige. Il faudrait au moins une semaine à tous les soldats de Khabarovsk pour la rendre utilisable pendant une heure. Et ça continue de tomber.

— Est-ce que mon avion est là ?

— C'est quoi votre avion ?

Patience, patience, se dit Volkov. Reste calme.

— Un Antonov de l'Aéroflot, dit-il doucement. Nous sommes arrivés il y a dix-huit heures dans la tempête de neige. Nous avons atterri en catastrophe. Nous manquions de carburant.

— Depuis dix jours, dit la voix sourdement, tout ici est catastrophique. En effet... il y a un Antonov dans un des hangars là-bas. C'est une sorte d'appareil qu'on ne voit pas beaucoup par ici. Ça doit être le vôtre. Remarquez... il pourrait tout aussi bien être à Khabarovsk pour ce que vous allez pouvoir en faire. Il ne va pas tarder à être pris dans la glace comme un renne mort. De toute façon, il n'y a pas de piste et le radar est en panne.

— Pourquoi ?

— Les câbles ont été arrachés — impossible de les atteindre pour

les remettre en état. Et, depuis ce matin, il n'y a plus d'aiguilleurs.
— Mais pourquoi ?
— L'officier radar s'appelle Kotegrine. Il est tchouktche — comme presque tout le monde dans ce bled. Il a fait sa malle et il est parti hier. Les autres l'ont suivi.
— Où ? demanda Volkov abasourdi.
Si seulement je pouvais avoir Moscou, pensa-t-il.
— Oh ! vous savez bien, dit l'autre, vers l'est...
— Vous êtes tchouktche ?
De nouveau, un rire bref.
— Moi ? Non, je suis de Leningrad. Je parierais bien qu'ils ont un temps pourri là-bas et, pourtant, croyez-moi, j'aimerais y être.
— Vous restez ici ?
— Oui. Je reste là aujourd'hui de toute façon. Mais je veux être pendu si je sais pourquoi.

— Regardez-les, dit Diane. Je n'ai jamais imaginé une chose pareille. Mais où vont-ils ?
Dans la lumière crépusculaire de cette fin de matinée hivernale, devant le bâtiment couvert de neige de la maison d'édition du Parti d'Anadyr', en face de l'hôtel, passait un flot ininterrompu d'êtres humains. Certains étaient motorisés. Les phares des voitures, des camions, des camionnettes rougeoyaient dans la demi-obscurité. De temps en temps, on apercevait un petit engin monté sur chenilles, une sorte de traîneau à moteur. Mais la plupart de ces gens étaient à pied. Des dizaines et des dizaines d'équipages de chiens et de rennes tiraient des traîneaux chargés de caisses, recouverts de bâches, pleins d'enfants... Une foule s'agitant, parlant très fort, criant même, remplissait le hall de l'hôtel. Beaucoup de familles se retrouvaient là. On se donnait l'accolade et l'on se joignait au flot. L'hôtel avait épuisé toutes ses réserves de nourriture. Une heure plus tôt, Soldatov et Valentina étaient descendus dans les cuisines abandonnées. Ils avaient trouvé un pain et une boîte oubliée de confiture bulgare. Assis dans le salon vide, ils avaient grignoté en attendant Volkov.
— Ce sont presque tous des Tchouktches, dit Bisby. Pourtant, il y a quelques Esquimaux parmi eux.
Diane regarda un groupe d'hommes qui passait tout près. Ils étaient robustes, bien bâtis. Ils portaient des anoraks épais et des bonnets de fourrure. Quelques-uns étaient nu-tête. Leurs cheveux bleu-noir, coupés court, tombaient en frange sur leur front. Deux femmes se trouvaient à leur côté. L'une d'elles tourna la tête un instant vers

l'hôtel. Son large visage était strié de fines lignes noires sur le front, sur le nez et sur le menton. Bisby, qui regardait Diane, s'aperçut de sa surprise.

— Tatouages, dit-il. Ils en font encore. Certains Esquimaux aussi. Seules les formes sont différentes.

— Est-ce grâce à cela que vous voyez si ce sont des Tchouktches ou des Esquimaux ? Ils se ressemblent tellement.

— Oh ! dit Bisby, on reconnaît les siens. D'ailleurs, je suis un anthropologue manqué. Donc, je sais quelques petites choses sur les Tchouktches. Ils sont un mélange d'Indiens et de Mongols. Ce ne sont pas des Esquimaux... au moins pas des Esquimaux au sens moderne. Si l'on remonte assez loin, la souche doit être la même. Il y a des ressemblances. Dans les techniques de chasse, par exemple. Dans la langue aussi. Les Tchouktches ont un mot *aliuit* qui signifie insulaire. Ce mot est très proche de son équivalent esquimau. Il a probablement servi à donner leur nom aux îles Aléoutiennes. C'est vrai, ils se ressemblent. Mais, si l'on est esquimau, on sait faire la différence.

— Mais ils ne chassent plus comme autrefois, dit Diane pour changer de sujet.

— Certains, si. Il y a beaucoup de phoques et de morses tout autour du détroit de Béring, tout le long de la côte de Koryak, et de l'autre côté aussi. Et des baleines, un tas de baleines.

— Nos kolkhozes s'en occupent, intervint Soldatov. Ils s'occupent aussi des troupeaux de rennes.

Bisby éclata de rire.

— Vous me montrez un Tchouktche ou un Esquimau qui dit croire à une politique basée sur le collectivisme et je vous montrerai un menteur. Les Esquimaux et les Tchouktches avaient leurs propres collectivités mille ans avant Lénine.

— Les choses ont changé, dit Soldatov. Les Tchouktches font partie de l'URSS. Ils sont entrés dans le monde moderne. Ils sont peut-être mieux adaptés que les Esquimaux des États-Unis. Un Tchouktche a été directeur de l'Institut des métaux non ferreux à Magadan. Il y a un Tchouktche à l'académie des Sciences. Un linguiste, un homme remarquable. Ils ont renoncé à la préhistoire. Ils font partie de notre société...

Bisby se retourna et montra la fenêtre.

— Alors où vont-ils ?

Soldatov le regarda sans répondre.

— Nous sommes très loin de Moscou, poursuivit Bisby. C'est peut-être ici le point le plus éloigné de la capitale. En revanche, nous ne sommes qu'à quelque six cents kilomètres de l'Alaska, c'est-à-dire des

États-Unis. A votre place, je ne compterais pas trop sur la fidélité des Tchouktches. Vous avez fait de ce pays une région autonome. Eh bien ! les habitants vous ont pris au pied de la lettre ! Puisqu'ils sont autonomes, ils s'en vont.

— Alors, c'est pour mourir, répondit Soldatov en colère pour la première fois.

— C'est possible. Mais n'oublions pas que ces gens connaissent cette partie du monde beaucoup mieux que nous autres. Moi y compris. On finira par voir ce qui va arriver et par savoir où ils vont.

— Le vrai problème, dit Stovin, c'est de savoir où *nous* allons.

Ayant remarqué que Valentina était très mal à l'aise durant la dispute de son mari avec Bisby, Stovin pensait qu'il était temps d'intervenir. En levant la tête, il aperçut Volkov qui traversait la pièce vide. Il paraissait fatigué mais résolu.

— Je suis navré de vous avoir fait attendre si longtemps. Mais j'ai dû prendre quelques dispositions. Nous partons.

— Vous voulez dire qu'il y a une piste en état ? dit Bisby qui ne pouvait cacher sa surprise. Faire décoller un Antonov d'ici me paraît aussi facile que de sauter à pieds joints jusqu'à Seattle. Je peux vous le dire maintenant : je ne croyais pas beaucoup à un atterrissage réussi quand nous sommes arrivés hier. On ne devait pas voir grand-chose et le radar ne servait pratiquement à rien.

— Comment savez-vous cela ? demanda Volkov vivement.

— J'étais assis à l'avant. La porte de la cabine de pilotage n'arrêtait pas de s'ouvrir. Les échanges air-sol étaient vraiment réduits. J'ai vite compris que ça n'allait pas être facile. Heureusement, il n'y avait pas beaucoup de trafic. De toute façon, le pilote a fait du bon travail.

— Oui, nous avons eu de la chance, dit Volkov après un temps. Nous avons eu de la chance qu'il y ait un aérodrome à Anadyr'. Autrement, nous aurions été obligés de continuer sur Anchorage. Mais, maintenant, il est fermé.

— Que va-t-on faire ? demanda Bisby.

Volkov haussa les épaules :

— Je serai franc. Nous avons quelques difficultés. Je ne sais pas ce qui se passe. Ces gens se conduisent d'une manière... imprévisible.

Bisby grimaça un sourire. Volkov passa outre :

— En fait, le problème n'est pas résolu. Nous irons à Seattle. De là, il sera facile de nous rendre à Los Angeles. Mais ici l'aérodrome est fermé pour quelques... à vrai dire, on ne sait pas quand il rouvrira. De plus, à cause du mauvais temps, il est difficile d'avoir Moscou par téléphone. En tout cas sur le réseau normal. Ce serait sans doute plus facile à partir d'un poste militaire... L'armée a son propre réseau

branché sur radio. Aussi, nous allons partir pour Uelen. C'est au nord-est d'Egvekinot. Il y a là un petit observatoire de l'armée de l'air. Un avion nous emmènera à Khabarovsk. De là, nous volerons jusqu'à Seattle. Les autorisations de vol nous serons données à Khabarovsk. C'est vraiment ce qu'il y a de mieux à faire.

— C'est à combien d'ici ? demanda Stovin.

— Uelen ? Par la route, un peu plus de cinq cents kilomètres.

Bisby émit un petit sifflement.

— Ne vous en faites pas, dit Volkov en souriant. J'ai un véhicule. Ce n'est pas très confortable mais ça marche. Et j'ai une escorte. Regardez...

Il fit un geste en direction de la fenêtre. Un soldat soviétique se tenait près d'un camion gris. Un Tatra. Les feux de position du véhicule brillaient dans l'obscurité.

— Un camion par ce temps ! dit Bisby. Pour un aussi long trajet ! Avec des routes encombrées comme aux plus beaux jours de la ruée vers l'or !

— Malheureusement, il n'y a rien d'autre à faire. Nous ne pouvons pas rester ici. Dans deux jours, la ville sera vide à l'exception de quelques mineurs venant des alentours. Franchement, nous devons partir pendant qu'il est encore temps.

— En tout cas pour le moment la neige a cessé de tomber, dit Stovin. Quel est l'état de la route ?

— Oh ! Nous serons obligés d'avancer lentement. Il suffit de jeter un coup d'œil par la fenêtre... Mais il y a, m'a-t-on dit, des chasse-neige devant. Pratiquement tout ce qui peut bouger est sur la route.

Valentina avait saisi le bras de son mari. Il lui parla doucement, mais derrière les lunettes le regard était tendu, préoccupé. Puis il s'adressa à Volkov :

— Que se passe-t-il ? Et où vont-ils ?

— Je ne sais pas, dit Volkov. Je me demande, professeur Soldatov, s'ils le savent eux-mêmes. Avec cette sorte de gens, on n'est jamais sûr de rien. J'en ai vu arriver en ville avec un corbeau en cage. Et, tout près, un homme battait du tambour. Un tambour en peau de phoque. Incroyable au XXe siècle !

Bisby releva la tête brusquement. Sa voix était tendue.

— Ah ! Ils avaient un corbeau et un tambour ? Je me demande combien parmi ces gens en ont.

Il fit un geste en direction de la fenêtre. Malgré l'heure il faisait déjà presque nuit. Sa voix était étrange, intemporelle :

— Vous ne comprenez pas, Volkov. Personne parmi vous ne peut comprendre. Comment pourriez-vous ? Le corbeau est très important

pour les Tchouktches et les Esquimaux. C'est le Grand Corbeau qui les guida, il y a fort, fort longtemps. Un homme au bec de corbeau. C'est lui qui chercha le pays où le Peuple pourrait vivre. C'est grâce à lui que les êtres humains vivent. Il leur a montré le chemin.

Soudain, sa voix devint embarrassée, timide :

— Enfin... c'est ce que les Tchouktches et les Esquimaux croient..., croyaient, je veux dire. Certains y croient encore, j'imagine. Cette sorte de croyances a la vie dure.

Il y eut un petit silence.

— Je vois, dit Stovin. Et le tambour ?

Bisby avait retrouvé son assurance.

— Oh ! Nous suivons tous un tambour, dit-il tranquillement. Même vous, Sto. Simplement, tous les hommes ne suivent pas le même ni ne marchent au même rythme.

De nouveau, le silence se fit. Volkov regarda sa montre :

— Il est trop tard maintenant. Nous partirons dès qu'il y aura un peu de lumière. Nous avons besoin de nous habituer à la route. En attendant, je vais essayer de trouver l'équipage qui nous a conduits ici hier. Ce serait mieux de les avoir avec nous. On peut avoir besoin d'un équipage à un moment ou à un autre. Ce sera alors peut-être difficile d'en trouver un. Ils étaient à l'hôtel la nuit dernière, mais ils ne sont plus dans leurs chambres. Peut-être se sont-ils rapprochés du terrain d'aviation.

— Peut-être, dit Bisby. Mais ça m'étonnerait que vous les trouviez.

— Nous sommes sur une corde raide, monsieur le président, dit Brookman.

De l'autre côté de la table, recouverte d'un tapis vert sur lequel étaient posés des verres, des carafes, des feuilles blanches et des papiers buvards, le ministre de l'Intérieur, un industriel de l'Illinois au visage émacié, approuva de la tête avec conviction. Il était assis à la gauche du président. Comme les autres personnes présentes, il assistait à la première réunion du Comité national des mesures d'exception qui venait d'être créé. En faisaient partie le ministre de la Défense, le ministre de l'Agriculture, le ministre des Finances, le général commandant le centre de télécommunication de Fort Huachuca en Arizona, Brookman, et un représentant du Bureau de mobilisation civile et militaire. A la droite du président était assis un homme que personne n'avait jamais vu et que personne n'aurait pu imaginer faire partie un jour d'une réunion concernant la sécurité des États-Unis. C'était un petit homme à l'œil vif, un Canadien-Français,

arrivé d'Ottawa deux heures auparavant. Ministre sans portefeuille, il était l'envoyé personnel du premier ministre du Canada auprès du président.

— Sur la corde raide, répéta Brookman.

Le président le regarda un instant sans répondre, puis se tourna vers le Canadien.

— Vous aussi, je suppose?

— Ça va mal, en effet, dit le Canadien avec un léger mais perceptible accent français. Le nord-ouest du pays, le Yukon, a été évacué au même moment qu'Anchorage et le nord de l'Alaska. Ce fut difficile... quelque soixante-cinq mille personnes... mais sans plus. Nous avons utilisé la Colombie britannique comme région d'accueil comme vous le savez. Le temps est mauvais là-bas. Il pleut beaucoup, il neige de temps en temps, mais ce n'est pas comparable aux conditions qui existent dans le Nord. En fait, le mauvais temps arrive du nord-ouest et gagne l'Alberta et le Saskatchewan. Ce n'est pas extraordinaire. Pourtant, il y a quelque chose d'anormal. Quelque chose qui ne ressemble pas à ce qui se passe d'habitude. Nous n'avons pas de *chinook*. J'imagine, monsieur le président... messieurs... que seuls le professeur Brookman et monsieur le ministre ici présent — il fit un geste en direction du ministre de l'Agriculture — peuvent avoir une idée de ce qu'est un *chinook*? Le *chinook* rend possibles les pâturages et la culture des céréales dans l'Alberta et le Saskatchewan et aussi dans certaines régions de votre pays.

— Nous avons exactement le même problème, dit le ministre de l'Agriculture, si doucement que le Canadien ne l'entendit pas.

— Le *chinook,* poursuivit le ministre canadien, est un vent de printemps et d'hiver. Il souffle habituellement vers le sud à côté des dépressions allant vers l'est. Par exemple, celles que nous avons en ce moment. C'est un vent très utile. Relativement chaud et sec, il peut faire monter la température de quelque quinze degrés en un quart d'heure. C'est grâce à lui que nous trouvons des céréales et des pâturages, du fleuve Mackenzie jusqu'à votre Colorado. Tout le long de la colonne vertébrale du continent.

— Et? dit le président.

— Eh bien! il ne souffle plus, dit le Canadien. Les températures que nous avons en ce moment au Saskatchewan sont incroyablement basses et il n'y a aucune chance qu'elles remontent. Nous avons pris hier à Ottawa une décision qui sera annoncée demain. Nous allons évacuer Winnipeg, monsieur le président. Trois cent mille personnes. Nous avons eu six cents morts dans la ville la semaine dernière — le plus souvent des gens dont le chauffage était tombé en panne ou des

vieillards et des malades. Et l'on a informé le premier ministre que la situation allait encore s'aggraver. Aussi, nous évacuons Winnipeg. Que Dieu nous vienne en aide !

— J'ai des informations à vous communiquer, dit le ministre de la Défense vivement. Vous parlez de Winnipeg, je vais parler de Chicago. Nous allons...

Le président leva la main, et le ministre de la Défense se tut.

— Quelle est la situation près de la frontière au sud de Winnipeg ?

Le Canadien fit la grimace.

— Un nombre croissant de gens la traverse, monsieur le président. C'est humain de vouloir descendre vers le sud, même si c'est pour trouver des conditions à peu près semblables. Les gens voient leur maison, leur ville ensevelies. Ils ne se préoccupent plus de frontières.

— Cependant, nous ne pouvons accueillir des dizaines de milliers de réfugiés canadiens, dit le ministre de la Défense. Nous avons aussi nos problèmes dans le Nord. Nous allons pratiquement évacuer toutes les personnes âgées, toutes les femmes et tous les enfants de Fargo dans le Dakota du Nord, par exemple. Et maintenant il y a Chicago...

— Oui ? dit le Canadien.

Il parut brusquement fatigué, accablé.

— Nous allons évacuer Chicago quartier par quartier. Près de trois millions de personnes. La deuxième ville du pays. Il va falloir que règne la plus stricte discipline. Et nous aurons besoin de tous les moyens de transport, depuis les hélicoptères jusqu'aux tracteurs. Et surtout, surtout, de voies de communication non encombrées. Seul un certain nombre de routes peuvent être tenues en état. Il n'est donc pas question de pouvoir recevoir vos compatriotes. Tout au moins pas dans les proportions qui sont en train de se développer.

Il se tourna vers le président.

— J'ai posté de nouvelles unités de gendarmerie le long de la frontière, monsieur le président. Ce matin même. Elles ont ordre de refouler toute personne n'ayant pas la nationalité américaine.

— Mais que va-t-il se passer si..., commença le Canadien.

Un regard du président l'arrêta net. La voix du chef de l'État était si douce que Brookman, qui le connaissait beaucoup mieux que les autres, leva la tête brusquement et sentit un frisson parcourir son échine.

— Que dites-vous que vous avez fait, Henry ?

— J'ai donné l'ordre de refouler les réfugiés, dit le ministre.

— Cette frontière n'a eu, depuis fort longtemps, nul besoin d'être protégée par l'armée, dit le président. Il n'y a pas de raison que ça change. Retirez vos troupes, Henry. Ou plutôt, maintenez-les pour

porter secours, non pour mettre des obstacles. Faites cela, s'il vous plaît.

— Mais, monsieur le président, dit le ministre, il n'est pas possible d'être sentimental. Ce sont nos compatriotes qui risquent d'être en danger si l'embouteillage des routes s'aggrave encore.

— Nous devons être sentimentaux, dit le président. Parce que, si nous ne le sommes pas, nous pouvons tout aussi bien être des fourmis, des loups ou des rats. Aussi, je vous demande de changer ces ordres, Henry.

— Je le ferai dès que la réunion aura pris fin, monsieur le président.

— Faites-le maintenant, Henry, dit le président doucement.

Le ministre le regarda dans les yeux pendant deux longues secondes, puis se leva et quitta la pièce.

— Merci, monsieur le président, dit le Canadien.

Le président se mit à rire doucement.

— Ne me remerciez pas, Jean-Pierre — je peux vous appeler Jean-Pierre, n'est-ce pas ?

— Je vous en prie...

— Vous pourrez peut-être nous aider un jour, à votre tour. Nous avons de sérieux problèmes dans le Washington et au nord de l'Oregon. Nous vous demanderons sans doute de prendre un certain nombre de personnes en Colombie britannique. Vous venez de nous dire que cette région était relativement épargnée.

— Oui, oui... C'est nettement mieux que dans les régions de l'Est. Certains endroits ont eu de la pluie mais pas de neige. Pour ce que vous venez d'évoquer, j'en informerai naturellement le premier ministre immédiatement. Mais, je sens dès maintenant..., après tout nous sommes un seul continent, n'est-ce pas ?

— C'est exactement comme cela que je vois la chose, dit le président. Nous avons également quelques régions sans neige, là où nous aurions pensé qu'il devrait y en avoir... Par exemple, dans toute une partie du Sud-Dakota. N'est-ce pas, Mel ?

Brookman remua sur son siège.

— En effet, monsieur le président. Évidemment, personne ne peut prédire combien de temps ces régions seront épargnées. Et si elles le seront encore au cours du prochain hiver. Mais, à court terme, dans les deux ou trois mois à venir, ces régions vont nous permettre de sauver pas mal de vies. En fait, nous ne savons pas grand-chose sur ce qui s'est passé lors de la dernière glaciation. Les climatologistes ont tendance à faire confiance aux cartes qu'ils ont eux-mêmes dessinées auparavant. Des cartes qui montrent que le nord du continent dans sa

totalité était recouvert de glace. Ce n'est peut-être pas tout à fait juste. Pendant des années, pendant des siècles peut-être, il a pu y avoir... comment dirais-je... des poches.

Le président se tourna vers le représentant du Bureau de la mobilisation.

— Le déplacement massif de population dans ces régions, suivant un plan à court terme bien précis, est-il réalisable? demanda le président.

Le représentant du Bureau de mobilisation se frotta les mains. Il semblait presque content de la situation.

— Je ne sais pas, monsieur le président. C'est tout ce que je peux dire. Mais on va essayer. Et j'imagine qu'on va réussir.

— Bien. Mel, que se passe-t-il au niveau du ravitaillement?

— Certes, il n'y aura pas suffisamment de denrées pour maintenir une consommation considérée comme normale jusqu'à ces derniers temps. Le ministre ici présent — il fit un geste en direction du ministre de l'Agriculture — m'a donné trois modèles de récoltes possibles basés sur des études faites avec l'aide d'ordinateurs. Je recommanderai de ne tenir compte que de la plus pessimiste. Les récoltes vont être terriblement mauvaises, non seulement chez nous, mais dans la plupart des pays producteurs de céréales. Évidemment, il y a les stocks, ici, en Europe et en Union soviétique. Avec un rationnement sévère, nous pouvons tenir presque un an.

— Presque?

— Il y aura des victimes, monsieur le président. C'est inévitable. Beaucoup de morts. La famine a toujours existé dans le tiers-monde, malgré notre aide. Et, maintenant, il ne va plus être question d'aide. La famine va s'accroître. Nous pouvons malheureusement multiplier par dix le nombre des victimes de la famine dans le tiers-monde et nous serons encore certainement en deçà de la vérité. Le seul espoir pour le monde réside aux États-Unis, dans les pays d'Europe occidentale et en Union soviétique. C'est dans ces pays qu'on trouvera la réponse pour maîtriser la situation. Pas dans le tiers-monde. Si nous sombrons, ils sombreront avec nous.

Le président leva un sourcil. C'était un tout nouveau Brookman qu'il avait devant lui. Maintenant, il pouvait mordre.

— Vous pensez vraiment que l'on peut faire quelque chose — à long terme s'entend — pour maîtriser la situation?

— Oui, il y a quelques possibilités, dit Brookman prudemment. Vous avez lu l'annexe 9 du rapport Stovin-Soldatov, monsieur le président?

— Oui.

— Ce rapport paraît un peu fantaisiste, mais quelques propositions peuvent se révéler utiles. Certains animaux migrent d'une région à l'autre chaque été et chaque hiver afin de pouvoir se nourrir et élever leurs petits dans les meilleures conditions possibles. L'idée de Stovin, comme vous le savez, est que l'on pourrait organiser, relativement rapidement, nos sociétés de telle sorte que, du moins durant les premiers hivers qui vont précéder une glaciation plus dure, si j'ose m'exprimer ainsi, nous puissions déplacer les gens, disons d'Iowa en Floride ou au Nouveau-Mexique. Ils retourneraient ensuite dans le Nord durant l'été, qui serait évidemment bien plus court que ceux dont nous avions pris l'habitude. Les Européens pourraient faire de même en déplaçant leur population vers les régions méditerranéennes de l'Europe et de l'Afrique. Les Russes se serviraient du Caucase. C'est évidemment une entreprise gigantesque, mais ça nous donnerait du temps.

— Nous sommes faits pour les grands projets !

— Oui, bien sûr, dit Brookman, mais nous allons être obligés de changer quelques-unes des choses pour lesquelles nous paraissions être faits. Nous avons toujours été, par exemple, de grands consommateurs de certaines denrées. Savez-vous, monsieur le président, qu'un homme dans un pays industrialisé consomme presque une tonne de céréales par an ? Une partie est consacrée à la fabrication du pain et l'autre à nourrir les bestiaux qui donneront la viande. Même en Afrique, un homme consomme encore deux cents kilos de grains par an. Notre consommation va devoir descendre au niveau africain. Quant aux Africains, ils seront obligés de descendre nettement en dessous. Ils auront de la chance de pouvoir en consommer cent kilos. Évidemment, s'ils arrivaient à mettre en fin de compte leurs terres arables en culture, alors ce chiffre s'élèverait progressivement.

— Oui mais, de toute façon, ce ne serait qu'à long terme. Quoi dans l'immédiat ?

Brookman remua sur son siège.

— Nos espoirs sont dans la chimie. Il est possible de produire des repas chimiques à base de micro-organismes qui peuvent nourrir l'être humain tout au moins pendant un certain laps de temps. Nous l'avons fait avec les astronautes, comme vous le savez. Ledbester m'a téléphoné hier d'Angleterre. Il est le conseiller scientifique du gouvernement. Il a, à peu de chose près, les mêmes attributions que moi. Il m'a signalé qu'Imperial Chemical Industries a un certain nombre de chercheurs qui travaillent depuis quelques années sur l'alimentation chimique. Ils ont de bonnes idées et de bonnes formules. Nos chercheurs en ont aussi. Mais le problème n'est pas au

niveau des formules : il est au niveau de la production de masse. Une production de masse capable de nous donner, disons, sept repas supplémentaires par semaine. Une entreprise monumentale. D'autant plus que beaucoup de régions où se trouvent des usines susceptibles de faire ce travail — Pennsylvanie, nord de la France, Hambourg, Manchester — seront sous la neige avant qu'elles ne puissent produire un gramme de quoi que ce soit.

Il s'arrêta un instant pour compulser un paquet de feuilles dactylographiées posées sur un buvard blanc devant lui.

— Cependant, monsieur le président, nous allons commencer. Les vice-présidents de nos quatre plus grands consortiums industriels viennent me voir demain. Ledbester et quelques-uns de ses chercheurs se joindront à nous. Il y aura aussi un Allemand de Düsseldorf. Nous avons un tas de temps perdu à rattraper. Évidemment, les conséquences d'une alimentation chimique sur l'être humain — sur son organisme, sur son système digestif, sur son système sanguin, sur le fœtus, etc. — eh bien ! nous n'en avons qu'une idée très, très vague. Il risque d'y avoir des surprises...

— Mais nous pourrions, avec ce genre de nourriture, alimenter aussi le tiers-monde, dit le président pensivement. Ce n'est pas très encombrant.

— Non, dit Brookman. Mais nous allons déjà en avoir besoin d'une quantité énorme pour nous-mêmes.

— Mel, dit le président, il va nous falloir partager. Parce que, si nous ne partageons pas, nous allons être obligés de nous battre. Et l'on ne peut pas se permettre ça en ce moment. Les gens qui meurent de faim n'ont rien à perdre. Et si nous ne leur donnons pas, ils essayeront de le prendre. Nous allons devoir partager. Pour en revenir à nos problèmes actuels, où en est le projet de rationnement ?

— Les cartes d'alimentation sont imprimées, dit le ministre de l'Intérieur. La presse, forcément, a été mise au courant. Il n'était pas possible de tenir une telle chose secrète. Les gens sont assez bien préparés à admettre ce genre de mesure. Dans le Nord, on s'en réjouira. Les autres, évidemment, ne trouveront pas ça très agréable. Mais, tous les soirs, la télévision montre ce qui se passe dans le Nord. Donc, ils sentent bien que c'était nécessaire.

— Pendant pas mal de temps, il est certain que les choses ne seront agréables pour personne, dit Brookman.

Lui aussi a l'air fatigué, se dit le président. Quel âge peut-il avoir ? Soixante ? Un petit peu plus vieux que moi, sans doute. Et la plupart du temps, il doit avoir plus froid que moi. Il est temps que j'arrête de le considérer comme une sorte de machine à donner des réponses.

Quelques minutes plus tard, le président leva la séance. Alors que tout le monde quittait la pièce, il retint Brookman par le bras.

— Il ne fait pas chaud, là-haut, dans le Connecticut, Mel ? Vous y retournez bientôt ?

— Demain soir, dit Brookman. Mais je serai à Santa Fe la semaine prochaine. Oui, il fait froid dans le Connecticut. Je garde mon pardessus dans mon bureau.

— Hum ! Mel...

— Oui, monsieur le président ?

— Quand je vous ai choisi pour devenir président du Conseil national de la science, je pensais ne pas me tromper. Eh bien ! maintenant, j'en suis sûr.

Brookman parut soudain totalement désemparé.

— Je suis touché, monsieur le président,... je suis vraiment touché.

17

Une colonne sinueuse de camions et de voitures, partant des tours, s'étirait le long d'une voie creusée dans la neige. Des voitures de police, avec un clignotant rouge allumé sur le toit, étaient à l'arrêt çà et là pour marquer la route. Les talus de neige de chaque côté de la voie avaient près de deux étages de haut. Ils arrêtaient la lumière de telle sorte que les véhicules, bien qu'il ne fût pas encore midi, roulaient dans une sorte de crépuscule. Les familles étaient entassées dans les voitures, emmenant parfois avec elles leur chien ou leur chat. Le règlement concernant l'état d'urgence l'interdisait formellement. Les animaux domestiques ne devaient pas enlever la moindre nourriture aux humains. Sur ce point, la réglementation était bien souvent ignorée.

L'évacuation de Chicago en était à son troisième jour. C'était maintenant le tour des habitants de Marina City. Ces deux tours jumelles de soixante étages chacune, qui se dressaient au-dessus du fleuve, abritaient des milliers de familles. Elles avaient été construites en 1964. Cylindriques, entourées de balcons, elles avaient été conçues pour le ciel bleu de l'Illinois. Elles étaient en quelque sorte le symbole architectural de la puissance technologique et de la vitalité des villes américaines. En ce moment, bien qu'animées par l'agitation de ceux qui les quittaient pour toujours — ils n'en étaient heureusement pas conscients —, les bâtiments paraissaient froids et noirs. A l'exception

des sous-sols, où des blocs électrogènes de secours avaient été installés pour un seul jour par l'armée, et où se trouvaient, rangées dans leurs boxes, les voitures nécessaires pour mener à bien l'opération, Marina City avait été sans éclairage et sans chauffage depuis une semaine. De plus, il y avait des problèmes de ravitaillement. Pourtant, les conditions étaient meilleures ici que dans beaucoup d'autres quartiers.

L'évacuation de la deuxième ville des États-Unis était une sorte de pari... un pari forcé dans la mesure où la mortalité dans certains secteurs avait atteint des proportions inquiétantes. Dans des appartements glacés, sans chauffage, des familles entières mouraient de froid. De plus, les jeunes et les vieux souffraient de la faim. Les supermarchés, bien entendu, avaient des stocks de nourriture. Mais il était très difficile de les atteindre. Les hommes sortaient par bande de vingt ou trente afin de se frayer un passage dans la neige pour se rendre dans les magasins d'alimentation, qui ne se trouvaient bien souvent qu'à une centaine de mètres. Les morts, lors de ces sorties, n'étaient pas rares, et parfois tout un groupe disparaissait. On perdait vite le sens de l'orientation. Au milieu de rafales de neige incessantes qui vous coupaient le souffle, les points de repère, que tout le monde avait en mémoire depuis l'enfance, étaient effacés par l'arrivée du désert blanc.

Très vite, la police avait établi des postes de garde permanents dans tous les supermarchés de quelque importance. Des équipes de trois à quatre officiers se relayaient jour et nuit afin de pouvoir distribuer des boîtes de conserve — soigneusement rationnées — à ceux qui avaient le courage de venir les chercher. Cela, pourtant, n'évitait pas les tentatives de pillage. Mais la dissuasion venait davantage de la difficulté de transporter les fruits du larcin dans la neige que de la peur de la police. Dans les quartiers mal famés, la criminalité montait en flèche. Quarante-deux voleurs de nourriture avaient été abattus par la police.

Pour les officiels, qui avaient travaillé dur sur la question, il n'y avait plus qu'une solution : sortir les gens de là pendant que les voitures pouvaient rouler et que l'essence, grâce à l'aide de l'armée, était encore tirée, sans trop de difficulté, des pompes dégagées de la neige.

L'emplacement de Chicago au bord du lac Michigan avait été en grande partie responsable de la catastrophe. En effet, les vents poussaient, sans être arrêtés par quoi que ce fût, d'énormes quantités de neige qui bloquaient les rues. Tout d'abord, d'énormes congères s'étaient formées dans la zone industrielle, recouvrant les aciéries et les raffineries installées tout le long de la rive sud. Des cargos, pris

dans les glaces, s'étaient évanouis sans laisser de traces. Et puis la neige avait pris possession de la ville. Elle s'entassait en couche de vingt, de trente mètres de haut. Le long du boulevard Jackson, elle avait fait disparaître la Bourse des céréales. Elle avait fait s'effondrer le métro aérien à de nombreux endroits. Chicago avait connu de rudes hivers auparavant, en grand nombre. Mais, cette fois, c'était autre chose. C'était l'Apocalypse dans la ville.

C'est ainsi que, quartier après quartier, jour après jour, se poursuivit l'évacuation : Evanston, Highwood avec sa population italo-américaine, Wilmette, Winnetka. Et aujourd'hui Marina City, au centre de la ville. Les habitants de Marina étaient dirigés sur les villes groupées de Moline, Davenport et Rock Island, à plus de trois cents kilomètres à l'ouest. Les chutes de neige, là-bas, avaient été peu abondantes par rapport à celles qui avaient anéanti Chicago.

On y construisait avec une hâte frénétique des camps d'accueil pour abriter provisoirement des centaines de milliers de personnes avant qu'elles ne partent vers le sud. Les bouleversements apportés aux vies humaines étaient terrifiants. On n'avait jamais envisagé sérieusement aux États-Unis, même en cas de guerre atomique, l'évacuation de Chicago. Et, maintenant, on en était arrivé là dans des conditions climatiques insupportables.

La route de l'ouest, tenue en état par des milliers de soldats travaillant sans relâche, était la Nationale 173 qui conduisait à Rockford. Là, une rivière, le Rock, totalement gelée, offrait une surface large et relativement facile à déblayer pour aller jusqu'à Moline. La Nationale 173, elle, était un vrai cimetière. La police et l'armée contrôlaient la circulation tout le long de l'étroit passage creusé dans la neige. Des montagnes de véhicules en panne s'entassaient sur les bas-côtés. De temps en temps, les voitures, collées les unes aux autres, leurs conducteurs s'accrochant aux feux rouges du prédécesseur, passaient à côté de véhicules en panne près desquels des gens faisaient des gestes désespérés dans l'espoir d'être recueillis. Les voitures, malheureusement, étaient pleines à craquer et jamais personne ne s'arrêtait.

Des équipes médicales de secours placées dans des endroits dégagés se démenaient pour sauver ceux qui avaient la chance de les atteindre. Mais les postes n'étaient pas en nombre suffisant pour une foule de quelques centaines de milliers de réfugiés se dirigeant vers l'ouest dans une épouvantable tempête de neige. Les choses se passaient très mal. Dès la seconde journée, les gens au bord de la route ne s'agitaient plus. Les cadavres s'entassaient dans la neige. Et priant, se cramponnant à l'espoir, la colonne défilait devant eux.

Un grand camion vert olive était arrêté en bas des tours de Marina City. Le capitaine qui se trouvait à l'intérieur n'ignorait pas l'état de la Nationale 173. Il l'avait empruntée deux jours auparavant, c'est-à-dire le premier jour de l'évacuation. Aujourd'hui, on lui avait donné l'ordre de revenir dans l'un des rares véhicules de police se dirigeant vers l'est. Il avait pris son chargement et avait suivi les feux rouges de la voiture de police qui l'escortait à travers une section de route temporairement dégagée jusqu'au carrefour de Jackson et de Wells. Maintenant, il attendait en bas des tours de pouvoir se glisser dans la file.

Le camion pouvait contenir une vingtaine de personnes. Mais, pour le moment, ils n'étaient que six à l'intérieur : le capitaine et le chauffeur dans la cabine avant et, à l'arrière, trois soldats armés. Le sixième personnage était un civil. Un homme élancé aux cheveux gris, l'un des conservateurs du musée de Chicago. Autour de lui était rangé ce qui remplissait le camion : des tableaux encadrés, enveloppés de toiles... Le capitaine regardait avec attention à travers le pare-brise en attendant qu'on lui donne le passage. Il ne s'intéressait d'aucune manière à l'art. Son colonel lui avait seulement dit qu'il s'agissait de l'une des plus grandes collections de tableaux impressionnistes du monde. Il lui avait aussi donné l'ordre de transporter les peintures à Rock City. Là, l'hélicoptère, qui n'avait pas réussi à atterrir près du musée de Chicago, viendrait les prendre. Ce qui était sous la garde des soldats et couvé par le conservateur du musée avait une valeur marchande de quelque soixante-dix millions de dollars. La valeur artistique était, elle, inestimable.

Il y eut soudain un petit embouteillage parmi les véhicules qui, au pas, s'éloignaient de Marina City. Un car pullman, plein de gens, accroché à un tracteur, était rangé sur le côté de la route. Ce n'est pas le premier qui tombe en panne, pensa le capitaine sombrement, et ce ne sera pas le dernier. De toute façon, c'est mieux ici que sur la Nationale 173. Est-ce vraiment mieux ? Aucune des personnes qui retourneront dans ces deux tours gelées ne survivra plus d'un jour ou deux. Regardez-moi ça, ils sont au moins soixante-dix là dedans. Et un tas d'enfants. Un policier, que le capitaine n'avait pas remarqué, sortit de derrière le car et s'approcha, en titubant, du camion. Le capitaine baissa la vitre. Un courant d'air glacé pénétra dans la cabine.

— Vous attendez pour prendre la Nationale 173, mon capitaine ?
— Oui.
— Ah ! Très bien. Vous allez pouvoir nous aider. Nous avons un problème. Il y a quatre-vingts personnes dans cet autocar qui ne vont

pas s'en tirer à moins qu'on arrive à les caser autre part. Il me semble que vous pouvez — le policier regarda attentivement à l'intérieur du camion — en prendre au moins vingt-cinq. Tous les enfants plus quelques femmes. Nous allons vous aider à décharger tout ça.

Il montra du pouce les piles de tableaux enveloppés dans des bâches.

Le capitaine secoua la tête.

— Je crains de ne pouvoir vous aider, dit-il.

Le policier leva la tête. Des flocons couvrirent son visage. Il regarda le capitaine.

— Je crois que vous m'avez mal compris, mon capitaine. Il y a au moins vingt-cinq gosses qui peuvent monter dans ce camion.

Le capitaine secoua de nouveau la tête.

— Impossible, dit-il. J'ai reçu l'ordre de transporter ce chargement et c'est ce que je vais faire.

On frappa à la vitre qui séparait la cabine de l'arrière du camion. Le capitaine se retourna sur son siège et fit glisser la paroi vitrée. Le conservateur avança la tête.

— Qu'est-ce qui se passe, capitaine ?

Avant que le militaire pût répondre, le policier intervint.

— Je vais vous dire ce qui se passe. Je veux qu'on décharge ce foutu camion afin de pouvoir y mettre quelques enfants jusqu'à Rock City. Et il ne veut pas. Voilà ce qui se passe.

— Quels enfants... Où y a-t-il des...

Le policier fit un geste en direction des gens serrés les uns contre les autres près du car en panne.

— Les enfants qui sont là.

Le conservateur du musée regarda les peintures, passa la langue sur ses lèvres et s'adressa au capitaine :

— C'est bon, capitaine. Déchargez les tableaux. Je vous y autorise.

— Non, dit le capitaine. Vous ne pouvez pas me donner un contrordre, monsieur. La seule personne qui puisse le faire est mon colonel. Et mon colonel n'est pas là. Ma cargaison restera où e'le est jusqu'à Rock City.

— Mais je vous dis que je vous autorise...

Le capitaine ne prit pas la peine de répondre. Il se tourna de nouveau vers le policier.

— Bien. Maintenant, vous vous arrangez pour me faire entrer dans cette colonne ou je m'y faufile de moi-même. Je ne vais pas attendre ici plus longtemps.

Le policier le regarda en silence puis s'écarta. Le camion avança doucement, dépassa les gens groupés près de l'autocar et se plaça

derrière une grosse Chevrolet pour gagner le boulevard. A l'arrière, le civil regardait, stupéfait, les trois soldats.

— Mais je lui ai dit... qu'il pouvait... Je m'attendais à ça...

La toile qui enveloppait l'un des tableaux glissa légèrement. Machinalement, le conservateur s'avança pour la remettre en place. Il regarda le tableau. C'était *Un dimanche d'été* de Seurat. Un tableau représentant des dames avec des ombrelles et des hommes moustachus, couchés dans l'herbe au bord de l'eau, un dimanche après-midi. Le conservateur regarda l'œuvre avec un sentiment d'horreur et se détourna vivement. Ce monde est fini à jamais, pensa-t-il.

Tamanrasset était une ville fantôme. Marchant à côté du chameau — grâce à Dieu, il allait mieux, il avait repris des forces ces trois derniers jours —, Zayd ag-Akrud regardait autour de lui avec étonnement. La poussière, le sable et de petites tiges d'épineux s'engouffraient dans la rue principale, fouettant les volets ouverts des cafés vides. Naguère, les riches Européens et les touristes américains, accompagnés de femmes ne portant pas le voile, s'étaient assis là pour regarder les grands et minces Touaregs se rendre à la mosquée pour la prière du soir. La banque — où l'oncle de Zayd avait déposé son argent contre l'avis de sa famille, cet argent gagné grâce aux chèvres — était fermée. Et où donc était l'oncle ? Zayd se retourna pour jeter un coup d'œil à Zénoba et à Ibrahim, perchés sur la chamelle. Le petit garçon, lui aussi, semblait un peu plus solide. Mais, de toute évidence, il avait besoin de médicaments.

Quelques chiens jaunes, galeux, efflanqués, traînaient dans la poussière. Une vieille femme qui, assise devant sa porte, grignotait la peau d'une grenade, les regarda. Une certaine animation régnait de l'autre côté de la grande place. Là-bas, où les fenêtres arrachées de l'hôtel de tourisme vide bâillaient vers le ciel, une queue de vieillards s'était formée à l'arrière d'un camion vert sur lequel était peint en lettres blanches : Service de secours de l'ONU. Dans le camion, plongeant une louche dans un grand seau plein de bouillie, une jeune Française au jean déchiré remplissait les bols que l'on tendait vers elle. Zayd, bien qu'Allah eût mis un lièvre au bout de son fusil, n'avait rien mangé depuis deux jours ; sa femme et ses enfants avaient plus que lui besoin de nourriture. Aucun Touareg ne pouvait accepter l'assistance d'une femme. Pourtant, ils avaient faim. Il se tourna vers Zénoba et l'appela sèchement. Elle se laissa glisser du chameau, aidant Ibrahim à faire de même.

— Je surveille les enfants. Prends deux bols et va chercher à manger.

Elle se mit dans la queue. La jeune femme en apercevant les deux bols protesta. Zénoba se retourna et lui montra Zayd entouré des enfants. La jeune Française comprit ce qui se passait et sourit. Zayd tourna la tête.

C'était infamant de puiser à une telle source mais la mort n'était pas préférable. L'homme assis au volant, que Zayd n'avait pas remarqué, descendit de la cabine. Il lui adressa la parole dans un mélange de mauvais touareg et de français élémentaire.

— Vous allez vers le nord ?

— Pourquoi le nord ? Je viens à Tamanrasset.

L'autre se mit à rire.

— Il n'y a plus rien ici, maintenant. Tout a changé. Le nord est nettement préférable. Ils ont de l'eau. Tout le monde va là-bas. Vous devriez y aller aussi.

Zayd haussa les épaules, mais son esprit travaillait à toute vitesse.

— Si Dieu veut.

Le conducteur regarda attentivement Ibrahim.

— Il a chaud. Il doit avoir un peu de fièvre, non ?

— Oui, il est malade, dit Zayd.

Le conducteur alla prendre quelque chose dans le camion et revint vers Zayd avec un petit flacon contenant des comprimés.

— C'est tout ce qui nous reste. C'est de l'aspirine, dit-il. Vous savez ce que c'est ?

Zayd resta silencieux.

— Eh bien !... De toute façon ça lui fera du bien. Donnez-lui un comprimé toutes les trois heures pendant un jour et demi. Durant le voyage vers le nord. Vous pouvez avoir de l'eau pour vos chameaux derrière l'hôtel. Il y en a encore un peu.

— C'est loin le nord ?

Le conducteur haussa les épaules.

— Cinq cents kilomètres, peut-être un peu plus.

Mon Dieu, pensa-t-il, je parle à un mort. Ils n'ont aucune chance de s'en tirer. Ni lui, ni la femme, ni les enfants. Mais le conducteur avait vu mourir plus de trois cents personnes dans la région de Tamanrasset en l'espace de quelques semaines. Cinq de plus, ce n'était que cinq de plus.

— Bonne chance, dit-il.

— Inch Allah ! dit Zayd.

18

— C'est le bout du monde, dit Stovin.

A côté de lui, serré dans la chaude cabine du Tatra, Volkov poussa un grognement et replia la petite carte qu'il avait prise dans la poche de la portière. Il semblait mal à l'aise, embarrassé.

— C'est le bout de notre monde en tout cas... de notre pays. Nous approchons d'Uelen. Nous avons fait du chemin depuis Egvekinot.

Stovin acquiesça. Egvekinot était à près de trois cents kilomètres d'Anadyr'. C'était là qu'ils avaient passé la nuit, dans l'école vide du village. Ils avaient dormi, enroulés dans des couvertures, à même le plancher. Personne d'autre n'avait cherché refuge dans le bâtiment. L'exode tchouktche — bien que la colonne fût moins dense — continuait inlassablement. La neige et la nuit ne l'avaient pas stoppé. Volkov s'était arrangé pour que le petit groupe parte très tôt le matin. La route au nord d'Egvekinot — qui n'était pas indiquée sur la carte, remarqua Stovin — était incroyablement bonne. Les chasse-neige au début de la colonne avaient fait du bon travail. Cependant, le Tatra était bien souvent passé devant des véhicules abandonnés. Parfois, des silhouettes engoncées dans des fourrures attendaient près de la voiture. Des talus de neige immenses, formés par les chasse-neige, s'élevaient sur les bas-côtés de la route. On avait l'impression de rouler dans un tunnel faiblement éclairé. Il ne faisait pas vraiment noir. Certes, le soleil rouge s'était couché depuis longtemps derrière l'horizon, mais la neige avait cessé de tomber et la lune était apparue. Les tas de neige sur le côté empêchaient de la voir, mais le clair de lune éclairait le tunnel. La réflexion sur la neige produisait une lumière fantomatique à laquelle Stovin ne tarda pas à s'habituer. Au moins, pensa-t-il, si le camion quitte la route et si nous sommes obligés de descendre, nous sommes chaudement vêtus. Volkov s'était servi de son reste d'autorité au terrain d'aviation d'Anadyr' pour obtenir des vêtements sibériens avec capuchon, doublés de fourrure, et des bottes également doublées, du genre de celles portées par les rampants travaillant à l'aérodrome. Il avait écarté avec mépris la tenue des Américains.

— Le froid que vous allez rencontrer ici n'a rien à voir avec celui de New York. Ces vêtements sont... inadéquats.

Stovin s'enfonça plus profondément dans son parka. Ça grattait un peu au cou mais c'était confortable.

Près de Volkov, un soldat tchouktche, trapu, avec une frange de cheveux noirs émergeant de sa casquette à oreillettes de l'armée, était assis au volant. Il conduisait bien et parlait peu. Avant le départ, Bisby lui avait lancé quelques mots esquimaux de l'île de Saint-Lawrence. Le soldat avait paru les comprendre, tout au moins en gros. Mais Volkov, irrité, avait demandé à Bisby d'interrompre ce dialogue.

— Je n'aime pas que vous parliez à un soldat soviétique dans une langue que je ne comprends pas. Cela le gêne. Il est tchouktche et il nous escorte. Ce n'est pas le moment de le mettre mal à l'aise.

Puis il avait parlé sévèrement au Tchouktche en russe, et le soldat avait bafouillé une réponse dans cette langue. Bisby, lorsque Volkov s'était éloigné, avait de nouveau essayé de parler en esquimau au soldat, mais le large visage du Tchouktche était resté impassible. Il s'était même détourné pour montrer qu'il ne comprenait pas. Ce n'est pas difficile de voir pourquoi Volkov était ennuyé, pensa Stovin. La route était en très bon état. Il s'agissait en fait d'une route militaire. Seul un cas de force majeure avait permis aux Américains de la voir.

Stovin regardait avec application au travers du pare-brise embué Devant eux se trouvait un traîneau contenant deux hommes, une femme et une quantité impressionnante de paquets entassés les uns sur les autres. A l'arrière, une lanterne, servant de feu de position, était allumée. Le traîneau était attelé de deux rennes en paire. Une courroie entourait le cou de chacune des bêtes et, passant sous leur corps, rejoignait un arc métallique fixé à l'avant du traîneau. L'équipage devait avancer à une douzaine de kilomètres à l'heure. Il fallut plusieurs secondes au Tatra pour le doubler. Les occupants du traîneau regardèrent avec curiosité le camion dans le clair de lune. Stovin put voir très distinctement leurs larges figures encadrées par le rebord de fourrure de leurs capuchons. Ils ne firent ni gestes ni sourire.

Soudain, alors que le Tatra peinait, les tas de neige de chaque côté de la route disparurent. Le camion roulait maintenant sur une petite hauteur. La toundra déserte s'étendait à perte de vue sous le clair de lune. Les roues munies de chaînes martelèrent un instant un pont de bois. On traversait une rivière gelée — pas entièrement toutefois car de petites flaques noires se détachaient çà et là sur la couverture de neige. Au-dessus des flaques, une vapeur montait en tourbillons et formait de petits nuages noirâtres. Volkov reprit la carte et l'étudia minutieusement.

— Nous approchons, dit-il.

Le paysage dégageait maintenant une telle désolation qu'il avait

acquis une sorte d'étrange beauté lunaire. Stovin espérait que Diane, Bisby et les Soldatov, installés à l'arrière du camion au milieu de couvertures et de fourrures enlevées aux placards de l'hôtel d'Ana- dyr', s'étaient éveillés pour admirer le paysage. Plus bas, s'étendait une plaine vaguement éclairée, striée, près de la rivière, par d'innom- brables canaux entièrement gelés. Comme ils quittaient la région de Kanchalann, ceux-ci devinrent de moins en moins nombreux et finirent par disparaître. L'immense étendue blanche n'était plus interrompue, de temps à autre, que par la ligne sinueuse gris-noir d'un ruisseau. La colonne de réfugiés venant d'Anadyr', si dense au départ, s'était réduite tout le long de la route de telle sorte qu'on ne rencontrait plus qu'un véhicule de temps en temps. Ils étaient d'ailleurs tous à l'arrêt, contre le talus. Des bâches ou des peaux de daim tendues servaient d'abri. Des hommes couverts de fourrures se déplaçaient autour des feux. Plus avant se dressa soudain la masse à demi effacée d'une montagne. Elle pouvait avoir, estima Stovin, près de mille mètres de haut. Mais l'estimation, à cause de la nuit et des conditions atmosphériques, était difficile. Volkov regarda sa montre.

— Nous avançons, nous avançons, dit-il. Nous ne sommes plus qu'à quatre-vingts kilomètres environ. Nous mangerons à Uelen ce soir, l'armée de l'air nous offrira à dîner.

Presque au même moment, il se remit à neiger. La lune avait disparu, cachée par des nuages chargés de neige. Le tempête arriva brutalement et souffla avec une force incroyable. La neige sur la route se rassemblait en longues traînées qui fouettaient le pare-brise comme des balles traçantes. Malgré le bruit du moteur, on entendait parfaitement le sifflement et le rugissement du vent. L'essuie-glace se battit quelques instants contre la tempête puis s'arrêta. Le soldat tchouktche leva une main du volant et pointa le doigt en direction des tourbillons. Ses yeux étaient écarquillés.

— *Poorga,* dit-il.

— Qu'est-ce que c'est ? demanda Stovin.

Volkov soucieux regardait la route.

— La *poorga* est un vent sibérien, il me semble. Il peut souffler pendant des heures, je crois. Mais je ne sais pas au juste, professeur Stovin. L'Union soviétique est un grand pays avec une multitude de fuseaux horaires. Je ne suis jamais venu dans cette région. Je n'en sais guère plus que vous. Je n'aurais jamais entrepris ce voyage si je n'avais pas su que la nouvelle route nous conduirait jusqu'à Uelen. Même maintenant, je ne suis pas certain d'avoir eu raison. Je ne sais pas ce qu'en penseront mes supérieurs. Il est possible qu'ils me critiquent. Mais nous ne pouvions pas rester où nous étions, étant

donné ce qui se passait. Et il est de la plus grande importance que vous et le professeur Soldatov arriviez à temps à Santa Fe.

— Oui, dit Stovin, c'est important.

Soudain, le moteur du Tatra se mit à tousser. Une fois... deux fois... trois fois... puis repartit au moment où le camion commençait à ralentir. Le Tchouktche, de nouveau, leva une main du volant, fit un geste de désespoir et cria quelque chose à Volkov pour se faire entendre malgré le déchaînement de la tempête.

— Qu'est-ce qui se passe ? s'entendit hurler Stovin.

— Il fait trop froid, cria Volkov. C'est trop froid pour le moteur. Je comprends maintenant pourquoi tous les véhicules que nous avons rencontrés étaient à l'arrêt. Leur conducteur était au courant.

Le camion peina encore un peu, puis, malgré ses roues munies de chaînes, glissa et dérapa de nouveau sur la neige et sur la glace. Stovin commençait à se faire du souci au sujet de Diane et des autres. Mais ç'aurait été de la folie de s'arrêter pour aller voir ce qui se passait derrière. Il se retourna sur son siège et jeta un coup d'œil à travers la petite vitre en plastique qui se trouvait dans son dos. De la buée s'était formée du côté qu'il ne pouvait pas atteindre. Aussi ne vit-il que des formes à demi assises, à demi couchées, enfouies sous des couvertures. Il tapa sur la petite vitre à plusieurs reprises, mais sans résultat. Volkov lui prit brusquement le bras et lui désigna quelque chose à travers le pare-brise :

— Vous voyez... il y a quelque chose, là...

Stovin se rappela plus tard avec un certain amusement que, s'il avait jamais cru un instant dans sa vie à l'efficacité de la prière, c'était à ce moment-là. Aussi invraisemblable que cela pût paraître, tout près du bord de la route, une lumière brillait dans la nuit et, derrière elle, on apercevait la masse sombre d'une petite construction. A cause de la neige qui tombait dru, il était difficile de distinguer nettement ce que c'était, mais ça ressemblait à une maison. Le Tchouktche poussa un grognement de surprise et donna un coup de volant. Immédiatement, le chauffeur perdit le contrôle de son véhicule. On avait l'impression que le camion allait décoller. On entendit un craquement sur le côté. Un poteau encore relié à un morceau de clôture fut projeté en l'air. Butant sur quelque chose de solide, le Tatra s'arrêta. Le Tchouktche exécuta une manœuvre apprise depuis longtemps. Il décrocha le fusil automatique fixé à la portière et sauta du camion. Volkov et Stovin sortirent beaucoup plus lourdement de l'autre côté. Le rugissement et le sifflement de la tempête ressemblaient au bruit de l'eau jetée sur des braises.

— Vite, hurla Stovin dans le vacarme. Les autres...

Bisby et Soldatov, déjà descendus du camion, méconnaissables dans leurs gros manteaux fourrés, se tenaient à l'arrière. Les deux femmes sautèrent l'une après l'autre. Valentina trébucha et mit sa main gantée en avant. Elle s'enfonça dans la neige jusqu'au cou. Soldatov poussa un cri qui, à cause de la tempête, semblait venir de loin, et se précipita pour l'aider. Le soldat avait déjà atteint la petite maison de bois. Au moment où il ouvrait la porte, un rai de lumière éclaira la neige. Un à un, suffoqués par le vent, ils se dirigèrent en titubant vers la porte et se jetèrent à l'intérieur. Le Tchouktche tira Volkov par le bras, et les deux hommes s'arc-boutèrent pour repousser la porte de l'épaule. Trois verrous de bois assuraient une fermeture hermétique. Instantanément, le bruit de la *poorga* baissa d'intensité, mais le grondement du vent passait encore à travers les murs de bois. De temps en temps, la petite maison était secouée par les rafales. Haletant, reprenant son souffle, Stovin regarda autour de lui. L'endroit était étrange.

La pièce carrée, de bonnes dimensions, avait trois portes contre le mur du fond. Elle était éclairée par trois lampes à huile. Un grand poêle en son centre la chauffait. Quelques peaux, principalement des peaux de lièvres de l'Arctique mais aussi quelques-unes de renards, étaient clouées aux murs. Près du poêle se trouvait une table ronde en bois avec deux chaises se faisant face. Le couvert était mis pour deux personnes — assiettes, couteaux et fourchettes. Les aliments dans les assiettes fumaient. Bisby s'approcha et mit son doigt sur un morceau de viande.

— Encore chaud, dit-il. Ça doit être de l'orignal. De l'élan, comme on dit par ici. Et des navets.

Volkov ouvrit l'une après l'autre les portes du fond. L'une d'elles conduisait à une petite resserre dans laquelle étaient accrochés les corps de deux lièvres, tués apparemment depuis peu de temps. Un morceau de viande de couleur sombre était suspendu à un crochet, sur l'autre mur. Quelques pots et boîtes de conserve étaient rangés sur des étagères. La deuxième porte donnait sur une petite cuisine. La pièce était sensiblement plus grande. Près de l'évier en porcelaine était posée une grande cruche pleine d'eau. Une natte de roseaux recouvrait le sol. Des couteaux et une batterie de cuisine étaient accrochés au-dessus de l'évier. La maison paraissait inhabitée. Volkov ouvrit la dernière porte et poussa un juron avant de la refermer précipitamment derrière lui. Quelques secondes plus tard, il l'ouvrait de nouveau et faisait signe à Stovin et à Bisby de s'approcher. Ils s'avancèrent, suivis de Valentina. Volkov fit un geste de la main pour signifier à la jeune femme de ne pas venir.

— Je vous en prie, attendez un instant. C'est préférable, dit-il. Il se retourna et montra quelque chose du doigt. Il resta dans l'encadrement de la porte pour boucher la vue à Valentina.

Un grand lit à l'ancienne mode, à deux places, se trouvait au centre de la pièce. Sur une petite table étaient posés une photographie et un téléphone. Le sol était recouvert d'un tapis rouge à bon marché. Sur le lit était étendu le corps d'un homme, la tête et les épaules renversées. Il regardait vers la porte, la tête bizarrement tordue. Les cheveux noirs, gras et plats, tombaient dans une flaque de sang. Bisby s'avança. Il s'agenouilla près du corps et doucement plongea l'index dans la blessure.

— On lui a tranché la gorge, dit-il. Il n'y a pas très longtemps. Trois ou quatre minutes. Le sang est encore chaud.

Le Tchouktche, le visage impassible, s'était approché de Bisby. Il regarda le mort. Au bout d'un instant, il s'agenouilla lui aussi et releva la manche tachée de sang. Une montre sans valeur était attachée au poignet. Le Tchouktche la détacha et la mit dans la poche de son uniforme. Volkov le regarda faire en silence. Personne ne dit mot. Il y eut simplement une sorte de hoquet près de la porte. Diane et Valentina s'étaient avancées pour apercevoir ce qui se passait. Volkov fit demi-tour et fit sortir tout le monde de la pièce. Puis, il referma la porte.

— Mais qui l'a tué ? demanda Valentina, des larmes dans les yeux.

— Impossible de savoir, dit Volkov sourdement. C'est un curieux pays. Vous vous en êtes rendu compte. Et d'étranges choses arrivent. On ne peut pas savoir.

— Vous voulez dire qu'ils... se battent entre eux maintenant ? demanda Diane. Qu'ils s'entre-tuent ?

— Pas entre eux, dit Bisby doucement. Ils tuent, mais ne s'entre-tuent pas.

Il se tourna vers Stovin.

— Vous avez vu le visage de cet homme, Sto. Ce n'est pas le visage d'un Tchouktche, ni d'un Esquimau, ni d'un Yakut. C'est le visage d'un vrai Russe. Je suppose que ce type n'est pas né très loin de Moscou. Il avait le téléphone. Peu de Tchouktches l'ont.

Stovin fit un geste en direction de l'autre mur où une carte était accrochée entre deux peaux de lièvres.

— Il avait aussi une carte.

Volkov traversa la pièce pour aller la regarder. Lorsqu'il se retourna, son visage avait perdu son air perplexe.

— Voilà, dit-il. C'est la maison d'un cantonnier. Nous en plaçons tout le long de nos grandes voies de communication. Tous les cent

cinquante kilomètres environ. Cet homme devait très certainement être posté ici pour surveiller l'état de la nouvelle route. Il est donc tout à fait possible qu'il ne soit pas de la région. Nous utilisons en effet pour ce genre de travail de vrais Russes comme vous dites.

— Alors, pourquoi? demanda Valentina.

Bisby éclata d'un rire bref.

— Ce n'est pas difficile à comprendre. Les Tchouktches circulent. Et j'imagine que les Russes avec téléphone — n'importe quelle sorte de Russes d'ailleurs — ne sont pas particulièrement aimés. En tout cas, ceux qui ont fait le coup ont dû le faire juste avant notre arrivée. Ils ont certainement vu notre camion et notre ami le soldat que voici — dit-il en montrant le Tchouktche impassible — s'approcher avec un fusil. Aussi ont-ils décampé en vitesse. Ils n'ont pas attendu de voir si nous étions des amis ou des ennemis.

— Décampé? dit Volkov. Par cette tempête?

— Ceux qui l'ont tué étaient très probablement tchouktches, dit Bisby. Ils devaient avoir un traîneau ou quelque chose comme ça avec eux. Les Tchouktches peuvent affronter des tempêtes dans lesquelles les Russes périraient. Il y a quelque chose d'autre qui me paraît bizarre...

Diane, qui se sentait faible et un peu souffrante, était allée s'asseoir sur l'une des chaises de bois près de la table. Bisby lui montra les assiettes, les fourchettes et les couteaux.

— Avez-vous remarqué que la table est mise pour deux?

Volkov regarda Bisby et d'un air décidé retourna dans la chambre du mort. Après une petite hésitation, Stovin le suivit. Le Russe s'était agenouillé à côté du cadavre et relevait la lourde et vieille couverture du lit qui pendait presque jusqu'au sol.

— J'ai pensé, dit le Russe par-dessus son épaule, qu'il pouvait y avoir une autre personne... mais non.

Il se leva.

— C'est mieux de le laisser là. Les autorités peuvent avoir envie de le voir dans la position dans laquelle nous l'avons trouvé.

La voix de Bisby leur parvint du seuil :

— Quelles autorités, Volkov? Il n'y a plus d'autorités.

Volkov fronça les sourcils.

— Bien sûr que si. Et elles doivent être informées.

— Allez-y, dit Bisby. Téléphonez.

Il paraissait presque s'amuser de la situation. Volkov décrocha l'appareil, écouta un instant et reposa le récepteur.

— Rien, dit-il. Les fils auront été arrachés durant la tempête.

— Ou coupés, dit Bisby.

En faisant un effort sur lui-même, Stovin déplaça la couverture à côté du mort. Il découvrit une chemise de nuit d'homme en flanelle épaisse et une autre plus légère avec des broderies roses à l'encolure.

— Ainsi donc, la deuxième personne, la personne manquante, est une femme, dit Volkov.

Il se dirigea vers la petite table et ouvrit le tiroir. Il en tomba quelques feuilles imprimées et deux photographies anciennes. L'une représentait un homme et une femme âgés, très probablement un couple. L'autre était le portrait en pied de l'homme étendu sur le lit avec, près de lui, une jeune femme souriant dans le soleil. Elle avait deux lourdes nattes roulées sur la tête.

— Sa femme, je suppose, dit Bisby qui avait regardé par-dessus l'épaule de Volkov. Elle non plus n'était pas tchouktche. Elle a un visage d'Européenne.

— Alors, dit Volkov, où...

Pour la première fois, la voix de Bisby était soucieuse.

— Je crois que c'est fini pour elle, Grigori.

Le Russe se retourna brusquement, surpris de s'entendre appeler par son prénom.

— Ou bien, poursuivit Bisby, elle s'est enfuie dans la tempête lorsque... ceux qui ont tué son mari sont arrivés. Ou, plus probablement, elle a été enlevée. De toute façon, elle n'a pas beaucoup de chances de s'en sortir.

Le Tchouktche passa devant Bisby et entra dans la pièce. Cette fois, il ne s'intéressa pas au cadavre. Il fouilla, en prenant son temps, parmi les sous-vêtements qui se trouvaient dans le tiroir. Il en sortit des chaussettes qu'il enfonça dans une poche de sa tunique. Les chemises de nuit posées sur le lit attirèrent son attention. Il les ramassa. Avec un geste de mépris, il jeta celle de l'homme dans un coin. Mais il fit glisser avec curiosité celle de la femme entre ses doigts. Finalement, il la plia grossièrement et la glissa dans l'ouverture de sa tunique. Puis, sans dire un mot, il retourna dans la pièce principale où se tenaient Diane et les Soldatov. Volkov, qui avait observé la scène en silence, fit signe aux Américains de sortir, les suivit et referma le gros verrou de bois de la chambre à coucher. Le Tchouktche, pensa Diane mal à l'aise en le regardant, ressemble de moins en moins au soldat soviétique tiré à quatre épingles qu'on avait pris comme garde, il y avait des siècles de cela, à Anadyr'. Il était assis à la table et piochait dans la nourriture qui se trouvait dans les deux assiettes. Il faisait du bruit en mangeant, et la graisse de la viande d'élan lui coulait sur le menton. Le fusil automatique, appuyé contre la table, était à portée

de sa main droite. Ce fut, d'une manière inattendue, Valentina Soldatov qui rompit le silence.

— Nous aussi, nous devons manger, dit-elle. Il y a de quoi ici.

Elle se dirigea vers la resserre et décrocha le gros morceau de viande cuite, de couleur sombre, suspendu au crochet. Dans une armoire, elle trouva deux miches de pain noir et des paquets de farine. Elle enfonça un doigt dans le pain.

— Il n'est pas vieux, dit-elle. Qui que ce soit que cette femme était — ou est peut-être encore —, elle faisait son pain elle-même.

— Que croyez-vous ? dit Bisby. Qu'elle courait à la boulangerie du coin ?

Au même instant, il se retourna et, de la manière la plus naturelle, tendit la main vers le fusil comme s'il voulait le déplacer pour pouvoir s'asseoir sur l'autre chaise. La main du Tchouktche se mut à une telle vitesse qu'il sembla à Stovin, qui regardait la scène, que la main du soldat n'avait pas quitté l'arme. Le canon du fusil se leva en direction du ventre de l'Américain. Le Tchouktche lança quelques mots gutturaux. Bisby les écouta attentivement et dit à son tour quelques phrases dans une langue incompréhensible pour les autres. Lentement, le Tchouktche baissa son arme et la mit sur ses genoux.

— Qu'est-ce qu'il a dit ? demanda Soldatov qui avait pâli.

Bisby haussa les épaules.

— La langue tchouktche et la langue esquimaude ne sont pas identiques, loin de là, même s'il y a des ressemblances. Je crois qu'il m'a dit de faire attention. Je lui ai dit que j'étais son ami.

— L'êtes-vous ? demanda Stovin.

La question paraissait étrange.

— Il n'arrive pas à se faire une idée à mon sujet. Et ça le tracasse. Je ne ressemble pas à quoi que ce soit qu'il ait vu auparavant. Je ressemble un peu à un Esquimau, mais il sait que je ne le suis pas. Du moins, il croit le savoir. Cette erreur peut nous être utile.

— Pourquoi ? demanda Diane.

Bisby parut soudain fatigué de la discussion et commença à mettre le couvert.

— Eh bien ! dit-il enfin, les Tchouktches n'aiment pas beaucoup les Européens. Mais ils haïssent les Esquimaux. Ils les haïssent plus que tout. Tout au moins, ça a toujours été comme ça... Peut-être les choses ont-elles changé, mais je ne le crois pas.

Un mélange de fatigue, de lassitude, une réaction à la tension nerveuse de ces dernières heures était en train de s'emparer de tous. Le Tchouktche, serrant son fusil contre lui, s'était étendu près du feu sur le tapis en peaux de renne. Tous les autres, assis à la table,

mangeaient du pain et des tranches de viande, coupées par Valentina avec le couteau de boucher pris dans la cuisine. Ensuite, discrètement, les hommes se mirent à la recherche du fusil de chasse qui devait sûrement se trouver dans la pièce. Pour Volkov, il ne faisait pas de doute que le mort en avait possédé un.

— Aussi bien pour son plaisir que pour se faire un peu d'argent dans ce désert, dit-il.

Mais le fusil n'était nulle part. Ceux qui avaient tué l'homme l'avaient emporté.

Il faisait chaud dans la pièce. Des bûches étaient entassées près du poêle. Stovin en ramassa une et la regarda attentivement. De petites particules blanches cristallines étaient prises dans l'écorce argentée. Il mouilla l'un de ses doigts, le passa sur le bois et le porta à ses lèvres. C'était salé... du bois flotté. Il devait y en avoir plein sur cette côte. Et la mer était toute proche. L'Orbi, le Yenisei et même le Mackenzie au Canada arrachaient des quantités énormes d'arbres aux forêts et les charriaient vers les mers polaires. Ce bois avait parcouru plusieurs milliers de kilomètres. Il venait peut-être de la mer de Sibérie orientale, ou de la mer de Beaufort. Il avait, durant l'été, suivi les courants descendants du détroit de Béring vers la mer de Béring et atteint finalement la baie d'Anadyr'.

Bien sûr, il y avait des couvertures dans le camion mais la tempête faisait rage. Elle secouait la petite maison. Des coups de vent s'engouffraient dans la cheminée et refoulaient la fumée dans la pièce. Il aurait été dangereux de parcourir ne serait-ce que la quinzaine de mètres nécessaires pour aller jusqu'au Tatra.

Personne ne parla des couvertures qui se trouvaient dans la chambre à coucher. On s'installa sur le plancher. Les Soldatov se servirent du tapis en peaux de daim comme couverture. Diane et Stovin, de la couverture rouge que la femme du cantonnier utilisait comme nappe.

Diane se pressa contre Stovin. Les cheveux de la jeune femme lui caressèrent agréablement les joues. Il regarda de l'autre côté de la pièce. Valentina Soldatov le regardait, souriant pour la première fois de la soirée. Elle se pencha pour dire quelques mots à son mari qui se redressa et regarda dans la direction des Américains. Un large sourire se répandit sur son visage. Légèrement embarrassé, Stovin lui rendit son sourire. Volkov, qui avait étendu, à côté du feu, son manteau doublé de fourrure près de Bisby, s'approcha de l'Américain déjà couché et fit un petit geste de la tête en direction du Tchouktche, aux trois quarts endormi, assis de l'autre côté du poêle sur la peau de renne, le dos appuyé à la table.

— Je crois, dit Volkov, qu'il serait préférable de laisser la lampe allumée. Et que l'un de nous quatre reste éveillé. Si cela vous convient, je prendrai le premier quart. J'éveillerai dans deux heures le professeur Stovin, qui réveillera ensuite le professeur Soldatov. Ce sera enfin le tour de Paul Bisby. C'est plus sûr.

— D'accord, dit Stovin. Ce serait en effet...

A cet instant, le Tchouktche se mit péniblement debout. Sans un mot, il alla vers la chambre, poussa le verrou de bois et entra dans la pièce. Il en ressortit un instant plus tard titubant, portant le mort sur les épaules. Il fit de la tête un signe à Bisby en direction de la porte extérieure. Le soldat portait toujours son fusil en bandoulière, canon vers le bas. Il pouvait ainsi laisser tomber le cadavre et braquer son arme en un instant dans n'importe quelle direction. Lentement, Bisby se dirigea vers la porte extérieure, la déverrouilla et l'ouvrit. Avec un bruit d'enfer, un tourbillon de neige et d'air glacé balaya la pièce. Le Tchouktche s'avança de quelques pas et avec un grognement sourd lança le cadavre dans la neige. Bisby l'aida à refermer la porte et à remettre les verrous. Le Tchouktche fit un geste en direction de la chambre à coucher d'un air interrogatif. Bisby secoua la tête. Méprisant, le soldat haussa les épaules, entra dans la pièce, le fusil toujours à l'épaule, et ferma la porte. Presque immédiatement on entendit le lit craquer et, quelques minutes plus tard, un ronflement continu et régulier. Marchant sur la pointe des pieds, Volkov s'approcha de la porte de la chambre et poussa le verrou.

— Je crois que nous pouvons dormir, dit-il. On ne peut pas sortir de cette chambre sans faire de bruit. Bonne nuit.

Pour Diane, sa joue chaude contre le pull-over de laine de Stovin, ce fut une nuit étrange et agitée. Stovin dormait paisiblement. Dans son sommeil, il passa sa main gauche sur le visage de la jeune femme et l'enfonça dans sa chevelure. Pendant plus d'une heure, Diane resta éveillée, écoutant le bruit de la tempête et les craquements des poutres. Par moments, elle entendait un martèlement sourd contre le mur du fond et aussi une sorte de beuglement étouffé. Était-ce aussi le vent ? Durant un instant, elle se demanda si elle n'allait pas réveiller Stovin. Mais il dormait si profondément. Ç'aurait été stupide. Mieux valait dormir pendant qu'on pouvait le faire. Le monde extérieur était bouleversé. Tout pouvait être pris, emporté. Moi-même pensa-t-elle. Elle avait remarqué une lueur hier dans le regard du Tchouktche tandis qu'il la dévisageait. Elle frissonna. Qu'est-ce qui va nous arriver ? pensa-t-elle tandis qu'elle sombrait doucement dans quelque chose qui ressemblait au sommeil.

— Est-ce que tu as lu cette merde ? dit Richie McPhee dans la véranda.

Il tendit une boîte de bière glacée à un homme grand, aux cheveux gris, qui était assis à côté de lui sur une chaise en osier, et tambourina sur une chemise de couleur violette. En ce mois de janvier, le ciel d'été de l'ouest australien était d'un bleu presque blanc. Le soleil tapait avec force sur la maison, et l'on avait l'impression que, posées sur ses pilotis, elle était en train de cuire.

— Tu veux parler de l'avertissement de Perth ? dit l'autre lentement. Oui, oui, je l'ai lu.

— J'aimerais qu'un de ces corniauds de Perth remue son cul et vienne un peu voir à quoi ressemble une ferme d'élevage, dit McPhee. Crois-tu qu'ils ont seulement entendu parler de Cambellin ? Et qu'ils savent que nous avons dévié le Fitzroy et irrigué plus de trois mille hectares ? Aucune chance de voir les troupeaux de Kimberley nettoyés tant qu'il y aura le Fitzroy.

Il s'empara de la chemise, l'ouvrit et commença à lire, d'un ton sarcastique :

— « La diminution de la hauteur des pluies dans toute l'Australie sera de l'ordre de cinquante pour cent, à l'exception de quelques poches qui resteront assez humides. Dans l'Ouest, les quelques régions d'élevage subiront des sécheresses telles qu'elles ne pourront plus nourrir les troupeaux d'ovins et de bovins : en tout cas en ce qui concerne les races actuelles. Les prévisions les plus optimistes parlent d'une diminution de trente pour cent dans les précipitations annuelles. Ces changements interviendront probablement dans une durée approximative de cinq ans. » Peux-tu me dire, Denis, pourquoi ils appellent ça des précipitations ? Peuvent pas dire pluie, nom de Dieu ?

— C'est comme ça qu'ils causent, dit l'autre. J' sais pas Richie, ils ont peut-être raison. On n'a pas eu beaucoup de flotte... Je ne me souviens pas d'une année pareille. On a perdu quelques têtes dans le sud du Kimberley. On n'a eu guère plus de mille bêtes à vendre — et un tas étaient presque à moitié sauvages, pas marquées. Pas énorme pour deux mille hectares. Elles pesaient autour de deux cent cinquante kilos, et on n'a pas réussi à les engraisser au-delà de quatre cent cinquante kilos dans l'enclos. Ça n'a pas fait beaucoup de fric. Pas une bonne année, et la prochaine risque d'être pire.

— Ah ! C'est toujours la pire des années dans le Kimberley, dit McPhee.

Il ramassa une boîte de bière vide et la lança de toutes ses forces sur un pigeon qui picorait dans la poussière près des pilotis.

— Regarde-moi ce sacré oiseau, dit-il. On ne lui fout même pas la trouille.

— Il a soif, dit l'autre.

— Il n'a qu'à donner un coup d'aile jusqu'au Fitzroy. Chouette pays pour les bestiaux et les pigeons. Il y a toujours de la flotte là-bas depuis qu'on a dévié la rivière. Qui aurait pensé qu'on pourrait élever des troupeaux sur le bord du Grand Désert ? Il y aura toujours de la flotte là-bas, Denis.

— T'as vu, ils prévoient de la neige sur le Sud-Est. Quelque chose de vraiment froid. Paraît qu'ils ont dû évacuer toutes les bases de l'Antarctique. Un véritable âge glaciaire, qu'ils disent.

McPhee éclata de rire.

— Le connard qui a écrit cette merde devrait venir ici à Olive et voir à quoi ça ressemble, un âge glaciaire.

— Paraît que ce sera comme ça, dit Denis. Froid pour certains et sec pour les autres. Foutrement sec.

— Il y aura toujours de l'eau à Olive, dit McPhee. Aussi longtemps qu'existera le Fitzroy. Et qui empêchera le Fitzroy de couler, dis-moi ça un peu, dis-moi ça, Denis ?

L'autre tapota sur la couverture violette.

— Peut-être bien un de ces couillons de Perth.

Le grand rhinocéros d'Asie sortit sa grosse tête à une seule corne du mur de hautes herbes qui avait bien six mètres de haut. Ses petits yeux myopes se posèrent sans curiosité sur l'étendue de sable plate du lit de la rivière. Sa race était en train de s'éteindre. Ils n'étaient plus que neuf cents dans toutes les Indes et il n'y en avait aucun ailleurs. Ils n'avaient pratiquement plus d'ennemis que l'homme. Et si celui-ci était agaçant avec ses appareils de photo et ses éléphants, il n'était plus vraiment un danger dans la réserve Chitawan.

Mais le rhinocéros ne se sentait pas à l'aise. En janvier, au Népal, il trouvait tout le long des ruisseaux de profonds trous pleins de boue dans lesquels il aimait se vautrer. Les chutes de pluie dans la région atteignaient en moyenne deux mètres cinquante par an. Mais cette année, les trous, les uns après les autres, s'étaient révélés à sec. Quittant les hautes feuilles, le rhinocéros, suivi de deux femelles et d'un petit, descendit le long de la berge. La rivière n'était plus qu'un mince filet d'eau. Il leva de nouveau sa tête et poussa un barrissement

de colère. Il traversa la rivière en compagnie des trois autres et s'enfonça lentement avec eux dans l'étendue jaunâtre qui se trouvait devant lui.

Dans la petite cabane au toit de roseaux, au bout du terrain d'aviation, l'homme qui soufflait dans une corne pour effrayer et éloigner les buffles lorsque arrivait l'avion de Katmandou, regardait avec un étonnement non dissimulé les quatre rhinocéros. Ils avaient disparu depuis longtemps en direction de la vallée lorsque la Land-Rover qui venait attendre l'avion arriva, laissant un nuage de poussière derrière elle.

— Je n'ai jamais vu une chose pareille, dit l'homme à la trompe au conducteur de la Land-Rover. Je n'ai jamais vu des rhinocéros descendre dans la vallée. Ils vont arriver au village et se faire tuer.

Le conducteur de la Land-Rover, un ex-soldat gurkha, avait parcouru le monde d'Aldershot à Adélaïde. Il n'avait pas beaucoup de temps à perdre avec les paysans, même s'ils travaillaient sur des terrains d'atterrissage.

— C'est formellement interdit, dit-il sans s'émouvoir.

— Mais ce n'est jamais arrivé avant, dit le paysan.

19

Stovin s'éveilla le premier. Tout d'abord, il fut obligé de faire un effort pour se souvenir du lieu où il se trouvait. Puis il fut envahi par un sentiment de malaise, une impression désagréable de vide. Pendant un instant, il resta allongé se demandant ce que c'était. Il comprit enfin. La petite maison ne craquait plus ni ne grinçait. La tempête était finie. Doucement, il souleva la tête de Diane de son épaule engourdie et la reposa sur son anorak roulé. La jeune femme remua nerveusement et prononça quelques mots dans son sommeil. Stovin se leva avec difficulté. Il se sentait vieux, raide, maladroit. De la chambre parvenait la respiration bruyante et les grognements du Tchouktche endormi. Volkov, près du feu, était couché sur le ventre. Près de lui, Bisby, assis, avait les yeux ouverts. Il sourit à Stovin mais ne dit rien. Les Soldatov dormaient toujours dans les bras l'un de l'autre. La pièce était froide. Stovin se dirigea vers le poêle, ouvrit l'arrivée d'air et mit deux bûches dans le foyer. Il poussa les verrous de bois et ouvrit la porte. Un froid perçant s'engouffra dans la pièce.

La neige était partout. Par chance, l'entrée s'était trouvée relativement à l'abri de la tempête. Aucune congère ne la bloquait. Il faisait encore nuit. Stovin regarda sa montre : il était presque huit heures. Le cadavre près de la porte n'était plus qu'une forme dans la neige. Sur la route qu'on distinguait vaguement, le camion était penché sur le côté. Il était prisonnier de la neige. De toute façon, son moteur devait être complètement gelé. Le Tatra serait inutilisable. La clôture couverte de neige, contre laquelle il s'était arrêté, se dressait d'une manière grotesque vers le ciel. La partie qui n'avait pas été endommagée faisait une sorte de rectangle autour de la petite maison. Une construction en bois supplémentaire était prise dans l'enclos. Elle avait un toit mais pas de cheminée. Un peu plus loin se trouvait une petite cabane guère plus grande qu'une guérite. Les toilettes sans doute, se dit Stovin. Des W.-C. extérieurs par un temps pareil !

Le froid était si vif qu'il avait l'impression que l'air lui brûlait les poumons à chaque aspiration. Au bout d'une minute ou deux, il commença à s'habituer. En sortant de la petite guérite, il trouva Bisby. Comme il tirait la fermeture Éclair de son pantalon, il remarqua l'air soucieux du jeune Américain.

— Ne faites jamais cela, Sto. Ne prenez jamais un tel risque par ce froid. Ne vous découvrez qu'à l'abri du vent. Même si, cet abri, vous devez le construire vous-même. Un simple coup de vent de cette *poorga* s'engouffrant dans le corral et... vous perdriez quelque chose auquel vous tenez beaucoup. Aussi, faites attention.

— Pourquoi parlez-vous de corral ?

— Eh bien !... attendez un instant, je vous montrerai.

Quand Bisby fut sorti de la petite guérite, les deux hommes se dirigèrent vers la construction attenante à la maison. Bisby tira l'un des lourds volets de bois et ils regardèrent à l'intérieur. On entendait des piétinements et des reniflements et une odeur forte et âcre chatouillait les narines. La cahute — ce n'était guère autre chose — contenait des animaux. Mais, dans le noir, il était difficile de savoir de quelle sorte ils étaient.

— Regardez-moi ces amours, dit Bisby. La plus belle chose que j'aie vue depuis longtemps.

Il remarqua l'étonnement de Stovin et se mit à rire.

— Des rennes, Sto. Quatre rennes. On aurait dû y penser. Il me semblait entendre des martèlements contre le mur durant la nuit. Je crois bien que ce sont des rennes de traîneau. Si c'étaient des rennes de boucherie, ils seraient dans la nature. Ceux-ci sont plus petits et probablement bien dressés. Il y a des lichens séchés. Un renne de boucherie ne mange pas ça.

Ils retournèrent dans la salle commune où les autres commençaient à s'agiter.

— Vous voulez dire que nous allons pouvoir les manger ? dit Stovin lentement.

A peine avait-il posé cette question qu'il se rendit compte de sa stupidité...

— Les manger ! dit Bisby. Mais, Sto, ils vont être notre moyen de transport. Il y a sûrement des traîneaux dans la cahute ou quelque part par là. C'est évident. Ce sera, croyez-moi, beaucoup plus sûr que les véhicules automobiles. Dans ce coin, on trouve plus facilement des lichens que des pompes à essence. Le cantonnier devait s'en servir. C'est avec ça qu'il faisait ses tournées de surveillance.

— Mais comment les utiliser ? Nous ignorons tout des rennes.

— Pas moi, dit Bisby vivement. Il y a pas mal de temps, une vingtaine d'années, le gouvernement US en avait amené dans l'île de Saint-Lawrence. Il voulait empêcher les Esquimaux de capturer de trop grandes quantités de baleines.

Il eut un rire amer :

— Le gouvernement souhaitait remplacer les baleines par de la viande. Vous comprenez ? Le troupeau était énorme, huit mille têtes, peut-être plus. Mais ça n'a pas marché. Les rennes sont de drôles de bêtes. Ils ne mangent qu'une seule sorte de lichen, celle du pays où ils sont nés. Mon père... Eh bien ! il était curieux de voir comment les rennes tiraient les traîneaux. Par rapport aux chiens. Il acheta quelques-unes de ces bêtes et s'en servit à Ihovak durant des années. C'est alors qu'il nous apprit à quelques cousins et à moi-même la manière de les conduire. Je sais pas mal de choses sur les rennes, Sto.

Volkov s'avança en se frottant les yeux. Stovin s'approcha de Diane qui était maintenant assise sur la couche improvisée.

— Mon Dieu ! Sto, je prendrais volontiers un bain, dit-elle, en ébouriffant ses cheveux. Y a-t-il... un petit endroit ?

Il montra la porte.

— Dehors, dit-il.

— Tu plaisantes ?

— Non, non Diane, c'est vraiment là... Prends garde, il fait très, très froid. Un froid dont tu n'as pas idée. Couvre-toi le plus possible avant de sortir.

Elle hésita.

— L'homme... est encore là ? Que je suis bête. Évidemment qu'il est encore là.

— Oui, dit Stovin, il est encore là. Mais il est recouvert de neige. Tu ne le verras pas.

L'un après l'autre, Diane et les Soldatov s'éclipsèrent. Volkov, qui avait déjà rendu visite à la guérite, proposa, quand tout le monde fut rassemblé, une conférence. Valentina coupait du pain et de la viande. Elle avait découvert un peu de thé dans l'un des placards. Une bouilloire commençait à chanter sur le feu.

— Je crois, dit Volkov, qu'il n'y a qu'une chose à faire. Mon ami que voici — il fit un signe en direction de Bisby — a vu des rennes dans la cahute. Il y a donc sûrement des traîneaux. Nous allons nous en servir pour aller à Uelen. Paul — c'était la première fois qu'il appelait Bisby par son prénom — se sent tout à fait capable de conduire un traîneau. Mais nous sommes cinq et nous aurons besoin de deux traîneaux.

— Six. Nous sommes six, si nous comptons le soldat, dit doucement Soldatov.

— Nous ne compterons pas le Tchouktche, dit Bisby d'un ton brusque. Il ne restera pas avec nous. Dès qu'il le pourra, il rejoindra ses frères. C'est pourquoi nous allons partir aussitôt que possible, grâce aux quatre rennes et aux deux traîneaux. Ce serait dangereux de rester.

— Pourquoi ? dit Soldatov. Il y aura sûrement des passages sur la route d'ici un jour ou deux. Nous avons un peu de nourriture, nous pouvons tenir jusque-là.

Volkov commença de parler, mais Bisby l'interrompit.

— Le Tchouktche ne restera pas, répéta-t-il. Il décampera dès qu'il aura passé cette porte.

Il fit un geste en direction de la chambre à coucher.

— ... Puis il reviendra avec des amis. Il y a des gens... des personnes... ici dont on peut avoir envie. Je ne veux pas vous effrayer mais je pense à vous, Diane et Valentina.

La jeune Russe s'empara du bras de son mari. Soldatov en colère éleva la voix :

— Que voulez-vous dire ? C'est un soldat de l'Union soviétique.

— Ce n'est plus un soldat de l'Union soviétique. C'est un Tchouktche — un des guerriers les plus féroces de l'Arctique. Il vous a fallu, à vous autres Russes, près d'un siècle pour en venir à bout. Et votre victoire ne date que d'une quarantaine d'années. Ce Tchouktche est en possession d'un fusil automatique qui, grâce au Ciel, est plus que ce que la plupart d'entre eux ont. Il reviendra avec ses amis aujourd'hui, demain au plus tard. C'est pourquoi nous devons partir maintenant. Avec les rennes et le traîneau, nous aurons un avantage certain.

— Lequel ? demanda Stovin qui se sentait dépassé.

Volkov hocha la tête comme s'il connaissait la réponse de Bisby.

— Avec les rennes et emmitouflés, nous ressemblerons à des Tchouktches. Ils ne penseront pas que nous sommes des Esquimaux. Presque tous les Esquimaux utilisent des chiens. C'est heureux. Je suis convaincu qu'ils vont faire la chasse aux Esquimaux. Il reste une question : qui va conduire le deuxième traîneau ?

Il regarda le petit groupe pensivement. Volkov prit la parole :

— J'essaierai, dit-il en souriant. Un homme du ministère des Affaires étrangères est capable de tout.

Bisby secoua la tête.

— Je ne crois pas, Grigori. Il faut des mains sensibles. Je pense plutôt aux femmes. Vous, Valentina, vous comprenez les animaux.

— Pourquoi pas moi ? demanda Diane. Je comprends les animaux aussi.

Elle se sentait vaguement irritée d'être tenue à l'écart. Bien que l'idée de conduire des rennes ne la réjouît pas particulièrement.

— Non, Diane. Valentina comprend les animaux avec ça, dit-il en se tapant sur le ventre. Tandis que vous... vous les comprenez avec la tête.

Il se tourna vers Volkov.

— C'est à combien cet endroit... Uelen ?

— Environ soixante-dix kilomètres.

— Bien. Écoutez. Un traîneau, tiré par des rennes, peut faire environ une dizaine de kilomètres à l'heure, un peu plus sur une surface vraiment plate telle qu'une route. Mais ils doivent s'arrêter souvent, bien plus souvent que les chevaux. Disons, toutes les deux heures. Ils ont besoin de repos et de lichens. S'ils en trouvent. Car la couche de neige risque d'être trop épaisse.

On entendit un remuement dans la chambre à coucher puis un énorme rot. Le Tchouktche était en train de se lever. Il poussa la porte et se mit à crier en tambourinant sur le montant.

— Nous pourrions le laisser là, dit Diane. Le verrou est mis.

— Non, dit Bisby. Il a son fusil avec lui. Et la première chose qu'il ferait serait de tirailler dans la porte pour faire sauter le verrou. Ce ne serait pas très agréable, ici, dans cette pièce. Non, il est préférable de le laisser sortir pendant qu'on peut le surveiller.

Il se dirigea vers la porte et poussa le verrou. Le Tchouktche sortit en traînant les pieds, les regardant d'un air soupçonneux. La transformation qui s'opérait en lui était de plus en plus surprenante. Deux jours auparavant, hier matin encore, c'était un fantassin soviétique, sanglé dans un uniforme impeccable, lavé et rasé de près. Aujourd'hui, il avait une barbe de deux jours, et sa veste était couverte de taches de graisse. Débraillé, l'air farouche, il alla vers la

table, arracha un morceau de la pièce de viande et l'enfonça dans sa bouche. On entendit un bruit sourd provenant du mur de séparation. L'un des rennes venait de heurter la cloison. Le Tchouktche tout occupé à s'empiffrer ne parut pas le remarquer. Après avoir mangé, il jeta quelques regards en coin puis se dirigea vers la porte, son fusil en bandoulière sur l'épaule gauche. Planté sur le seuil, il poussa un cri étrange et guttural. A moins de cinq cents mètres, de l'autre côté de la route, parvint le même son flûté et rauque. En sortant, le Tchouktche donna un léger coup de pied au cadavre recouvert de neige. Tout le monde le regardait en silence, fasciné. On aperçut alors un nuage de neige. Un traîneau tiré par deux rennes s'arrêta sur la route. Trois Tchouktches portant des fourrures en descendirent et s'approchèrent du soldat. Ils échangèrent quelques paroles rapides dans une langue gutturale. Puis, l'un d'eux éclata de rire et donna une grande claque sur l'épaule du soldat. Un large sourire illumina le visage de ce dernier. Il revint vers la maison où les Américains et les Russes attendaient en silence. Il les regarda attentivement comme s'il faisait un choix. Puis, du pouce, il montra la porte à Valentina et fit glisser son arme sur sa hanche. Il cria un seul mot d'une voix rauque, en indiquant la porte. La jeune femme recula vers Soldatov qui était devenu livide. Avec un grognement d'impatience, le Tchouktche fit un arc de cercle avec le canon de son fusil et s'approchant de Valentina la saisit par les cheveux. La jeune femme se mit à hurler. Moitié riant moitié grognant, le Tchouktche la tira vers la porte, le fusil à la hauteur des hanches, pointé vers les autres. Désespéré, Soldatov fit un pas en avant. Mais Bisby l'avait précédé. Diane qui, paralysée et horrifiée, regardait la scène se souvint plus tard que personne n'avait vu Bisby bouger. Simplement, tout d'un coup, il était à côté du soldat. La pointe du couteau de boucher, avec lequel Valentina avait coupé la viande, tranchante comme un rasoir, était appuyée contre la gorge du Tchouktche si fermement qu'un petit filet de sang commença à couler vers le col de la vareuse. Les yeux de l'homme se mirent à rouler de gauche à droite. Bisby enfonça la pointe un peu plus avant. Le Tchouktche lâcha les cheveux de Valentina. La jeune Russe en trébuchant revint au milieu de la pièce.

Le corps de Bisby était collé à celui du Tchouktche. On avait l'impression qu'ils étaient en train de danser. Mais le couteau était toujours appuyé contre la gorge du soldat qui tenait encore le fusil derrière son dos. Toutefois, il ne pouvait pas atteindre la détente sans que Bisby s'en aperçût.

— Prenez le fusil, Sto, dit Bisby. Et quand je fais un pas en arrière vous me le passez immédiatement.

Stovin arracha le fusil de la main du Tchouktche. Au même instant, Bisby repoussa violemment le soldat et prit l'arme des mains de Stovin. Il recula de quelques pas et braqua le canon sur l'estomac du Tchouktche. Les trois autres Tchouktches, immobiles et silencieux dans la sombre clarté matinale, observaient la scène depuis la porte. Bisby montra le traîneau et hurla un seul mot. Lentement, se retournant de temps en temps, les quatre Tchouktches s'éloignèrent en s'enfonçant dans la neige. A mi-chemin, ils s'arrêtèrent et entamèrent une violente discussion. Le soldat accompagné d'un de ses complices revint vers la maison. Immédiatement on entendit une détonation, et la neige s'éleva en gerbe aux pieds du soldat. Ils se mirent alors tous à courir et, en trébuchant, atteignirent le traîneau. Un instant après, ils disparaissaient en soulevant un nuage de neige derrière eux. Bisby en souriant caressa le fusil.

— Utile, cette petite chose, dit-il. J'espérais bien qu'il allait faire une connerie.

Volkov tendit la main.

— Je pense... Eh bien ! ce matériel appartient à l'armée soviétique.

Bisby le regarda, impassible.

— Non, Grigori. Je l'ai, je le garde. En tout cas pour le moment.

Valentina, le visage défait, les joues pleines de larmes, posa une main sur l'épaule de Bisby, se mit sur la pointe des pieds et lui fit un petit baiser. Bisby la regarda en souriant. La tension se relâcha.

— Si c'est comme ça, je veux bien recommencer tout de suite ou à n'importe quel moment, dit-il.

On rit un peu, y compris Volkov. Mais Stovin remarqua que Bisby serrait le fusil et que Volkov le regardait.

20

Volkov observait les préparatifs du départ avec un sentiment d'irréalité. Tout le temps qu'il avait été responsable du petit groupe, il avait été capable d'écarter doutes et craintes pour lui-même et pour les autres. Mais la situation était changée. C'était Bisby qui, maintenant, prenait les décisions. Il était évident pour tous que c'était lui qui sentait le mieux la nature du monde qui les entourait. Il restait un mystère. Aucun des autres ne le comprenait. Mais lui, Volkov, avait une impression d'isolement parmi les Américains. Certes, les Soldatov étaient des citoyens soviétiques. Mais Soldatov, malgré son

extraordinaire intelligence dans son domaine, était par certains côtés naïf. Et Valentina Soldatov... était sa femme. Pour la première fois de sa vie, Volkov était coupé de ses supérieurs. Il savait que tout ce qu'il ferait serait très probablement critiqué. Cependant, sa tâche était là. Il devait s'arranger pour que le petit groupe atteigne les États-Unis. Et il devait le faire sans mettre leur vie en danger inutilement. Cette étonnante rébellion des Tchouktches — il aurait été, bien sûr, préférable que les Américains ne voient pas ça — n'avait pas été prévue, ne pouvait pas avoir été prévue par ses supérieurs à Moscou. Pas plus d'ailleurs que le cas de force majeure qui les avait obligés à atterrir à Anadyr'. Je dois agir en fonction de ce qui se passe, mais mon devoir est de les emmener là-bas à tout prix.

Bisby était en train de vérifier les traîneaux. Il en avait trouvé trois, rangés contre le mur du fond, dans la petite étable. Ils étaient presque semblables, mais Bisby évidemment avait choisi ceux qui lui paraissaient en meilleur état. Ils avaient un peu plus de quatre mètres de long et un peu moins d'un mètre de large. Le fond, à environ trente centimètres du sol, était posé sur un cadre de bois auquel étaient fixés les patins d'acier. L'ensemble était entouré d'une petite pièce de bois formant un rebord de quelques centimètres d'épaisseur qui, sur le devant, faisait un arc de cercle, permettant d'attacher les sangles. Minutieusement, Bisby vérifia les patins, cherchant la moindre fêlure ou déformation. Satisfait de son examen, il retourna dans la salle. Valentina, avec une petite moue de dégoût, faisait bouillir dans une grande casserole en fer un peu de boue gelée prise dans l'étable. S'amusant de la répulsion de la jeune femme, Bisby emmena la casserole près des traîneaux. Il enveloppa ses mains dans des chiffons pour ne pas les mettre en contact avec le métal glacé et, sous les yeux de Valentina intriguée, étendit la matière chaude sur les patins.

— Cela nous facilitera la conduite, dit-il. L'acier n'est pas ce qu'il y a de mieux pour les patins — les os de baleine ou le bois de bouleau sont préférables —, mais l'acier dure plus longtemps. L'ennui c'est que la neige s'accroche à lui et gèle.

Quand il eut fini d'étendre la bouillie, Valentina lui apporta, à sa demande, un chiffon épais plongé dans de l'eau chaude. Rapidement, il passa l'étoffe humide sur les patins. L'eau prenait immédiatement sur la bouillie déjà dure. La surface des patins était ainsi merveilleusement lisse. Bisby tira le traîneau vers une étendue de neige plate et lui donna de la paume de sa main gantée une petite poussée. Le traîneau glissa avec une étonnante facilité. On avait l'impression qu'il allait décoller. Bisby hocha la tête avec un air de satisfaction et fit subir la même opération au deuxième traîneau.

— Où avez-vous appris cela ? lui demanda Stovin.

La voix de Bisby se fit vague, lointaine, comme toujours lorsqu'on faisait allusion à sa vie esquimaude.

— Oh ! il y a longtemps. A Ihovak. On ne peut pas faire confiance aux patins d'acier quand il fait vraiment froid. Mais, évidemment, ce pauvre type n'était pas esquimau. Il faisait confiance à l'acier.

Dans l'étable, Bisby regarda attentivement les rennes. Deux d'entre eux étaient de jeunes bêtes. L'une d'elles paraissait particulièrement rétive et récalcitrante. Elle lança de nombreux coups de sabots tandis que l'on disposait, avant de les fixer solidement à l'arc de bois à l'avant du traîneau, les sangles en peau de phoque autour de son cou et entre ses pattes. Les deux autres étaient plus vieux et plus dociles. C'étaient ceux-là que prendrait Valentina. Bisby les attela soigneusement au plus petit traîneau, vérifiant et revérifiant les courroies. Puis il appela Valentina et commença à lui expliquer la manière de conduire les rennes.

— Laissez-les aller à leur propre allure à moins qu'ils ne ralentissent vraiment trop. Ils ont l'habitude d'être attelés. Ils savent très bien ce qu'ils doivent faire. Le seul problème, c'est qu'ils ont besoin de s'arrêter très souvent. Il faut qu'ils mangent. De toute façon, je serai devant et je déciderai des arrêts. Nous allons prendre avec nous tous les lichens séchés. Il y en aura probablement assez. La neige — il montra l'étendue blanche au-delà de la route — semble profonde par là. Les rennes risquent de ne pouvoir atteindre les lichens accrochés aux rochers si la couche est trop épaisse et trop dure.

Il regarda le ciel et secoua la tête.

— De plus, ça va se remettre à neiger. Ça ne va pas être facile de voyager mais cela aura au moins l'avantage de tenir les Tchouktches à l'écart. Il faut charger les traîneaux le plus vite possible.

Les préparatifs de départ et de chargement prirent presque une heure. C'est Bisby et les deux femmes qui s'en occupèrent. Stovin, qui ne voulait pas rester inactif, avait emmené Soldatov et Volkov sur le talus dominant la route. Placés à quelque distance les uns des autres, ils surveillaient l'arrivée éventuelle des Tchouktches. Le froid était intense. Ils étaient couverts de telle sorte que l'on apercevait à peine leurs yeux. Mais les cils se couvraient de givre d'une façon désagréable. Accroupi au bord de la route, Stovin regardait la grande plaine uniformément blanche, limitée seulement à droite et à gauche par une rangée de montagnes trapues et peu élevées. Il s'agissait, selon Soldatov, des monts Khrebet Chukotsky au nord, et des collines de la presqu'île de Chukotsky au sud. Un petit nuage de neige se formait devant sa bouche. Tout était immobile. Derrière lui, la route

s'enfonçait en lacets dans une petite vallée. Totalement recouverte de neige non déblayée, elle était devenue impropre à la circulation. On ne la distinguait qu'à cause de la blancheur plus vive le long de son parcours. Les quatre Tchouktches semblaient s'être complètement évanouis. Puis Stovin aperçut un petit point dans le lointain. La couleur uniformément blanc-gris du paysage l'empêchait d'évaluer précisément la distance : un kilomètre peut-être à l'est. La lumière — si l'on peut parler de lumière en janvier à quelque deux cents kilomètres au sud du cercle arctique — était à son maximum. C'est-à-dire une sorte de crépuscule. Quelque chose qui ressemblait aux faibles lumières annonciatrices de violents orages en Europe. Il observa attentivement le petit point durant un instant, puis appela Volkov qui se trouvait à une centaine de mètres. Le Russe revint vers lui avec difficulté. Quelques minutes plus tard, il était néanmoins à ses côtés, soufflant à cause de l'effort qu'il venait de fournir. Son souffle se transformait immédiatement en un nuage de petits cristaux. Sa voix était étouffée. « Ne parlez que la bouche enfoncée dans vos fourrures, avait dit Bisby. Et surtout n'enlevez vos capuchons sous aucun prétexte à moins que vous n'ayez envie de perdre le nez ou une lèvre. En l'espace de quelques minutes votre visage peut geler si le vent se met à souffler. Ensuite, ce n'est pas facile de le dégeler et l'on risque d'y perdre quelque chose. » Approchant sa tête du manteau de fourrure de Volkov, Stovin se mit à parler d'une voix forte en désignant quelque chose du doigt.

— De ce côté, dit-il, un peu à droite de ce monticule. Est-ce que vous voyez ? Il y a quelque chose là.

Volkov plissa les yeux. Il lui fallut quelques secondes pour repérer le petit point noir sur la neige. Puis il fit un grand geste pour indiquer qu'il l'avait vu. Un instant plus tard, il descendait la pente vers Bisby. Stovin resta où il était. Apparemment, il était là pour faire le guet, mais une petite voix intérieure lui disait qu'il demeurait sur place parce qu'il n'avait plus la volonté de bouger. A sa droite, Soldatov avait lui aussi remarqué le petit point noir. A demi glissant, à demi titubant, il retournait vers la maison. Il fait beaucoup de zigzags, se dit Stovin, mais cela ne l'intéressait pas. Son cerveau semblait s'être rétréci pendant qu'il était accroupi. C'était une petite pierre gelée au centre de son crâne. Le froid avait pris possession de lui comme s'il n'avait jamais eu chaud auparavant. Il ne pensait plus à rien d'autre. Son esprit engourdi l'avertit cependant que le petit point s'était déplacé légèrement dans le grand espace blanc. Et, soudain, Bisby était près de lui. Le jeune Américain regardait attentivement du côté du monticule qui se trouvait à environ un kilomètre. Que disait Bisby ?

— Un renne. Un seul. Il y a sûrement des Tchouktches dans les parages. Probablement ceux qui sont venus trouver le soldat ce matin.

Stovin fit un effort pour reprendre ses esprits. Il avait l'impression d'entendre sa propre voix comme une voix étrangère.

— Peux pas voir Tchouktches, bredouilla-t-il comme un enfant. Seulement un caribou. Peut-être sauvage.

Bisby tourna la tête et le regarda fixement.

— Ce n'est pas un caribou, dit-il. Les caribous ne sont jamais seuls. Si c'était un caribou, il y aurait un troupeau avec lui. Et sans troupeau, il serait mort. C'est un renne de traîneau. Sto, vous n'êtes pas bien ? Pouvez-vous bouger ?

Avec beaucoup de difficultés, Stovin fit signe que oui. Il protesta lorsque Bisby le tira pour le mettre sur ses pieds.

— Appuyez-vous sur moi, dit Bisby en se penchant vers lui, de tout votre poids.

Sa voix avait un ton de commandement presque désagréable. Dans une sorte de brume, Stovin le regarda, immobile. Bisby lui donna alors de sa main gantée un coup sur l'épaule. Sous l'impact, Stovin vacilla. Mais, grâce à l'épaisseur des vêtements, il ne sentit aucune douleur. Toutefois, le mouvement qu'il avait été obligé de faire réveilla en lui la conscience. En se traînant, il parvint à se mettre sur le dos de Bisby. Exhalant un nuage de cristaux, Bisby descendit difficilement la pente qui conduisait à la maison. Diane, qui l'avait vu arriver, se précipita à sa rencontre et tomba à plat ventre dans la neige. Tandis qu'elle se débattait pour se relever, Bisby était déjà près d'elle. Un moment après, Valentina qui avait quitté son traîneau arrivait à son tour.

— Nous allons le mettre à l'intérieur, dit Bisby. Pas trop près du feu. Regardez ses mains, Diane. Et vous, Valentina, faites du thé. Gény va retourner là-bas pour surveiller la route.

Ils entraînèrent Stovin dans la maison. Diane, l'air soucieux, allait lui enlever ses bottes, lorsque Bisby intervint :

— Laissez ça, dit-il.

Diane le regarda sans comprendre.

— Mais ses pieds... il peut à peine se tenir debout.

— Laissez cela. Laissez tout comme ça jusqu'à ce que je puisse jeter un coup d'œil moi-même. Ça ne va plus s'aggraver maintenant. Je retourne voir le renne des Tchouktches.

Valentina apporta le thé chaud et força Stovin à en boire un peu. Volkov paraissait inquiet. Il prit la main gauche de Stovin et la massa. La main droite, que Diane frottait depuis un certain temps déjà, avait au bout des doigts une couleur cireuse. Le Russe secoua la tête.

— Vous avez de la chance, dit-il. Un quart d'heure de plus et vous pouviez perdre les premières phalanges de vos quatre doigts. Savez-vous quelle température il fait dehors ?

Stovin fit signe qu'il n'en savait rien. Il commençait déjà à se sentir mieux. Mais ses mains le faisaient souffrir. Il avait l'impression qu'elles avaient été brûlées. Ses pieds aussi reprenaient vie. Volkov tira de sa poche un petit thermomètre bon marché.

— Le cantonnier l'avait mis dans l'étable. Quand je l'ai regardé, ce matin, il marquait moins quarante-deux. Dans l'étable, professeur Stovin. Il devait y avoir au moins trois degrés de moins à l'extérieur. J'ai déjà vu des gelures et, croyez-moi, ce n'est pas beau à voir. Il faut faire très attention. Il faut essayer de remuer les doigts à l'intérieur des gants. Ne jamais laisser vos mains en repos au-delà de quelques secondes. Et ne les posez jamais sur de la neige, de la glace ou du métal.

Se souvenant comment il avait appuyé ses mains contre le sol pour se tenir en équilibre lorsqu'il était accroupi au bord de la route, Stovin eut un sourire amer. Il se sentait de nouveau assez bien, mais ses pieds étaient douloureux. Quand Bisby revint quelques minutes plus tard, Diane lui demanda si elle pouvait délacer les chaussures. Bisby acquiesça. L'opération fut assez difficile, et Stovin ne put réprimer un cri de douleur. Ses pieds, rouges par endroits, avaient un aspect cireux à d'autres. Çà et là la chair était à vif. La peau avait été arrachée lorsqu'on avait enlevé les chaussettes gelées. Des larmes dans les yeux, Diane commença à lui masser les pieds. Mais Bisby restait imperturbable. Il alla chercher dans la resserre un pot de tabac en ferblanc rempli d'une graisse gris sale, à forte odeur de poisson, et une petite bouteille d'huile.

— De la graisse de phoque, dit-il. J'imagine que le cantonnier devait l'acheter aux Esquimaux le long de la côte. Ils s'en servent tout le temps pour toutes sortes de choses. Frottez-lui les pieds avec un peu de graisse et d'huile. Ce n'est pas trop grave, il ne perdra pas d'orteil. Pas plus de deux minutes, surtout. Autrement, ses pieds se mettraient à gonfler et il ne pourrait plus enfiler ses bottes. Ce serait très ennuyeux.

Les deux femmes réussirent à remettre les bottes mais non sans mal. Les pieds le faisaient terriblement souffrir maintenant. Pour Bisby, c'était plutôt bon signe.

— Pourquoi moi ? dit Stovin. Pourquoi pas Volkov ou Gény ? Nous étions ensemble et nous faisions la même chose.

Bisby éclata de rire.

— Eh bien ! Sto... vous êtes un petit peu plus âgé que nous. Si vous

étiez un Esquimau-phoque, ou un Tchouktche-renne, vous seriez pratiquement à la fin de votre vie. Votre circulation n'est plus aussi bonne que la nôtre. Donc, vous supportez moins bien le froid. Il faisait combien dehors, Grigori ?

— Moins quarante, dit le Russe.

— Pas étonnant, dit Bisby. Il faut faire attention, Sto.

Il se tourna vers les autres :

— Ce renne cherchait de la nourriture. Les Tchouktches sont très probablement en train de dormir maintenant. Ils se remettront en route ce soir. A mon avis, ils ne savent pas que nous avons des rennes. Ce soldat n'est pas très futé. En tout cas, le mieux est de partir très vite.

— En train de dormir ? dit Diane d'une voix incrédule. Dehors ?

— Ce sont des Tchouktches, expliqua patiemment Bisby. Ce sont des nomades. Ils chassent, vivent, voyagent, élèvent des enfants dans ce pays. Ils ont établi un bivouac dans la neige ce matin et mangé quelque chose — sans doute un peu de renne séché — et, maintenant, ils dorment. Ils ont sûrement l'intention de revenir nous voir ce soir. Ils pensent que nous serons encore là et que ce sera plus difficile pour nous de nous servir de cette petite chose dans le noir.

Il donna une petite caresse au fusil automatique pendu à son épaule.

Tout ce qui était transportable était entassé dans les traîneaux. Le fait-tout, le réchaud de camping, les provisions, toutes les couvertures, à l'exception de celles tachées de sang, les couteaux et même les peaux accrochées aux murs. En dehors des petits sacs emportés de l'avion, il y avait des siècles de cela, à Anadyr', ils n'avaient plus rien à eux. Le reste de leurs bagages était encore à l'aéroport ou plus probablement pillé. Volkov voyait d'un mauvais œil cette réquisition systématique des biens du cantonnier. Mais Bisby écarta ses objections.

— Le pauvre type, là dehors, n'a plus besoin de tout ça. Ni sa femme, qu'elle soit morte ou vivante et quel que soit l'endroit où elle se trouve. En revanche, cela peut nous être très utile. Nous ne savons pas ce que nous allons trouver, ni combien de temps encore nous resterons sur les routes. Plus rien n'est sûr, Grigori. Nous ne savons même pas où nous allons.

— Nous allons à la base aérienne de Uelen, dit Volkov. Et, là, nous serons dans un monde où l'on demande des comptes — il fit un geste en direction des bagages installés sur les traîneaux —, on fera une enquête. Nous devons prendre garde.

— En premier lieu, dit Bisby, nous devons prendre garde à nos

vies. De toute façon, ce que nous n'emporterons pas, les Tchouktches s'en empareront. Tout ce qui est dans ces traîneaux nous sera utile. Excepté...

Il regarda Stovin et hésita.

— Excepté quoi ? demanda Stovin.

— Excepté vos livres, dit Bisby en sortant pour retourner près des traîneaux.

Diane resta silencieuse, mais elle se sentait bouillir. Valentina prit sa main et les doigts meurtris de Stovin.

— Il est jeune, dit-elle. Et la jeunesse est insensible. Nous avons un dicton en Sibérie. Pas dans cette partie de la Sibérie évidemment, pas dans ce désert de neige. « A quarante ans on n'est pas encore une femme et à moins quarante il ne fait pas encore froid. » A quarante ans, on n'est pas encore un homme non plus. Un jour il s'en apercevra...

Diane avait un peu l'impression de voler. Elle était allongée à l'arrière du traîneau. C'était incroyablement chaud et confortable. Elle et Stovin, qui sommeillait à ses côtés, étaient entourés et enveloppés de couvertures et de fourrures. Devant eux se balançait contre le ciel bleu nuit, déjà piqueté de milliers d'étoiles, de cette fin d'après-midi, le dos arrondi de Bisby. Par moments, le jeune Américain poussait un cri étrange et rauque en aiguillonnant de son long bâton pointu le flanc du renne le plus rétif. A d'autres, il retenait son attelage pour permettre à Valentina, qui le suivait, de revenir à sa hauteur. Diane se retourna et regarda à travers la fente que Bisby avait ménagée dans le chargement afin de voir la route derrière lui. A environ cent mètres, l'autre traîneau avançait régulièrement. Des naseaux des bêtes s'élevaient de petits nuages blancs. Valentina se débrouillait bien. Beaucoup mieux, pensa Diane, que je ne l'aurais fait moi-même. Bisby avait eu raison. Ils s'étaient déjà arrêtés deux fois pour permettre aux rennes de manger. Néanmoins, ils avançaient à bonne allure. Douze kilomètres à l'heure, avait dit Bisby. Elle regarda sa montre. Nous devons donc avoir fait déjà une cinquantaine de kilomètres. C'est-à-dire plus de la moitié du chemin. Elle jeta un coup d'œil dehors. C'était toujours le même paysage gris clair, sans aucune couleur pour l'égayer. Même les valeurs restaient immuables. Il n'y avait aucun point de repère pour évaluer les distances, et aucune ligne d'horizon ne marquait le passage du froid terrestre au froid céleste. Elle n'arrivait pas à comprendre comment Bisby était capable de retrouver son chemin dans ce désert. Elle l'avait vu à chaque arrêt

regarder attentivement les étoiles. Ainsi, au moins, ils allaient à peu près dans la bonne direction.

Brusquement, la lumière crépusculaire du milieu du jour avait fait place à l'obscurité de l'après-midi. A présent, on ne voyait plus guère par la fente située derrière la tête de Diane que la traînée blanchâtre du deuxième traîneau. Par moments, le souffle des rennes qui montait en panache vers le ciel cachait le scintillement des étoiles. Bisby regarda autour de lui. Près de la route — si c'était bien la route —, il distingua dans la nuit la masse d'un talus. Il tira sur les rênes. Le traîneau ralentit puis s'arrêta. Peu après, Valentina avec beaucoup moins de sûreté rangeait le sien à quelques mètres. Les rennes piétinaient sur la neige durcie, exhalant des nuages de cristaux. Un vent léger soufflait vers la route avec de temps en temps quelques rafales assez fortes. Bisby leva le nez et huma la nuit. Puis il hocha la tête comme s'il venait de vérifier une hypothèse. Il se remit en marche, modifia sa direction, s'engagea sur le talus et s'immobilisa à mi-pente sur l'autre versant, qui était nettement plus escarpé et à l'abri du vent. Il descendit alors du traîneau et s'approcha de l'autre véhicule. Les rennes étaient paisibles. De temps en temps, ils enfonçaient leur tête dans la neige dans l'espoir, toujours déçu, de trouver des rochers couverts de lichens.

— Une nouvelle tempête s'annonce, dit Bisby. Celle que les pêcheurs de baleines appellent, le long de cette côte, *williwaw*. Nous pourrions être sous la neige en quelques minutes. Nous allons nous mettre à l'abri, puis nous nous reposerons pour la nuit. Ce talus, qu'on croirait fait pour nous, va nous protéger.

Un peu engourdi, tout le monde quitta à regret la douce chaleur des traîneaux. Le froid piquait les visages comme des gouttes de plomb fondu. Les pieds de Stovin le faisaient souffrir malgré les pansements confectionnés par Diane dans une vieille chemise de nuit du cantonnier. Le vent, devenu plus violent, fouettait la neige au sommet du talus et en détachait de petites particules de glace. Bisby enfonça dans la neige, de place en place le long du talus, le bâton à bout métallique dont il s'était servi pour conduire les rennes. Il revint un instant après apparemment satisfait.

Il tira de son sac le grand couteau, à la lame d'os de baleine, qu'il avait pris dans la petite maison.

— Je vais couper quelques blocs de glace pour faire un abri, dit-il. Que les hommes viennent avec moi afin d'apporter les morceaux ici. Ne les posez pas les uns sur les autres car on ne pourrait plus les décoller. Je reviendrai les mettre en place quand j'en aurai coupé suffisamment.

Il se tourna vers Diane et Valentina :

— Sortez les couvertures et les bâches des traîneaux. Vous pouvez les prendre sans rien déranger.

Puis il s'éloigna suivi de Stovin et des Russes trébuchant derrière lui. Même dans l'état de fatigue dans lequel il se trouvait, Stovin ne pouvait pas ne pas admirer la technique de Bisby pour couper les blocs. Le couteau entrait dans la neige gelée et découpait des morceaux rectangulaires de bonne taille mais pas trop grands pour qu'on puisse les transporter sans trop de difficultés. Stovin, Soldatov et Volkov faisaient la navette. Stovin sentait battre son cœur. En croisant Soldatov, il remarqua que le Russe marchait lui aussi difficilement. Seul Volkov semblait supporter sans trop de problèmes les rigueurs de la nuit. D'instant en instant, la violence du vent augmentait. Stovin s'aperçut avec déplaisir qu'il suait dans son parka. En gelant, la sueur formait une sorte de carapace de glace.

Lorsque les blocs furent en nombre suffisant, Bisby commença la construction. Il était extraordinairement rapide dans ses mouvements. Il donnait aux bords des blocs un angle de coupe différent afin qu'ils s'ajustent parfaitement. Un petit mur de forme triangulaire, la base reposant sur la pente du talus, s'élevait à vue d'œil. Une petite ouverture fut ménagée à l'une des extrémités. Stovin n'était plus capable d'admirer quoi que ce fût. Ni même de se rendre compte de ce qui se passait. Que le mur de glace fût assez haut pour le protéger du vent était son seul souhait. Bisby travaillait régulièrement, sans précipitation. Quand le mur eut atteint un mètre de haut, il s'arrêta. Les hommes firent alors glisser en travers l'un des traîneaux. La moitié du toit était faite. Alors qu'il s'approchait du second traîneau, Soldatov glissa et porta ses mains à sa poitrine. Valentina se précipita vers lui. Diane prit sa place pour installer le deuxième traîneau. Bisby entassa de la neige à l'endroit où les patins s'appuyaient contre le talus. La tempête soufflait maintenant avec une force inouïe, poussant devant elle des nuages chargés de neige. Il commença à neiger. Haletants, à bout de souffle, ils transportèrent les bâches, les couvertures, la nourriture et le réchaud dans l'abri. Puis ils s'y glissèrent l'un après l'autre. Couverts de fourrures, ils se serrèrent pour pouvoir s'allonger. La hauteur du plafond leur permettait pourtant de s'asseoir. Curieusement, on avait une impression de chaleur. Par instants, des tourbillons s'engouffraient le long des murs. Mais à l'intérieur tout était tranquille. Allongés, ils reprenaient leur respiration. Valentina souleva le capuchon de Soldatov et le regarda. Dans la lumière fantomatique de l'abri, il était difficile de voir son visage. Il lui sourit gentiment. Son souffle était plus régulier.

— Nous ne pouvons rester comme ça, dit Bisby d'un ton énergique. On aura froid. Il faut allumer le réchaud. Je vais faire une lampe.

Il prit, à l'intérieur de sa couverture enroulée, un petit récipient en fer-blanc que Stovin se souvint avoir vu dans la maison du cantonnier. Il y versa un peu d'huile de phoque et y fit tremper un bout de flanelle provenant de la vieille chemise de nuit. Il craqua une allumette et alluma la lampe. La mèche improvisée fuma quelques minutes, puis se mit à brûler régulièrement avec une petite flamme tremblotante. Peu à peu, l'abri se réchauffait. Ils burent le thé que Diane avait préparé et grignotèrent un morceau de la viande d'élan. Toutes les angoisses de ces dernières heures s'évanouirent en un instant. Ils se mirent à parler. Toute sa vie Stovin devait se souvenir de la chaleur et de l'agrément du bivouac sibérien : le doux chuintement et l'odeur d'huile de phoque de la lampe, le visage légèrement ombré de Diane. Il lui semblait n'avoir jamais été aussi bien. L'idée de devoir quitter cette tranquillité lui était insupportable.

— Vous avez appris tout ça à Ihovak, j'imagine ? dit-il à Bisby.

— Oui. Mes oncles m'ont enseigné tout ça. Quand on apprend jeune, on n'oublie pas. Mais je crois qu'ils n'auraient pas été très fiers de ma petite construction, même comme bivouac. Je ne serais pas capable d'ailleurs de construire une vraie maison, un igloo. Vous savez, on peut vivre dans le froid aussi bien qu'ailleurs. Il suffit d'apprendre.

Bisby se pencha vers Soldatov. Durant un instant, son corps s'appuya contre celui de Diane. Même à travers les épaisses fourrures il sentit de nouveau cette bouffée involontaire de désir.

— Comment vous sentez-vous, Gény ? Ça n'a pas l'air d'aller bien.

— Ça va mieux maintenant, dit Soldatov. J'étais dans le même état que Stovin lorsqu'il est rentré à la maison... j'avais froid.

— Vous manquez d'entraînement, dit Bisby.

La douceur de la voix contredisait ce que la remarque pouvait avoir d'acerbe :

— Pas étonnant avec la vie que vous menez — que vous meniez devrais-je dire. Il faut apprendre à ne pas se hâter quand c'est possible et, lorsqu'il faut aller vite, alors il faut aller très très vite. Est-ce que vous avez sué ?

— Oui, répondirent en même temps Stovin et les deux femmes.

— Alors, enlevez vos vêtements tout de suite et ouvrez le réchaud à fond. Il faut les faire sécher le plus vite possible. Sinon, ils regèleront sur vous demain. Et vous serez couverts d'écorchures très douloureuses...

C'est curieux, pensa Stovin après coup, combien on se sent peu

embarrassé ou gêné pour se déshabiller dans le bivouac. En quelques minutes, ils avaient ôté leurs sous-vêtements humides et froids et s'étaient enveloppés de nouveau dans les couvertures. Bisby disposa les vêtements retournés autour du réchaud. Diane et Valentina se montrèrent nues jusqu'à la taille mais aucun des hommes n'y porta la moindre attention. Quand arriva le moment de faire leurs besoins, ils rampèrent l'un après l'autre au fond de l'abri, dans le recoin ménagé par Bisby pour cet usage derrière la lampe et s'accroupirent dans l'obscurité.

Un peu plus tard, Bisby remit de l'huile dans la lampe et ils s'allongèrent. Stovin était couché sur le côté avec Diane serrée tout contre lui. Elle s'endormit presque immédiatement. Stovin resta éveillé, écoutant la tranquille respiration de la jeune femme et celle un peu moins perceptible de Soldatov. Bisby et Volkov parlèrent un moment à voix basse, mais on ne comprenait pas ce qu'ils disaient. Puis, peu à peu, le bruit de voix cessa. Volkov rota bruyamment une seule fois. Stovin regardait le reflet fumeux et jaune de la lampe sur le plafond. Et, lentement, il sombra dans le sommeil. Sommeil troublé par d'étranges rêves. Il rêvait d'ailleurs encore à moitié quand Bisby accroupi au-dessus de lui le secoua pour le réveiller.

— Habillez-vous, mettez vos chaussures, souffla-t-il. Et commencez à ranger. Réveillez les autres. Je ressors. Il y a une petite lumière sur le talus à deux cent cinquante mètres environ. Un bivouac semblable au nôtre, j'imagine. Ce sont sans doute les Tchouktches... Les quatre que nous connaissons bien. Je me trompais : ils nous ont suivis toute la journée, jusqu'au moment de la tempête.

L'heure de la prière approchait quand Zayd vit les gazelles. Elles étaient cinq. Un mâle, trois femelles et un petit. Elles trottaient sur la crête dans l'ombre du soir. Le Sahara, dans cette région, était couvert de pierres et parsemé, çà et là, de quelques épineux et de broussailles. Pour Zayd, c'était clair. Les gazelles cherchaient un oued pour se protéger du froid de la nuit. Il fit signe aux enfants et à Zénoba de se taire, et prit le fusil accroché à la selle du chameau. En rampant, il gagna le monticule qui se trouvait entre lui et les gazelles. Les bêtes étaient au moins à deux cents mètres. Un soleil aveuglant se couchait derrière elles. Il était difficile de les repérer dans l'ombre. Pendant un instant, il crut qu'elles étaient parties. Puis, de nouveau, il les aperçut se détachant contre le ciel au moment où elles allaient franchir la crête... le mâle d'abord, puis une femelle et le petit ; et enfin les deux autres femelles. Il choisit la première femelle. Elle était certainement

la mère du petit et aurait peut-être du lait. Grimaçant dans le soleil, il appuya sur la détente. Le mâle avait disparu, descendant déjà l'autre versant. La femelle le suivait de près au moment où il fit feu. Ébloui par l'éclair de l'arme, il n'était pas sûr de l'avoir touchée. Toutes les bêtes avaient disparu. Zayd, tenant son fusil, courut jusqu'à la crête où elles se tenaient un instant avant. Désappointé, il ne vit rien dans la lumière crépusculaire. Puis, brusquement, il découvrit l'animal recroquevillé dans un trou. La gazelle était morte. La balle lui avait traversé le cou. Elle n'était guère plus grosse qu'un chien. Mais elle serait la bienvenue. Ils mangeraient de la viande pour la première fois depuis qu'ils avaient terminé le dernier morceau pris sur la chamelle après qu'elle se fut brisé l'une des pattes avant dans le lit d'un oued plein de cailloux. Il se redressa et appela Zénoba. Il reprit son visage hautain et impassible avant qu'elle n'arrivât près de lui.

— Prépare ça, dit-il en désignant du bout de son fusil l'animal mort. Et fais attention au lait. Il sera bon pour les enfants. C'est l'heure de la prière.

Il s'agenouilla dans le sable, le visage tourné vers la ville sainte, là-bas, très loin vers l'est.

— Au nom d'Allâh, le Miséricordieux...

21

Bien que Bisby eût essayé de maintenir les traîneaux près du talus pour les cacher aux regards, il était évident que les Tchouktches les avaient repérés dès qu'ils s'étaient mis en mouvement. Peu à peu, le talus s'abaissait. Puis il disparut complètement et l'on retrouva la ligne de la route à peine visible dans l'immense plaine. Le traîneau tchouktche avançait parallèlement, à environ quatre cents mètres sur la droite. Tout en conduisant, Bisby l'observait. Mais la faible lumière des matins de l'Arctique ne lui permettait guère de voir autre chose que la traînée de neige que les Tchouktches laissaient derrière eux. Apparemment, le traîneau n'était tiré que par un seul renne. Ainsi, pensa-t-il, ce traîneau, tiré par un seul renne avec quatre hommes dedans, veut triompher d'un traîneau tiré par deux rennes avec trois hommes à bord ? Évidemment, si ç'avait été aussi simple que cela, les Tchouktches n'auraient eu aucune chance. Bien sûr. Mais il y avait Valentina... Elle ne pouvait pas conduire son traîneau, qui peinait déjà derrière, aussi vite qu'il menait le sien. Il se retourna et tira

doucement sur les rênes. Un écart s'était déjà creusé entre eux. Comme des loups, les Tchouktches étaient revenus vers la gauche comme s'ils voulaient couper la route au deuxième traîneau. Dans cette presque totale obscurité, ils pourraient emporter tout ce qu'ils désiraient — choses et gens — et rebrousser chemin avant que Bisby eût le temps de faire demi-tour. Il ralentit de nouveau afin que Valentina pût se rapprocher encore un peu. Immédiatement, le traîneau tchouktche repartit vers la droite pour reprendre son avance parallèle. Bisby savait parfaitement pourquoi ils agissaient ainsi. Tant que lui, Bisby, serait là, ils prendraient garde. Ils se souvenaient du fusil. Un court instant, il caressa l'idée de passer l'arme à Stovin ou à Diane. Ils auraient pu tirer sur eux et peut-être, avec un peu de chance, atteindre la cible. Non, ça ne valait pas la peine de prendre ce risque. Il n'y avait que douze balles dans le chargeur et l'on pouvait avoir besoin de toutes. De plus, Volkov était là. Ce n'était pas un homme à fermer les yeux sur une fusillade dirigée contre des gens qu'il considérait très certainement encore comme des citoyens soviétiques. Et, vraisemblablement, il devait y avoir des forces armées et de police à Uelen. Volkov ne manquerait pas de faire un rapport. Ce n'est pas un mauvais type, pensa Bisby, mais il appartient au KGB des pieds à la tête.

Peu à peu, le paysage se transformait. Il devenait moins plat. Après avoir tourné vers l'est, ils longeaient maintenant, parfois à moins d'un kilomètre, des hauteurs dominant une grande surface gris-blanc que Bisby savait être la mer de Béring. Devant eux se dressait la masse sombre de falaises déchiquetées tombant en terrasses dans la mer. Plus loin, on apercevait de petites montagnes à peine plus hautes que des collines. Autour de leurs sommets remuait lentement une brume blanche. Elles devaient avoir environ huit cents mètres de haut. Bisby regarda derrière lui pour la vingtième fois. Les Tchouktches, gênés par les falaises qui se trouvaient à leur droite, étaient revenus vers la terre. Ils suivaient à un kilomètre environ Valentina. Un peu plus tard, alors que la lumière était à son maximum, Bisby se retourna de nouveau et s'aperçut que les Tchouktches n'étaient plus là. Il n'éprouva aucun soulagement : c'étaient des chasseurs. Ils n'allaient pas renoncer aussi facilement, après tout le mal qu'ils s'étaient donné. Qu'étaient-ils donc en train de préparer ? Évidemment, ils connaissaient le pays tandis que lui, Bisby, devait se contenter de suivre la route en espérant que c'était ce qu'il y avait de mieux à faire. Avaient-ils pris un raccourci pour lui couper la route par surprise ? Il regrettait amèrement de ne pas avoir de carte adéquate. Cependant, tandis que les traîneaux avançaient dans la faible lumière de midi, cette idée

s'imposa à lui avec de plus en plus de force. Avaient-ils un fusil ? Probablement pas. S'ils en avaient eu un, ils l'auraient déjà utilisé. Les Tchouktches étaient connus pour avoir la détente facile. Ils devaient avoir d'autres projets.

La chance sourit à Bisby quelques minutes plus tard. La route tourna en direction de la falaise. Sur la gauche, le terrain devint accidenté. De petits ravins conduisaient au sommet d'un escarpement. Un peu comme les arêtes latérales d'un poisson rejoignent l'arête dorsale. Durant le court été sibérien, ces petits ravins devaient être remplis d'eau. Bisby en choisit un pour s'y engager, et au bout d'un moment arrêta les rennes. Puis, à la grande surprise de Diane et de Stovin, il descendit du traîneau et courut vers Valentina. Il lui demanda de ranger son traîneau près du sien.

— Que personne ne descende, dit-il, sauf vous, Grigori. Je veux jeter un coup d'œil sur ce que ces salauds sont en train de faire.

Volkov le regarda en silence, un air d'étonnement sur le visage.

— Eh bien ! vous avez vu qu'ils nous suivaient, non ? dit Bisby avec impatience.

Presque malgré lui, Volkov acquiesça.

— Mais, bon Dieu, ce n'est pas parce qu'ils ont l'intention de vous payer leur carte du Parti qu'ils font ça ! Nous devons les en empêcher.

— Ce n'est pas approprié..., commença Volkov.

Mais Bisby l'interrompit :

— Allons voir ce qu'ils fabriquent. Puis, nous prendrons une décision.

Il prit le fusil dans le traîneau et, en compagnie du Russe, il escalada les derniers vingt mètres qui restaient pour atteindre le sommet. Le paysage, autant qu'on pût en juger, était vide et désolé, s'étendant loin au-delà de l'escarpement vers des collines noyées dans la brume. Rien ne bougeait. Bisby regarda méthodiquement dans toutes les directions. Au moment où il allait renoncer à son observation, Volkov lui tapota le bras.

— Là..., dit-il, presque en dessous de nous. Trois... quatre hommes.

— Et un traîneau, dit Bisby l'air satisfait.

— Que sont-ils en train de faire ? demanda Volkov.

Les personnages étaient minuscules là-bas, à quelque trois cents mètres. Ils s'activaient près de ce qui, vu d'ici, semblait être la route. Ils entassaient des pierres sur le bas-côté. Tandis que Bisby et Volkov les observaient, ils détachèrent le traîneau du renne et le tirèrent derrière le tas de pierres. Ils le levèrent ensuite et le mirent droit

comme une porte. Puis, ils le recouvrirent d'un peu de neige. Bisby se mit à rire.

— Très intelligent, dit-il. Ils pensent qu'en prenant le virage dans cette lumière je n'aurais pas vu le traîneau derrière le tas de pierres. Ils ont raison. Je ne l'aurais probablement pas vu. Ils auraient alors remis immédiatement leur traîneau sur la route et auraient obligé celui de Valentina à s'arrêter. Il m'aurait fallu plusieurs minutes avant de me rendre compte qu'elle n'était plus derrière moi. Cela leur aurait suffi. Adieu Volkov, adieu Soldatov et, quant à vous, Valentina, adieu pour toujours !

Il porta son fusil à l'épaule et mit en joue le petit groupe. Volkov lui saisit le bras.

— Que faites-vous ? Vous ne pouvez pas tuer des citoyens soviétiques. Je ne le permettrai pas...

Bisby se tourna vers lui.

— Je ne suis pas idiot. Je sais qui vous êtes et qui je suis. Je vous promets de n'endommager aucun citoyen soviétique.

Il visa avec soin. Les hommes en bas avaient fini leur travail et s'étaient accroupis dans les rochers, en attente. Le renne libéré de son traîneau restait tranquillement près d'eux. Sa tête, apparemment, était enfoncée dans la neige. Bisby appuya sur la détente. Avant même que le bruit de la détonation ne parvînt jusqu'à eux, l'un des hommes, surpris, se redressa brusquement. Quand, une seconde plus tard, ils entendirent la déflagration, ils se mirent à courir. Celui qui était le plus près de Bisby recula précipitamment pour se mettre à l'abri des rochers. Bisby poussa un juron et fit feu une deuxième fois. Le renne vacilla, beugla et s'effondra dans la neige. Les Tchouktches détalaient à toute vitesse pour échapper au regard de Bisby. Volkov frappa de nouveau le bras de l'Américain.

— C'est bon, c'est très bon. Un renne... eh ! bien, ça s'oublie et, maintenant, ils ne peuvent plus nous suivre. C'est vraiment bon.

— Ce n'est pas bon du tout, dit Bisby. J'ai tiré deux balles. Il n'en reste plus que dix. Nous aurons peut-être besoin à un moment donné de celle que j'ai gaspillée.

— Je ne crois pas, dit Volkov. Dans une heure, peut-être un peu plus, nous serons à Uelen. Et alors — il jeta un coup d'œil en coin au fusil —, cette arme sera inutile.

Vu du promontoire que Volkov, après avoir regardé sa carte, dit être le cap Dejneva, Uelen n'était guère qu'un rassemblement de petites maisons de bois avec, à chaque bout, une grande construction

en béton. Un peu à l'écart se trouvait l'aéroport. Des silhouettes circulaient sur les sentiers entourant les bâtiments administratifs. Un grand avion de transport stationnait sur l'une des quatre aires de chargement. Volkov poussa un soupir de soulagement. Il donna une tape sur l'épaule de Soldatov qui se trouvait à côté de lui dans le second traîneau.

— L'aérodrome fonctionne, dit-il. Avec un peu de chance, demain... peut-être même ce soir, nous aurons quitté cette satanée presqu'île... Et...

— Oui ?

— Je compte sur vous pour m'aider. Vous savez évidemment que cette région est cruciale pour la défense de la mère patrie. Il est de la plus haute importance que ce Bisby ne sorte pas des bâtiments lorsque nous serons arrivés. Il ne doit rien voir du terrain d'Uelen qui puisse intéresser une puissance étrangère.

— Vous voulez parler des États-Unis ?

— Naturellement. Quand cette situation se sera éclaircie, à court terme tout au moins, la réalité reprendra ses droits. Nous vivons en équilibre, mon cher. Aussi devons-nous rester forts. Rien ne doit exister qui puisse nous affaiblir. Pas même une vague idée de ce qu'on cache ne doit pouvoir revenir à la mémoire de ce Bisby.

Soldatov se tourna vers Volkov et le regarda à travers la frange de sa capuche de fourrure.

— A court terme, Volkov, vous avez peut-être raison. Je ne sais pas. Mais la réalité, cet équilibre dont vous parlez, tout cela a changé. Il y a d'autres faits dont il faut tenir compte. L'équilibre des forces n'est plus le même.

— Les faits changent tout le temps, professeur Soldatov. Assis dans mon bureau à Moscou, je les regarde changer.

— Pas ceux-là.

Ils commencèrent à descendre en direction de l'étroite route cabossée qui conduisait dans le bourg. Sur leur droite, la mer gelée était opaque aussi loin qu'on pût la voir. Une longue langue de galets s'avançait dans la mer en partant des rochers. Cette jetée avait plusieurs kilomètres de long. En ce moment son extrémité se perdait dans le brouillard qui recouvrait la mer au nord-ouest. Elle enfermait une lagune qui devait sans aucun doute servir d'abri aux bateaux aux prises, en hiver, avec le mauvais temps du détroit de Béring. Pour l'instant, il n'y avait pas de bateaux. Bisby regarda le brouillard d'un blanc sale qui s'étendait sur la mer au-delà de la jetée. On apercevait une ligne blanche qui pouvait être des rouleaux. Mais la mer était calme et il n'y avait pas de vent. Dans cette direction, à moins de

cinquante kilomètres se trouvaient les États-Unis... l'Alaska... l'île où il était né. Un Antonov attendait sur le terrain d'aviation. Volkov devait être content. Il avait vu juste. S'il était capable de venir à bout des chinoiseries administratives qui paralysaient tout dans ce pays, on pourrait être demain à Seattle.

Ils prenaient maintenant en enfilade la principale rue du bourg — la seule rue apparemment de Uelen. Elle n'était pas pavée et en bien mauvais état. De chaque côté, étaient construites des maisons en bois. Certaines d'entre elles, remarqua Bisby, avaient des montants de portes sculptés. Comme il en avait vu quelquefois en Alaska. Évidemment, l'agglomération était surtout habitée par des Esquimaux, même si quelques techniciens venus des quatre coins de l'Union soviétique s'étaient installés là. Au bout de la rue, ils dépassèrent — c'étaient les premiers — trois hommes marchant de front. Ils longeaient une grande affiche rouge et blanche imprimé en caractères cyrilliques. Elle vantait les réalisations du dernier congrès du Parti. Les hommes levèrent la tête pour regarder les deux traîneaux. L'un d'eux portait un fusil. Il était difficile de voir leurs traits derrière les fourrures mais ils ressemblaient à des Tchouktches. Au bout du bourg la rue, après un virage, suivait la côte en direction du terrain d'aviation. Un poteau télégraphique, ses fils traînant par terre, était couché au travers de la route. Quand il le vit, Volkov, dans le deuxième traîneau, eut l'impression qu'une pierre glacée venait de lui écraser la poitrine.

Ils continuèrent leur route. Apparemment, rien n'avait été fait pour déblayer la voie autour du terrain d'aviation. Les bâtiments administratifs, aux grands toits blancs, se perdaient parmi le brouillard arrivant du détroit de Béring. Les traîneaux avançaient sans difficulté. Ils croisèrent de petits groupes d'hommes et de femmes — des Tchouktches de toute évidence — à pied ou en traîneau qui se dirigeaient vers le bourg. Ils transportaient une foule d'objets hétéroclites : des boîtes métalliques ressemblant à des classeurs, une chaise avec un dos en bois très droit, des morceaux de moquette, des ustensiles de cuisine. Ces gens, se retournant sur leur passage et les montrant du doigt, les regardaient avec curiosité. Quelques-uns leur criaient des phrases incompréhensibles. Bisby se garda bien de ralentir. L'aérodrome était abandonné. Seuls quelques Tchouktches déambulaient dans le hall. Un peu engourdis, ils descendirent des traîneaux et regardèrent autour d'eux. L'un des deux bureaux d'enregistrement des bagages avait été incendié. Des papiers carbonisés, mêlés à des fils téléphoniques arrachés, recouvraient le sol. Bisby enleva le fusil de son épaule et le prit dans la main droite. Deux

Tchouktches silencieux, postés près de la porte vitrée, ne le quittaient pas des yeux.

— Tout ça ne me semble pas fameux, dit-il. Allons jeter un coup d'œil sur cet Antonov.

— Il est impossible qu'il n'y ait personne ici, dit Volkov. A cette époque de l'année, le trafic avec Vladivostok est intense. Au moins soixante Russes travaillent sur ce terrain. Ils n'ont absolument rien à voir avec la population tchouktche.

— La population n'est pas tchouktche, Grigori. Elle est esquimaude.

Volkov s'arrêta.

— Comment savez-vous...

— Oh ! dit Bisby, j'avais un oncle qui avait un cousin qui avait une femme originaire de cette côte. Il y a longtemps. Cette partie de la côte est esquimaude. Exactement comme de l'autre côté.

— Vous voulez dire que votre oncle a épousé une citoyenne soviétique ?

Citoyen soviétique semblait être l'expression préférée de Volkov.

— Non, pas mon oncle. Un cousin de mon oncle. Mais, en effet, je pense que c'était une Soviétique. Sans doute ne le savait-elle pas. Les Esquimaux ne font guère attention aux frontières. Qu'elles soient russes ou américaines. J'imagine que personne ne le lui avait dit. Et si on le lui avait dit, cela n'aurait pas changé grand-chose.

— Tous les gens que nous avons rencontrés jusqu'ici étaient tchouktches, dit Volkov.

Il était sur la défensive, presque fâché.

— Vous avez raison, dit Bisby, les autres sont partis ou ont été faits prisonniers.

De l'autre côté du terrain d'aviation parvinrent deux détonations. C'était sans aucun doute possible des coups de feu. Soldatov mit son bras autour des épaules de sa femme. Ils s'engouffrèrent alors dans un couloir glacé où la condensation s'était transformée en givre. Le système de chauffage ne fonctionnait plus. L'Antonov était rangé à leur droite. Ils montèrent à bord en empruntant une passerelle couverte. L'avion avait été saccagé. Les coussins des fauteuils étaient crevés. On avait même tenté, sans résultat, d'arracher les sièges. La cuisine avait été pillée de fond en comble. Il ne restait plus que quelques cuillères en plastique. Stovin s'avança dans l'appareil et ouvrit la porte de la cabine de pilotage. Un homme, dans l'uniforme bleu orné de petites ailes dorées de l'Aéroflot, était assis dans le fauteuil du second pilote. Sa tête était défoncée. Le meurtre devait avoir eu lieu plusieurs heures auparavant car le sang était coagulé.

L'objet — quel qu'il fût — qui avait été utilisé pour tuer avait également servi à mettre en miettes le tableau de bord. Les cadrans étaient éclaboussés de sang poisseux. Stovin jeta un dernier coup d'œil aux commandes inutilisables, sortit de la cabine et ferma la porte.

— Il y a là-dedans un homme pour qui nous ne pouvons plus rien, dit-il. Et cet appareil est hors d'usage.

Volkov le bouscula pour se précipiter dans le poste de pilotage. Il en sortit le visage livide. Pour la première fois depuis que l'on avait quitté Anadyr, il semblait proche du désespoir.

— Mais il y a des soldats ici, dit-il d'une voix blanche. Ce terrain est une base militaire. Où sont les soldats ? Mais... que font-ils ?

Bisby remonta soudain la passerelle en courant en direction du hall.

— Les traîneaux, hurla-t-il. Je dois être fou. Nous les avons laissés sans surveillance.

En débouchant dehors, il trouva trois Tchouktches en train de s'agiter autour des véhicules. L'un d'entre eux tirait des couvertures et des peaux du traîneau de Valentina. Les deux autres s'affairaient pour dételer les rennes de Bisby. Lorsque l'Américain se mit à crier, ils levèrent la tête mais continuèrent en riant de faire ce qu'ils faisaient. Bisby s'agenouilla, épaula et fit feu. La balle frappa la glace au pied du Tchouktche qui tenait les couvertures et ricocha en couinant. Surpris, les trois hommes se mirent à courir. Celui qui emportait les couvertures en laissa tomber quelques-unes dans sa fuite. Ils s'évanouirent dans le brouillard qui devenait de plus en plus dense partout sur le terrain d'atterrissage. Volkov arriva tout essoufflé et jeta un coup d'œil au fusil.

— Qu'arrive-t-il ? J'espère que vous n'avez pas...

— Non, dit Bisby. Je n'ai abattu aucun citoyen soviétique.

— Est-ce qu'il manque quelque chose ? demanda Stovin.

Diane, qui le suivait, alla ramasser les couvertures que le Tchouktche avait laissé tomber. Bisby regarda dans le traîneau.

— Pas grand-chose, dit-il. Ils ont dû prendre quelques peaux. Je ne pense pas qu'elles nous manquent beaucoup. C'est une chance qu'ils ne se soient pas emparés des rennes ou des traîneaux. Nous devons faire très attention. Ne jamais laisser un traîneau sans une ou deux personnes pour le garder.

Deux minutes de plus, pensa Stovin, et nous nous retrouvions dans cette presqu'île pleine de bouillard, de voleurs et d'assassins, sans autre moyen pour nous déplacer que nos jambes. C'est déjà difficile de faire face à cette situation mais, sans les traîneaux, plus rien n'était possible. Le brouillard gagnait du terrain avec une vitesse surprenante. Il était presque impossible de voir au-delà d'une

dizaine de mètres. Bisby avait raison, il fallait faire très attention.

Ils se tenaient là, immobiles, regardant autour d'eux et ne sachant que faire.

Stovin se tourna vers Volkov.

— Où peut-on à Uelen trouver des gens qui puissent nous venir en aide ? Ou des appareils qui ne soient pas tributaires de fils ? Des émetteurs radios, par exemple.

— Il y a le Centre océanographique, dit Volkov. Et l'hôpital. Un petit hôpital, mais un hôpital.

L'hôpital, quand ils l'atteignirent, se révéla être l'un des deux bâtiments en béton qu'ils avaient vus en arrivant. Il était tout petit : juste une vingtaine de lits et une minuscule salle d'opération. Il était abandonné. Seule une personne était encore dans le bâtiment qui, de toute évidence, avait été complètement pillé. C'était une très vieille femme. Elle était couchée dans son lit près de la porte de la salle commune. Elle était morte.

— Une Esquimaude, dit Bisby.

Elle ne portait aucune trace de violence et son visage était serein. Stovin s'avança et leva la main ridée qui reposait sur la couverture. Elle retomba sur le lit exactement dans la même position.

— Raide, dit Stovin. Elle est morte depuis un certain temps. Sans doute depuis plus de vingt-quatre heures. Peut-être dans son sommeil.

De l'autre côté de la rue principale de Uelen se trouvait, face à la lagune enveloppée de brouillard, le Centre océanographique. En fait, une grande pièce avec trois ou quatre bureaux attenants. L'un d'entre eux contenait l'émetteur radio. Il était hors d'usage. Le sol de la grande salle était couvert de cartes arrachées aux murs. Des livres et des papiers s'entassaient en vrac par terre. Des instruments cassés avaient été poussés en tas dans un coin. On avait mis un tel acharnement à les briser qu'il était difficile de dire à quoi avaient bien pu servir ces pièces de cuivre tordues et ces morceaux de verre. Le Centre était vide.

Stovin regardait autour de lui avec un sentiment d'oppression. Cette salle, à côté d'une mer gelée dans une région inhospitalière et hostile, avait été l'un des avant-postes de la civilisation scientifique. Maintenant, c'était fini. A cause de quoi ? Des Tchouktches sans doute. Ce peuple féroce, d'origine mongole, n'avait guère été soumis à l'administration soviétique que depuis une génération. Que voulaient-ils ? Pensaient-ils que l'ancien ordre était terminé ? Il était improbable en tout cas — vu leur nombre — qu'ils puissent se révolter. Ce désordre n'était possible que parce que Moscou n'était pas encore au courant de ce qui se passait ici.

Stovin avait demandé à Soldatov la veille quel était le nombre de Tchouktches dans la presqu'île Chukotsky.

— Je ne sais pas très bien, Sto, avait-il répondu. Je ne connais pas les chiffres exacts. Mais certainement pas plus de huit ou neuf mille.

En tout cas, il y en avait suffisamment pour créer de sérieux troubles. Mais qu'avaient-ils donc en tête ?

— Il se passe quelque chose dans la rue, dit Diane d'une voix nerveuse.

Elle se trouvait près de la grande fenêtre avec Valentina. Bisby et Stovin allèrent les rejoindre. Les deux traîneaux étaient rangés le long du Centre océanographique. Soldatov et Volkov étaient à leur côté. L'avant-garde d'un bien curieux cortège était en train de passer devant eux : un tas de gens, portant des fourrures ou de gros anoraks, des vieux, des jeunes, des hommes, des femmes et des enfants... Certains étaient dans des traîneaux tirés par des chiens, d'autres avaient des raquettes aux pieds. Ils se dirigeaient tous vers la mer. Des dizaines de Tchouktches armés de fusils de chasse et de carabines les encadraient. On aurait dit des sentinelles surveillant un convoi de prisonniers de guerre. Mais il y avait quelque chose de plus... Bisby, le visage rouge de colère, s'écria :

— Vous avez vu ? Ces familles, là dehors, ces gens... ce sont tous des Esquimaux. Les Tchouktches disent adieu aux Esquimaux. Avec des fusils.

Un des Tchouktches en bas dans la rue les aperçut à la fenêtre. Il regarda les traîneaux et les rennes, gardés par Volkov et Soldatov. Il appela quelques-uns de ses camarades. Aussitôt une dizaine de Tchouktches vinrent le rejoindre. Trois restèrent pour surveiller les traîneaux, et les autres entrèrent dans le Centre océanographique. Ils marquèrent un temps d'arrêt en voyant l'arme de Bisby. Mais, après un petit conciliabule, ils avancèrent de nouveau. Bisby immédiatement se mit en position de tir à la hanche. Mais une angoisse le prit. Ils étaient quatre et avaient des carabines. Le chef regarda Bisby et montra la porte du pouce. Bisby secoua la tête et tapa sur son fusil. Il y eut un autre conciliabule et de nouveau le chef indiqua la porte à Bisby en lançant quelques mots d'une voix forte.

— Qu'est-ce qu'ils veulent ? demanda Stovin.

— Ils veulent que nous sortions pour nous joindre aux gens sur la route, lança Bisby par-dessus son épaule. Autant que je comprenne.

— Et puis quoi ?

— Je n'en sais foutrement rien. Ils veulent que nous suivions les Esquimaux, je suppose.

Le chef des Tchouktches s'approcha, l'air de plus en plus menaçant.

La carabine de l'homme qui le suivait était dirigée vers le ventre de Diane. Il interpella Bisby de nouveau, dans cet idiome incompréhensible. Puis il tendit la main vers le fusil. Bisby recula et poussa un cri de sommation. Le Tchouktche désigna de nouveau la porte avec le pouce.

— Je crois que nous ferions mieux d'y aller, dit Stovin. Ils sont trop nombreux. Ici et dehors. Mais ne les laissez pas prendre le fusil.

Suivis des Tchouktches, ils sortirent l'un après l'autre de la pièce. Valentina se précipita vers Soldatov qui se trouvait à côté des traîneaux. Volkov interrogea Bisby :

— Que se passe-t-il ? Où nous emmènent-ils ?

Les Tchouktches les pressaient de monter dans les traîneaux. Stovin cria en direction des Russes.

— Faites ce qu'ils disent. Ils ne vont pas nous mettre en prison. Ils veulent simplement que nous nous joignions aux gens sur la route. Valentina ?

La jeune femme, déjà assise sur le siège du conducteur, se tourna vers Stovin.

— Oui, Sto ?

— Faites attention de nous suivre de près. Nous ne devons pas être séparés maintenant.

En guise de réponse elle fit un petit signe de tête et leva son bâton vers le ciel.

— Cette fille en a, dit Bisby. Et je ne parle pas de ce que vous croyez.

Il aiguillonna ses rennes, et le traîneau se remit en marche. Diane le regarda, étonnée. Malgré sa tension nerveuse et les battements précipités de son cœur, elle était surprise que Bisby eût choisi ce moment pour faire une de ses rares plaisanteries. Cette sorte de plaisanterie en tout cas, celles que Van Gelder débitait à longueur de journée. Rien à voir avec Bisby. Ils quittèrent le Centre océanographique pour prendre place dans ce qui était maintenant la fin de l'étrange cortège. Progressivement, mais fermement, eux et les Esquimaux étaient poussés par les cris des Tchouktches vers la mer. Sur la grande jetée de galets fermant le côté nord de la lagune, ils pouvaient voir un spectacle extraordinaire. Sans doute le plus étonnant qu'ils verraient jamais. La nuit, en cette fin d'après-midi, était presque tombée et le ciel était suffisamment couvert pour cacher la plus grande partie des étoiles. Et, pourtant, une grande lueur semblait sourdre de la surface de la mer. C'était contre cette clarté que se détachait la colonne sombre et sinueuse des Esquimaux. Des lampes et des lanternes scintillaient çà et là. Ils se dirigeaient

lentement vers l'est. Il fallut un certain temps aux Américains pour comprendre que ce flot d'êtres humains, de traîneaux, de chiens et aussi de rennes quittait la terre ferme pour gagner le large du détroit de Béring.

— La mer est gelée, dit Diane.

Tout excitée, elle regarda la ligne blanche des rouleaux qu'ils avaient vue en arrivant à Uelen, quelques heures plus tôt. Ils avançaient maintenant, toujours escortés par les Tchouktches, sur la glace du détroit. Puis, peu à peu, leurs gardiens se laissèrent distancer en voyant que les rennes allaient de l'avant. Ils disparurent enfin dans la nuit. Les bruits autour d'eux étaient innombrables : aboiements des chiens, cris des Esquimaux, claquements des fouets et, à plusieurs reprises, le fracas d'une détonation. Ils entendaient aussi parfaitement le sifflement régulier des patins de leurs traîneaux. Ils s'étaient engagés sur la gauche, c'est-à-dire au nord de la colonne esquimaude. Ils avançaient parallèlement à la ligne blanche des rouleaux. Brusquement, Stovin comprit que ce n'étaient pas des rouleaux. Ou plutôt, si c'étaient des rouleaux, c'étaient des rouleaux gelés. Immense masse de glace aux volumes arrondis. Au loin, très loin, miroitaient des formes blanches, irrégulières qui se dressaient contre le ciel nocturne. Mais c'est…, se dit Stovin. Non, ce n'est pas possible. Je connais peu de choses sur le détroit de Béring, mais je sais que ce phénomène ne s'y produit pas…

— Attention ! cria Bisby.

Un des rennes trébucha et faillit tomber. Les sifflements des patins s'étaient arrêtés. Le traîneau passait avec des embardées sur des blocs de glace. La longue colonne semblait maintenant très loin, là-bas sur la droite. Une rangée de lumières qui s'effaçaient peu à peu au fur et à mesure que descendait le brouillard sur la mer gelée.

— Je ne vois pas Valentina, dit Bisby.

La voix n'était pas inquiète mais les rennes s'arrêtèrent. Ils descendirent du traîneau. Le froid était perçant. Le brouillard s'infiltrait dans leurs épais vêtements. Cependant, Stovin était trop anxieux pour accorder une grande attention à son corps. Ils se serrèrent les uns contre les autres et se mirent à crier. Diane luttait pour ne pas s'abandonner à la panique. Soudain, ils entendirent un faible appel derrière eux. Deux minutes plus tard surgissait du brouillard le traîneau de Valentina. Les rennes exhalaient des myriades de petits cristaux. On aurait dit qu'ils sortaient tout droit d'une vieille légende nordique. Les Soldatov et Volkov mirent pied à terre. Volkov donna de grandes tapes de sa main gantée sur le dos de Bisby, en répétant à tout bout de champ :

— C'est bon, c'est très bon.

— Nous allons nous y prendre autrement pour rester ensemble, dit Bisby. On risque trop facilement de se perdre dans le brouillard. Nous n'avons pas de lanternes. Il y a de la place pour deux sur la glace. Nous allons avancer de front. Lentement, car le sol est en mauvais état. Et il n'est pas question de perdre un renne.

— L'un des miens respire difficilement, dit Valentina. Le plus vieux. Regardez...

Bisby s'approcha. La bête soufflait très fort. Une traînée d'écume gelée encadrait sa gueule. Elle paraissait souffrir. Bisby haussa les épaules.

— Je déchargerais volontiers votre traîneau, Valentina. Mais ce n'est pas possible. En tout cas, pas pour le moment. Peut-être après nous être arrêtés.

— Arrêtés où ? demanda Volkov. Où allons-nous ?

— Nous allons en Amérique. Pas ce soir, évidemment. Nous n'y parviendrions pas cette nuit. Pas comme ça.

— Mais, dit Volkov, que font tous ces gens ? Où vont-ils ? Que leur arrive-t-il ?

— Ils vont en Amérique aussi. Certains d'entre eux, dit Bisby en retournant vers son traîneau.

Volkov le suivit des yeux dans le noir puis, lentement, remonta près de Valentina... Soldatov qui était resté silencieux reprit sa place à l'arrière. L'euphorie de s'être retrouvés après un moment de panique s'était dissipée. Alors que son mari grimpait dans le traîneau, Valentina vit son visage de près. Elle en eut le souffle coupé. Sa figure était défaite, ses traits tirés. On avait l'impression qu'il était au bord de l'évanouissement.

— Ho ! cria Bisby.

Le traîneau démarra.

Valentina aiguillonna le renne qui était encore en bonne santé. L'attelage se mit à avancer. Bisby allait au pas et Valentina se tenait à une dizaine de mètres sur sa droite.

— Savez-vous où nous allons ? demanda Stovin.

Je croyais être un homme de la Renaissance, pensa-t-il avec amertume, un homme qui s'adapte à toutes les situations. Mais le froid me paralyse, engourdit mon cerveau. Je dois lutter contre lui sans arrêt.

— Oui, je sais où je vais, dit Bisby.

Et c'était presque un cri de triomphe.

22

Deux heures plus tard, une falaise escarpée se dressait devant eux. Des aiguilles rocheuses déchiquetées sortaient de la glace. Valentina ralentit pour mettre son traîneau derrière celui de Bisby. Avec précaution, l'Américain se frayait un passage à travers les énormes blocs. Le brouillard s'était dissipé. La nuit était claire, remplie d'étoiles. Bisby avançait au pied de la falaise. Ses rennes, qui avaient faim et besoin de repos, renâclaient et piaffaient. Enfin, il trouva ce qu'il cherchait. C'était quelque chose de vraiment curieux. Un grand bâton droit, enveloppé dans une peau de caribou, surgissait de la glace au bas de la falaise. Au bout, maintenue en place par de petites pointes d'os de baleine, était accrochée une boîte de conserve rouillée.

— Voilà le repère, dit Bisby gaiement en arrêtant son véhicule.

Valentina qui le suivait de près l'imita aussitôt. Quitter la bonne chaleur des couvertures pour affronter le froid glacial était toujours une épreuve pour Stovin. Cette fois encore il n'y échappa pas. Il oublia toutefois sa détresse quand Bisby lui montra la falaise à la lueur des étoiles. Derrière lui, à quelques mètres, se trouvait l'ouverture d'une grotte. Un trou noir dans l'obscurité. Content de lui, Bisby se mit à rire.

— Voilà, Sto. C'est ici que nous allons passer la nuit.

— Mais comment saviez-vous ?... commença Stovin.

Bisby l'interrompit. Dans la nuit, son visage paraissait lumineux et rose.

— Je vous raconterai tout ça quand nous serons à l'intérieur et que nous aurons déchargé les traîneaux.

De derrière parvint la voix émerveillée de Diane. Un peu à l'écart du groupe, elle regardait vers le nord. Son visage aussi était rose. Derrière la masse sombre de la falaise apparut un spectacle d'une surprenante beauté.

— Regardez ça..., dit Diane lentement.

La luminosité était celle d'un beau soir d'été. Mais la lumière parcourait toute l'étendue du spectre : rouge, orangé, jaune, bleu, vert. Au nord, tout l'horizon était illuminé comme par un grand incendie de forêt. La glace réverbérait la lumière qui se transformait en une sorte de draperie phosphorescente. La lueur devint un feu courant d'où jaillissaient vers le ciel des colonnes colorées. Au bout de

quelques secondes, cette merveille commença à se dissoudre. Puis, de nouveau, elle réapparut avec encore plus d'éclat. Les formes lumineuses se modifiaient sans cesse. C'était maintenant un grand ruban rouge et argenté qui se déroulait dans le ciel nocturne. Sa luminosité faisait pâlir les étoiles. La nuit était pleine de bruits étranges. Plus tard, il apparut à Stovin qu'un rapprochement relativement juste pouvait être fait avec le froissement de grands rideaux de soie... un léger sifflement, un crépitement. Rien qu'il eût entendu auparavant. Il se mit à tousser. L'air était un peu âcre. Le ruban passa au-dessus d'eux. Des doigts d'une extraordinaire clarté se dressaient vers le ciel. Dans cette aura rouge, le visage de Bisby portait la marque d'un ravissement presque mystique. Brusquement partit du ruban un rayon lumineux qui toucha la terre. Derrière la falaise il se projetait vers l'est.

— Une aurore boréale, dit Soldatov d'une voix faible mais vaillante.

Valentina près de lui le soutenait.

— J'en ai vu beaucoup, dit-elle, mais jamais comme celle-ci.

Derrière la masse sombre de la falaise, les lumières s'éteignaient peu à peu. Bientôt, il ne resta plus qu'un scintillement rose. Bisby ne bougeait pas, regardant toujours vers l'endroit où l'unique rayon avait frappé la terre. Son visage était transfiguré. Il murmura un mot que seul Stovin crut entendre. Quelque chose comme « enfin ».

Puis il pénétra précipitamment dans la grotte. Elle était bien plus grande qu'on aurait pu l'imaginer de l'extérieur. Tout de suite à côté de l'entrée, il y avait une belle salle avec trois grottes plus petites qui débouchaient dedans. Il faisait froid mais il n'y avait pas de vent. L'air ne sentait pas le moisi. La grotte devait avoir été utilisée récemment. La preuve en était ces peaux entassées dans un coin. Il y en avait plus d'une vingtaine : renards de l'Arctique, gloutons, loups gris... Et dessous étaient rangés une extraordinaire collection d'objets : des bols en plastique de couleur, encore dans leurs emballages. Ils auraient pu avoir été achetés dans n'importe quelle grande surface en Amérique, des pantalons bon marché, des bas de nylon, des boîtes de petites saucisses pour l'apéritif... Diane regardait ce bric-à-brac dans la faible lueur venant de l'entrée. Étonnée, elle leva la tête vers Bisby.

— Qu'est-ce que c'est que tout ça ?

Il se mit à rire.

— Commerce. Savez-vous où nous sommes ?

Non, évidemment, elle ne savait pas.

— Dans la Petite Diomède. Et juste là-bas — il montrait l'entrée

de la grotte — se trouve la Grande Diomède. Ces îles sont en plein milieu du détroit de Béring. Même si, pour le moment, ce ne sont plus des îles. En temps normal, quand le détroit est gelé, même si la quantité de glace est énorme, il y a toujours des chenaux ouverts. Presque tous les hivers. N'importe quel Esquimau en forme peut venir en kayak de Sibérie ou d'Alaska. C'est pourquoi il y a tout ça dans ce coin.

— Je ne comprends pas, dit Stovin.

Bisby se remit à rire. C'est extraordinaire, pensa Stovin, comme il aime faire des mystères.

— Je vous l'ai déjà dit, Sto. Les Esquimaux — tous les Esquimaux — ne s'intéressent pas beaucoup aux frontières. Mais les Russes et les Américains s'en préoccupent. Tout particulièrement depuis que les deux côtes regorgent de stations d'alerte missile antimissile. Les Esquimaux, eux, font du commerce. Ils apportent des peaux d'Union soviétique — il y a plus de bêtes à fourrure dans ce pays qu'en Alaska — et ils les échangent contre toute cette camelote que vous voyez là. Ces choses qu'il n'est pas possible de trouver dans le paradis des travailleurs, de l'autre côté du détroit. En les revendant à l'ouest, ils gagnent du bon argent. Certes, c'est interdit mais vous n'empêcherez jamais les Esquimaux de faire ça. Personne n'ira les poursuivre, personne n'en est capable d'ailleurs. Aussi traversent-ils la frontière comme ça leur chante. Ici, nous sommes à la frontière. Elle passe entre la Grande et la Petite Diomède. La Grande est en Union soviétique et la Petite aux États-Unis. Il n'y a, ou plutôt il n'y avait, que peu de soldats soviétiques sur la Grande Diomède. Alors, les Esquimaux soviétiques viennent ici pour apporter des peaux et emporter tout ce bric-à-brac. Les Esquimaux d'Alaska apportent de nouveau de la camelote. Et ainsi de suite. Vous avez juste besoin d'un kayak. Et d'un repère pour trouver la grotte.

— Comment saviez-vous qu'elle était là ? demanda Volkov.

— Chez les Esquimaux, tout le monde sait ça, dit Bisby. C'était bien connu autrefois, à Ihovak où je suis né. Ihovak, c'est là-bas vers le sud. Je me demandais simplement si je serais capable de trouver le repère alors que la mer était gelée. Aucun Esquimau ne l'a jamais vue comme ça. Bien sûr, elle gèle chaque hiver mais on ne peut pas marcher dessus. Il y a plein de chenaux d'eau courante. Mon père m'a dit qu'un Esquimau l'avait traversée à pied sec, autour de 1912. Ce fut le dernier avant ce soir.

Il frissonna.

— Ce serait bien de décharger les bagages et d'allumer une lampe. En tout cas, il n'y a pas de neige ici. Nous pouvons mettre les rennes

dans la grande salle et utiliser les petites grottes pour dormir. Nous nous installerons à deux dans chacune d'elles.

Son regard alla de Stovin à Diane et de nouveau revint sur Stovin. Mais il n'ajouta rien. C'est Volkov qui, d'une voix troublée, posa une question :

— Alors nous... — il fit un geste en direction des Soldatov —, nous sommes aux États-Unis ?

— Sûr, dit Bisby.

— Mais nous y sommes entrés illégalement, dit Volkov. J'aurais dû me rendre compte... Je n'ai pas réalisé...

Bisby se gratta le menton.

— Vous voulez retourner là-bas, Grigori... avec ces Tchouktches qui sont aussi des citoyens soviétiques ?

Volkov ne répondit pas. Bisby attendit quelques secondes puis sortit. Il fallut presque une demi-heure pour décharger les traîneaux et installer les rennes à l'intérieur. Valentina leur donna le reste du lichen qu'on avait pris dans la maison du cantonnier. Il n'y en avait plus beaucoup et les bêtes avaient faim. Le renne malade ne mangea rien. Il resta couché sur le sol de la grotte en haletant. Valentina se pencha sur lui, mais Bisby la fit se relever.

— Il est en train de mourir, ma petite. Il ne peut plus servir. Allez plutôt voir Gény. Il n'a pas l'air très brillant.

Soldatov, la tête penchée, était assis sur une couverture. On lui avait demandé de fabriquer une lampe à huile. Il s'en était bien tiré. La flamme brûlait régulièrement dans son récipient, répandant sa douce lumière et sa chaleur aux quatre coins de la grotte. Silencieux durant toute la journée, il dit quelques mots à Valentina avant de s'allonger.

— Il n'a pas envie de manger, dit-elle. Mais il faut qu'il prenne quelque chose.

Quand le repas — chaud grâce à des morceaux de bois flotté trouvés dans un des recoins de la grotte — fut prêt, Soldatov se décida à manger.

Le plat pourtant était assez curieux : une sorte de ragoût fait avec le reste de la viande d'élan et avec quelques boîtes de saucisses pour l'apéritif. Bientôt, faute de bois, le feu s'éteignit. Cela eut au moins pour effet d'apaiser les trois rennes en bonne santé qui s'étaient réfugiés dans le coin le plus obscur de la salle. Seuls les gémissements du quatrième, couché près de l'entrée, indiquaient qu'il était encore en vie.

De nouveau, Stovin apprécia la douce chaleur et la lumière agréable que dispensait la lampe à huile. Tout invitait aux confiden-

ces, et c'est Bisby qui, cette fois, prit la parole. Il semblait moins tendu, plus sociable que durant ces deux derniers jours. Comme si quelque chose au cours de cette heure avait déterminé un changement dans son attitude. Pourtant, des bruits menaçants parvenaient jusqu'ici : des grondements lointains mais puissants, titanesques même. Quelque chose qui faisait penser à la plainte de la terre. Bisby remarqua que Stovin prêtait l'oreille. Il ne dit qu'un mot :

— Icebergs !

— Il m'avait semblé en apercevoir, dit Stovin, vers le nord à la limite des glaces quand nous sommes sortis de Uelen ce soir. Mais je n'arrivais pas à y croire. En principe, on ne rencontre pas d'icebergs dans le détroit de Béring. Il n'y a pas de glace suffisamment proche dans le nord du Pacifique pour en fabriquer. De plus, les courants vont vers le pôle. Donc, il ne devrait pas y en avoir sur la côte nord.

— Parfois, en hiver, dit Bisby, les courants descendent vers le sud. On recueille un tas de bois grâce à ça. Durant deux ou trois jours, les courants peuvent être totalement inversés. Quiconque a conduit un kayak dans ces eaux le sait parfaitement. Mais vous avez raison, Sto. Je n'ai jamais entendu parler d'icebergs dans le détroit de Béring venant du nord. Pourtant, ce sont des icebergs que nous entendons. Et des gros. Cinq cent mille tonnes, peut-être. Ils enfoncent la banquise au nord du passage.

— Le passage ? dit Diane surprise.

— Ces icebergs frappent quelque chose de particulièrement solide. Il faut être costaud pour arrêter une montagne d'un demi-million de tonnes qui avance à quelque six kilomètres à l'heure. Ils n'arrivent pas à passer à traver le chenal — ou ce qui était le chenal — entre les deux Diomèdes. Ils défoncent la glace périphérique mais s'immobilisent contre quelque chose qu'ils ne peuvent pas ébranler. Quelque chose qui les arrête net.

— Quoi ? demanda Soldatov qui avait écouté attentivement.

— La terre, dit Bisby. Ils butent sur la terre ferme. Là où elle n'existait plus depuis environ quinze mille ans. J'imagine que l'histoire se répète. Ou plutôt que la préhistoire se répète. Nous sommes ici en plein milieu du passage à travers le détroit de Béring. Cette langue de terre qui s'étendait entre la Sibérie et l'Alaska. Il y a un sacré bout de temps, ceux qui allaient devenir les Tchouktches chassèrent de Sibérie ceux qui allaient devenir les Esquimaux d'Amérique. Exactement comme aujourd'hui ces foutus Tchouktches ont chassé les Esquimaux. Mais il n'y eut pas que les hommes qui empruntèrent le passage. Les loups, les caribous, les mammouths le prirent aussi. Ce fut le lien entre les deux continents.

— Mais..., commença Diane.

Ce n'était plus possible d'arrêter Bisby maintenant qu'il était lancé.

— C'est ce que j'ai appris à l'université avant d'en avoir marre et de laisser tomber. Je crois bien que cette théorie est la seule chose qui ait eu quelque signification pour moi en anthropologie. C'est une grande idée, le passage, le pont. J'en ai toujours rêvé, mais je n'avais jamais cru que je le verrais un jour.

— Les Tchouktches ne sont pas allés à Cornell ! dit Diane. Vous ne pouvez pas sérieusement penser qu'ils se sont réveillés l'autre jour et se sont dit : « Tiens, après tout ce temps, le passage est de nouveau ouvert. Nous allons encore une fois mettre les Esquimaux à la porte. » Un raisonnement un peu élémentaire, non ?

Il y avait une nuance d'impatience dans sa voix et même une pointe de condescendance. Bisby la regarda avec ce qu'elle crut être de l'aversion. Elle en fut légèrement choquée.

— Vos loups (mais pourquoi les appelle-t-il mes loups) n'avaient jamais vu un mammouth auparavant, n'est-ce pas ? Cela ne les a pas empêchés d'attaquer les chenillettes là-bas à Novosibirsk. Tout change, ma petite. Pas mal de choses qui arrivent en ce moment ne sont pas au programme à Cornell. Ni d'ailleurs à l'université du Colorado.

C'était agaçant aussi qu'il les appelle, elle et Valentina, « ma petite ». Diane serra les dents et ne dit rien. La conversation s'anima — ce qui était un peu curieux étant donné la situation dans laquelle ils se trouvaient. Volkov, d'un air concentré, parlait avec Bisby. Bizarrement une sorte de familiarité s'était établie entre eux. Diane n'entendait pas ce qu'ils disaient. Soldatov sommeillait, mais Valentina était éveillée. Elle se faisait probablement du souci à propos de son mari. Stovin était près de Diane... chaleureux, intelligent, sensible, il rendait présent le fait que, loin de la grotte, un monde plus accueillant les attendait. Même si la planète était en train de changer. Elle regarda de nouveau Bisby. C'était vraiment un type curieux. Sans lui ils ne seraient pas là. Ils seraient encore avec les Tchouktches. Mieux valait faire la paix avec lui.

Au bout d'une demi-heure, ils se préparèrent à aller dormir. Les Soldatov prirent la première des trois grottes, Bisby et Volkov celle du milieu, Diane et Stovin la dernière. Avant de se coucher, elle alla trouver Bisby.

— Paul, ce que vous avez dit au sujet du passage n'est pas uniquement ce que vous avez appris à Cornell, n'est-ce pas ? Il y a quelque chose d'autre. Vous sembliez si... si rempli de votre sujet.

Lentement, il acquiesça. Durant un instant, à la lueur de la lampe à huile, son visage apparut jeune et vulnérable.

— En effet, Diane, il y a quelque chose d'autre. Tout cela fait partie d'un ensemble. Je savais des choses depuis longtemps.

— Mais quel ensemble ?

— Je ne sais pas. Je n'essaie pas de me dérober. Franchement, je ne sais pas. C'est quelque chose qui resurgit de mon enfance. J'ai eu une enfance un peu curieuse si l'on pense à vos normes. Aller à la chasse, faire du kayak et... les sorciers.

Diane éclata de rire, l'air incrédule :

— Les sorciers ? Oh ! continuez, Paul...

Elle se demanda tout à coup si elle ne l'avait pas mis de nouveau en colère. Mais il ne semblait pas atteint par son rire. Il souriait.

— « Il y a plus de choses sur la terre et dans le ciel que ne peut en contenir ta philosophie, Horatio. »

Sans intention particulière, Diane lui prit la main. Sa voix garda une nuance de moquerie mais, pour la première fois, elle sentait un contact authentique entre eux.

— Shakespeare, maintenant, dit-elle. Vous êtes vraiment un drôle de bonhomme, Paul. Pour moi, la chose extraordinaire n'est pas qu'un Esquimau soit devenu pilote d'avion à réaction, mais que cet Esquimau ait renoncé à Cornell.

Il ne répondit pas. Comme elle se détournait pour partir, il fit un pas en avant, lui releva gentiment le menton et l'embrassa sur la bouche. Puis il se dirigea vers sa grotte pour se coucher. Le cœur de Diane battait fort dans sa poitrine et elle le regarda partir avec des yeux d'écolière. Plus tard, elle se rappela qu'elle n'avait jamais été aussi surprise de toute sa vie. Quelques minutes après, elle s'allongeait près de Stovin.

— Stovin ? dit-elle.

— Oui ?

— Est-ce que tu n'aurais pas un petit peu envie de faire l'amour ?

— On va nous entendre, dit-il à moitié endormi. Dans les autres grottes, je veux dire. Oh !... Qu'est-ce que tu fais ?

Il était tout à fait réveillé maintenant.

— Ça ne va pas être facile, dit-il avec une répugnance feinte. Avec tous ces vêtements. Mais je crois que ce n'est pas insurmontable.

— Surmonte, Stovin. Surmonte.

Quand ce fut fini, elle resta étendue sur le dos. Elle se sentait merveilleusement satisfaite. Sa bouche était toute proche de celle de Stovin. Il murmura :

— Qu'est-ce qui t'a donné cette brusque envie ?

Elle se blottit tout contre lui.

— Oh! Stovin, de temps à autre j'ai envie de toi.

Elle s'appuya sur son coude et l'embrassa. Je l'aime, se dit-elle. Vraiment beaucoup. Mais ce n'est pas pour ça que je voulais qu'il me prenne ici et maintenant.

Elle glissait doucement dans le sommeil, écoutant vaguement les grondements lointains et sourds. Puis un bruit nouveau parvint à sa conscience. Elle l'entendit une deuxième fois. Elle donna un petit coup de coude à Stovin.

— Tu entends ça? Sûrement, c'est...

Il lui mit un doigt sur les lèvres et écouta attentivement. L'ululement se répéta. Ça venait de loin, mais c'était parfaitement distinct. Stovin se laissa retomber sur le dos.

— Oui, dit-il, ce sont des loups. Des loups qui empruntent le passage.

Sept heures plus tard, dans la faible lumière matinale, ils virent leurs premiers loups — des petits points noirs se déplaçant rapidement en plein milieu du passage. Des petits points noirs qui, de moments en moments, se fondaient ensemble. Quelques instants plus tard ils en découvrirent la raison. Ils trouvèrent quatre cadavres : une famille esquimaude avec deux enfants. Ils étaient couchés, durcis par le froid et déjà recouverts d'une mince couche de neige. Il avait, en effet, neigé à l'aube. Près d'eux gisait un traîneau cassé. Un kilomètre plus loin, ils rencontrèrent deux autres cadavres : un vieillard et un homme jeune. Cette fois, Bisby ne s'arrêta pas. Le traîneau de Valentina n'étant plus tiré que par un seul renne, on avançait lentement. L'autre était mort durant la nuit.

— Je suppose qu'il doit y en avoir pas mal par là, lança Bisby au-dessus de son épaule.

Il désignait d'un geste du bras le sud qui était à leur droite.

— Il y a plusieurs centaines de personnes qui ont tenté la traversée de ce côté-là cette nuit. Elles sont plus au sud que nous maintenant. Certes, des Esquimaux... mais les Esquimaux ne sont plus comme autrefois. En quelques années, ils ont pris les habitudes des Blancs et ont perdu les leurs. Ils ne sont plus capables de survivre dans ces conditions extrêmes. Voilà pourquoi les loups les suivent. Ils ne sont pas stupides, les loups. Ils savent très bien où se trouvent les proies.

Curieusement, Stovin ne se sentait pas concerné. Les traîneaux approchaient maintenant des côtes de l'Alaska qui devaient être à un

ou deux kilomètres. Ils longeaient le côté nord du pont de glace. Mais ce n'est pas de la glace, se rappela Stovin.

Le niveau de la mer avait baissé. Bisby avait raison. Il y avait de la terre là où, depuis quinze mille ans, il n'y avait eu que la mer. Cela confirmait exactement la sorte de changement que lui, Stovin, avait prédit pendant presque toute sa vie professionnelle. L'augmentation de la couverture de glace et de neige dans le Nord devait obligatoirement aspirer une partie de l'eau de l'océan. Le niveau de la mer était descendu. Le passage du détroit de Béring existait de nouveau. Bientôt, peut-être, le passage entre la France et la Grande-Bretagne. Et, pourquoi pas, le passage, à Bal al-Mandel, entre l'Arabie et l'Afrique. Étant donné les circonstances, n'importe quel étudiant de première année en climatologie pourrait deviner ce qui allait se passer. Mais la chose surprenante, pensa Stovin, la chose vraiment stupéfiante est la vitesse avec laquelle les choses se produisent. Pas en cent ans. Pas en dix ans. Juste une année pour faire tomber le niveau de la mer au point que les icebergs butent maintenant sur la terre ferme. Et là-haut, dans l'Arctique, un changement suffisamment important était survenu pour modifier la forme des courants. A cette vitesse, dans un an ou deux, ce ne sera plus un passage mais une large étendue de terre sèche, une toundra peut-être, réunissant deux mondes. Et voyez là-bas de quelle naissance il s'agit...

A un peu plus d'un kilomètre sur leur gauche, des icebergs gigantesques surgissaient comme une armada. L'un après l'autre, ils frappaient la couche de glace de la banquise, l'enfonçaient avec un grondement terrifiant et faisaient éclater la glace solide, immobilisée par la terre ferme, comme un verre frappé par un marteau. Le bruit, même à cette distance, ressemblait à un barrage d'artillerie. De plus, pensa Stovin, les icebergs en apportant des sédiments aident à élargir le passage.

Les traîneaux passaient maintenant le long d'une plage couverte de glace d'une largeur de cinq cents mètres environ. Elle se terminait par des falaises en terrasses assez semblables à celles de Uelen, de l'autre côté du détroit de Béring. Bisby ralentit, se retourna vers Diane et fit un geste dans leur direction.

— Le cap du Prince-de-Galles, je suppose. Je crois que le mieux est de grimper.

Entre les falaises descendaient ce qui, en été, devaient être une multitude de ruisseaux. Ils étaient, bien entendu, gelés et encombrés de rochers. Toutefois, ils ouvraient un accès vers le haut de la falaise. L'ascension se révéla terriblement difficile. Bisby demanda à tous de descendre des traîneaux. Seul Soldatov, en dépit de ses protestations,

resta à l'arrière. Il était trop malade pour supporter la montée à pied. Valentina et Volkov s'attelèrent au traîneau pour aider le renne à gravir la pente. Mais ce n'était pas suffisant. Bisby demanda à Stovin d'aller les aider. Cette ascension se révéla être l'effort physique le plus intense que Stovin eût jamais fourni. Glissant et dérapant sur la glace, il suait abondamment. La sueur se transformait presque instantanément en glace sous ses fourrures. Il reçut aussi un mauvais coup de sabot sur le côté droit alors qu'il faisait un effort en hissant le traîneau. Il fallut trois quarts d'heure d'efforts épuisants pour atteindre le sommet. Bisby et Diane avec les deux rennes étaient arrivés quelques minutes plus tôt. Bisby redescendit tant bien que mal les derniers cent mètres pour leur donner un coup de main. Après avoir atteint un sol relativement plat, ils s'arrêtèrent pour souffler et se laissèrent tomber sur les traîneaux.

— Ne vous arrêtez pas, leur cria Bisby. Pas maintenant. Il fait trop froid. Allons-y, Valentina. En route. Suivez-moi.

Les premières étoiles se montraient déjà dans le ciel alors qu'ils avançaient vers l'intérieur des terres. Ils traversaient un plateau d'un gris-blanc scintillant qui s'élevait progressivement du côté de l'est vers de petites montagnes. Elles avaient peut-être mille mètres de haut. Mais il était difficile de donner un chiffre exact car le brouillard recouvrait les sommets. Au bord du plateau, ils découvrirent les premiers signes d'habitations : quelques huttes abandonnées presque totalement ensevelies par la neige et par la glace. On ne voyait que le faîte des toits affleurant le sol. Un écriteau de bois était pris dans la glace. Stovin, de nouveau assis dans le traîneau, reprenait peu à peu sa respiration. Il se sentait mal à l'aise dans ses vêtements durcis par la glace. Il lut l'écriteau en passant : *Vales Village Store.* C'était bien agréable de lire des caractères romains après ces semaines passées en Sibérie où l'on ne trouvait que des caractères cyrilliques. Mais il n'y avait pas d'Américains ici… Rien ne bougeait en dehors des rafales de glace et de neige apportées par le vent. La neige s'était remise à tomber. Mais Stovin était trop fatigué et meurtri pour s'en soucier. Il ferma les yeux. Quand il les rouvrit, Diane le secouait. Bisby cria une phrase que Stovin ne put entendre. Il montrait quelque chose de son bâton. Les yeux larmoyants, Stovin regarda dans la direction indiquée.

A une vingtaine de mètres se tenait un homme. Il ressemblait à une apparition. Il portait de belles fourrures argentées, était chaussé de raquettes et avait un grand harpon sur l'épaule. Il leva le bras. Bisby arrêta le traîneau et alla à sa rencontre. Les deux hommes se serrèrent la main à la manière esquimaude — paume contre dos. Il y avait

longtemps, longtemps, Stovin avait vu ce geste à Anchorage. Vraiment curieux ici dans ce désert, pensa-t-il. Il s'aperçut alors que l'endroit n'était nullement désert. Tout autour de lui se trouvaient des maisons : de grands igloos avec des murs de neige extérieurs, d'un mètre de haut, formant rempart pour couper le vent. De ces maisons sortaient une foule de gens. Les enfants regardaient, bouche bée, les arrivants. Les femmes se rassemblaient pour bavarder et les vieillards, l'air interrogateur, observaient les nouveaux venus. Bisby s'adressa à un certain nombre d'entre eux. D'abord avec hésitation, puis avec de plus en plus d'assurance. Il fit signe aux autres de le rejoindre. Engourdis, ils descendirent des traîneaux. Comme Stovin vacillait, Diane lui saisit le bras. Bisby dit rapidement quelques mots au grand Esquimau qui tenait le harpon. Un instant après deux femmes aidaient Stovin à entrer dans l'igloo le plus proche. Il se sentit revivre. La pièce était circulaire, chaude et plongée dans une demi-obscurité. Trois lampes à huile brûlaient sur un baquet en bois de l'autre côté de la porte. Derrière les lampes, il y avait un tas de peaux et, apparemment, des morceaux de viande congelée. Plusieurs personnes les soupesaient attentivement. De nouveau, la fatigue eut raison de Stovin. Il aperçut encore Diane qui se précipitait pour aider à transporter Soldatov. Quelqu'un lui apporta une tasse en os fumante. Il la but. C'était du thé. Confusément, il prononça le nom de Diane. Immédiatement, elle fut près de lui. Son visage était pâle mais elle semblait solide. Bisby dit quelques mots à Stovin. Ce dernier se redressa pour s'asseoir sur l'épaisse couche de peaux sur laquelle il s'était laissé tomber. Bisby rayonnait.

— Vous voyez, Sto, nous avons réussi. Ce sont les Inuit. Le Peuple.

Avec effort Stovin se souvint du bar d'Anchorage où il avait pris — ça faisait une éternité — un verre avec Bisby.

— Je me souviens, parvint-il à articuler. Vous m'aviez dit... que votre mère...

— C'est ça, dit Bisby avec un grand sourire. Le Peuple. Voilà. Nous y sommes.

Il regarda le visage fatigué et absent de Stovin.

— C'est Sedna qui m'a montré l'endroit. Cette nuit. Nous restons ici.

Épuisé, Stovin ferma les yeux. Mais, au nom du Ciel, qu'est-ce qu'il raconte ? Encore et encore des mystères avec Bisby. Ce dont j'ai besoin, c'est de sommeil...

23

Ce qui frappa New York durant le mois de janvier fut la plus effroyable catastrophe de l'hémisphère Nord, après Chicago. Un véritable cauchemar. Si le nombre des victimes n'atteignit pas les deux cent mille morts de Chicago, le taux de mortalité fut néanmoins très élevé. A l'arrivée du mauvais temps, pendant une semaine, on crut que tout cela n'était qu'une chute de neige particulièrement abondante au milieu d'un hiver vraiment dur. L'activité, après la mise hors service des transformateurs, était pratiquement nulle. Beaucoup de quartiers n'avaient plus ni lumière, ni ascenseur, ni chauffage. Dans les appartements, transformés en glacières, les personnes âgées mouraient inévitablement. Cependant, la ville, grâce à la volonté de ses habitants, réussit à rester plus ou moins habitable. On attendait le dégel...

Après dix jours de neige, l'administration municipale se trouva devant une situation qu'elle n'avait jamais rencontrée. En fait, seuls certains secteurs, grâce à une lutte de tous les instants, purent être protégés. Le quinzième jour, le combat était pratiquement perdu. New York avec son architecture particulièrement vulnérable fut livrée à elle-même. Ce qui sauva la population du centre de l'anéantissement fut l'interruption des chutes de neige durant un jour ou deux. Le froid, évidemment, était extraordinaire. La température descendit bien en dessous de ce qu'on avait vu de mémoire d'homme et lu dans les annales. Durant ces jours, l'évacuation de la population assiégée au centre de Manhattan s'effectua dans des conditions particulièrement difficiles. Manhattan, avec ses gratte-ciel se dressant dans des rues relativement étroites, souffrait terriblement.

La tempête balaya Long Island Sound et descendit vers l'Hudson et l'East River qui gelèrent immédiatement. La glace fut recouverte d'énormes épaisseurs de neige. Sous le poids, les ponts s'effondrèrent. Le Queensboro fut le premier, suivi de peu par le Madison. En quelques jours une vingtaine de mètres de neige s'accumula dans les rues étroites et encaissées du centre de Manhattan. Même les bureaux et les magasins des grandes artères telles que la Cinquième Avenue, Park Avenue et Lexington furent ensevelis. Seule la fourniture rapide de raquettes à la police et à l'armée leur permit de faire des patrouilles dans ce désert de neige et d'aider les populations à se rassembler dans certaines zones de l'autre côté de l'Hudson. Se battant comme jamais

aucun militaire américain ne s'était battu, quinze mille soldats parvinrent à garder ouvert le pont George-Washington et ses abords. On put ainsi organiser quelques déplacements limités de population. Aucun essai ne fut fait — ou ne put être fait — pour évacuer la ville dans sa totalité. L'exemple effroyable de Chicago était encore présent à l'esprit. Toute tentative d'évacuer la ville dans son ensemble aurait d'ailleurs été vouée à l'échec. A cause du froid, des milliers de voitures refusaient de démarrer. Il n'était guère possible de garder en état qu'un nombre restreint de voies. En général, les habitants des quartiers populaires noirs, chinois, portoricains, d'abord isolés et ensuite enterrés sous la neige, obéirent aux instructions officielles et à leur instinct de conservation. Ils restèrent sur place en attendant le dégel ou tout au moins un début de dégel.

La survie sous la neige n'était pas du tout impossible. Les réserves de nourriture des boutiques et des restaurants abandonnés, en particulier là où des colonnes d'aération avaient été construites ou existaient déjà, sauvèrent la vie à des milliers de personnes.

Cependant, les grands gratte-ciel de Manhattan, le Pan Am, l'Empire State, le Chrysler et bien d'autres, se dressaient vers un ciel hostile comme des flèches prises dans un carcan de glace. Les pilotes d'hélicoptères qui survolèrent la ville déserte n'arrivaient pas à croire ce que pourtant ils avaient sous les yeux. Inutile de dire qu'ils ne chômaient pas. De nombreux gratte-ciel étaient sans électricité et sans ascenseurs alors que beaucoup de personnes se trouvaient encore dans les étages supérieurs... Certaines d'entre elles, qui s'étaient aventurées dans les escaliers, se retrouvèrent au niveau de la rue sous des hauteurs de neige qui dépassaient de loin leur propre taille. Peu à peu, par petits groupes, les hélicoptères en emmenèrent un grand nombre. Mais beaucoup de familles restèrent sur place, pensant que la nourriture disponible dans les magasins et dans les restaurants existant dans les bâtiments, leur permettrait d'attendre le dégel. Mais le dégel ne vint pas. Au bout de six semaines, le centre de Manhattan, à part quelques milliers de personnes, était abandonné de sa population. Des milliers de morts évidemment reposaient sous la neige. Leur nombre ne serait connu qu'au printemps.

Les villes européennes ne furent pas moins touchées que New York. Quelques municipalités se prononcèrent pour l'évacuation. Chaque expérience dans ce sens, comme celle de Chicago, se révéla désastreuse. Glasgow et Oslo renoncèrent à leur projet d'évacuation après avoir perdu quelques milliers de personnes dans des tempêtes de neige qui s'abattirent sur les routes du sud empruntées par les réfugiés. A Hambourg, une tentative d'évacuation de masse fit quinze

mille huit cents morts en une seule journée. Ce fut le taux de mortalité le plus élevé enregistré. En revanche, Winnipeg au Canada, bien que frappée aussi durement que Chicago, changea sa politique et demanda à ses habitants de rester sur place. On creusa des colonnes d'aération, similaires à celles de New York, pour les communautés ensevelies. Là, comme ailleurs, la réussite ou l'échec des décisions prises ne pourrait être déterminé qu'au printemps.

Dans le nord de l'Europe, les pays scandinaves souffrirent terriblement. Dès le début, le nouvel âge glaciaire s'était installé dans ces pays. Heureusement, le nombre d'habitants au kilomètre carré y était assez peu élevé. Paradoxalement, des groupements humains peu importants arrivaient assez facilement à se déplacer sans trop de risques pour se mettre à l'abri. Des milliers de Suédois et de Norvégiens furent progressivement dirigés vers le sud, au Danemark en particulier. Bien que devant affronter des conditions climatiques très dures, ce pays réussit néanmoins à accueillir un certain nombre de réfugiés.

L'une après l'autre les grandes villes du Nord — Glasgow, Winnipeg, Newcastle-upon-Tyne, Oslo, Helsinki, Moscou, Leningrad, Boston, Minneapolis, furent assiégées par la neige. Leurs habitants attendaient désespérément le printemps. On s'en allait quand c'était possible mais, le plus souvent, on restait sur place en souhaitant la fin de ces aberrations climatiques. Le nombre des morts augmentait régulièrement. A Glasgow, en une semaine, plus de trois mille personnes moururent de froid et de faim. Et des milliers étaient ensevelies dans les rues, sous la neige. Il était pour l'instant impossible de les dénombrer.

Les gouvernements dressèrent ce qu'on appela « les lignes de catastrophe » sur les cartes de leurs pays respectifs. Au-dessus de ces lignes, aucune vie s'approchant de la normale n'était possible. En dessous, ça valait la peine de se battre. Après quelques semaines, un certain nombre d'industries s'organisèrent en dessous des lignes de catastrophe. Elles parvinrent à mettre en route une production limitée. La crise d'énergie était paralysante. Le pétrole de la mer du Nord, de Sibérie, d'Alaska n'était plus qu'un rêve perdu. Au bout d'un mois, aucune voiture particulière ne pouvait circuler sans une autorisation gouvernementale.

D'une manière générale, les grandes villes se montrèrent nettement plus vulnérables que les zones rurales. En Europe et aux États-Unis, les villages, même lorsqu'ils étaient totalement isolés, arrivaient à vivre pratiquement en autarcie. Ils recevaient simplement un peu de ravitaillement par air, grâce aux vols organisés par l'administration

centrale, installée plus au sud. Le cheptel était pratiquement anéanti. Pourtant, certains fermiers réussirent à sauver quelques-unes de leurs bêtes en les prenant avec eux dans les maisons. Elles serviraient, dans un avenir qu'on attendait impatiemment, de reproducteurs et, à court terme, elles étaient une garantie contre la faim. Rien de semblable, évidemment, n'était possible dans les villes. Là, le manque de courant, dû à la rupture des fils électriques cédant sous le poids de la glace, et la mise hors service des transformateurs — il n'était pas question de les réparer dans cette incessante tempête de neige — apportaient avec eux un froid mortel. Les personnes âgées mouraient par milliers.

Cependant, l'homme de l'ère technologique — bien qu'incapable de dominer la situation — était intelligent. Coopération devint le mot de passe international. Les pays du Marché commun assistèrent à la disparition de leurs frontières. En l'espace de quelques semaines, des enfants de villes écossaises ou de villages norvégiens isolés se retrouvèrent dans des camps de régions pluvieuses mais relativement clémentes telles que la Provence, la Bavière et le sud de l'Italie. En Amérique, les États-Unis et le Canada se considérèrent comme une grande nation qui devait résoudre un immense problème. Les villes de toile qui s'étaient construites en Colombie britannique, en Californie, au Nouveau-Mexique, en Arizona, au Texas acceptaient indifféremment les réfugiés, qu'ils soient de nationalité américaine ou canadienne. En Union soviétique, les autorités entreprirent le difficile transfert — quand il était possible — des populations du Nord vers la Géorgie, la Crimée et l'Ukraine.

Tout l'hémisphère Nord attendait le printemps avec l'impatience qu'on peut imaginer. Pourtant, des hommes comme Brookman aux États-Unis et Ledbester en Grande-Bretagne savaient que le printemps apporterait ses propres problèmes. Une grande partie de la neige tombée durant ce terrible hiver tiendrait durant l'été, à cause des températures relativement basses et de l'albédo. Il y aurait obligatoirement une chute du thermomètre dans les régions productrices de céréales — la prairie canadienne, l'Ukraine et le Middle-West américain — même si la neige ne les recouvrait pas complètement.

Cette baisse des températures durant l'été à venir ne serait pas, tout au moins en ce qui concerne les réactions physiques de l'homme, d'une importance primordiale. Même si le printemps et l'été devaient être les plus courts et les plus froids qu'on eût jamais enregistrés. Mais, pour les semailles, un écart minime par rapport à la norme du niveau de la température et de la durée des saisons était d'une extrême importance. Les conséquences sur la future moisson seraient

catastrophiques. Brookman et les scientifiques en général savaient que des famines épouvantables allaient s'installer dès l'automne dans les régions surpeuplées du globe. Même les pays riches de l'Occident devraient se serrer la ceinture. Et, après ce bref automne, ce serait de nouveau l'hiver. Un hiver qui, pour beaucoup des millions de réfugiés des pays du Nord, devrait être affronté dans des abris précaires. L'été si ardemment désiré par les populations de l'hémisphère Nord ne serait en fait qu'un court moment de répit. Brusquement, les dirigeants des grandes puissances semblaient être des hommes désarmés luttant contre un ennemi invincible, implacable et imprévisible.

Le président se sentait incroyablement fatigué. Il regarda le visage préoccupé de Brookman et la figure polie et familière du directeur de la CIA. Est-ce que tout cela avait encore de l'importance ? La diplomatie internationale... La guerre froide avec ses points chauds... En quelques semaines, tout cela était dépassé. Mais, apparemment, nous sommes obligés de prétendre que c'est toujours très important.

Le chef de la CIA prit la parole :

— Le temps, là-bas dans le nord-est de la Sibérie, a été évidemment catastrophique — peut-être pire qu'en Alaska. Vous avez vu les photographies prises par satellite, monsieur le président ? Les Soviétiques ont toutes les sortes d'ennuis possibles.

— Oui, dit le président en se frottant les yeux.

Brookman, soucieux, l'observa un moment. La catastrophe de Chicago l'avait atteint profondément. Le président se leva de son bureau et se dirigea vers la fenêtre. Il jeta un coup d'œil au petit jardin, situé à l'arrière du palais des gouverneurs. Il y avait là quelques chariots de la conquête de l'Ouest. Des pièces de musée provenant de la vieille piste de Santa Fe. Un des trois hommes des services secrets qui se trouvaient dans le jardin cherchait à s'abriter, près du chariot le plus proche, de la pluie qui s'était remise à tomber. Était-ce une sage décision, se demanda le président, d'avoir installé temporairement la Maison-Blanche à Santa Fe, au Nouveau-Mexique ? Évidemment, un temps nouveau demande des pensées nouvelles. A Washington, les communications étaient devenues impossibles et le climat très dur. Mais ce n'était pas la vraie raison de ce déplacement. On en avait un peu assez de Washington. L'administration y était trop pesante, trop oppressante. Je me demande si... ce ne serait pas une bonne chose d'emmener la Maison-Blanche partout dans le pays. Un séjour en Georgie, puis un autre en Oklahoma. Certes, les services de Sécurité ne seraient pas enchantés. Mais peut-

être les gens le seraient-ils. Ils se sentiraient moins isolés. Ce serait une note un peu personnelle. Il revint vers ses deux visiteurs :

— Donc, maintenant, nous avons une frontière commune avec l'Union soviétique ?

Le directeur de la CIA acquiesça en silence. Le président se dirigea vers la grande carte épinglée au mur recouvert de boiserie. Il regarda les nouvelles marques. Les glaces de l'Alaska rejoignant celles de Sibérie avaient soudé les deux continents ensemble. Quelques semaines plus tôt, cet événement aurait semblé d'une importance capitale. Il y aurait eu des conférences, des rapports, des analyses stratégiques à n'en plus finir. Aujourd'hui... Eh bien ! on y pensait à peine ! Il tapota du bout du doigt la zone du détroit de Béring et regarda le directeur de la CIA.

— Est-ce que cela vous ennuie ?

Le directeur de la CIA haussa imperceptiblement les épaules.

— Évidemment, nous devons en tenir compte. Mais non, monsieur le président, cela ne m'inquiète pas pour le moment. Ce n'est guère différent de ce que c'était avant. Les photographies de satellite ne sont pas très bonnes. On y voit pourtant des gens qui traversent le détroit. Autant qu'on puisse savoir, il s'agit sans doute d'Esquimaux. Et, bien entendu, un grand nombre parmi eux n'achèveront pas la traversée. Apparemment, il y a déjà pas mal de morts. Comme tout le monde en Union soviétique, ces gens saisissent la première occasion pour quitter le pays. Et quelques Esquimaux de plus ou de moins aux États-Unis — même s'ils arrivent à survivre là-haut, et nous ne le saurons qu'au printemps —, eh bien ! ce n'est pas à proprement parler un problème majeur pour la sécurité. Les avions de reconnaissance nous en diront plus bientôt. Pour le moment, l'Alaska est un désert.

— Hum ! fit le président en s'asseyant lourdement à son bureau.

Brookman remarqua à quel point le président avait vieilli.

— Je suis allé voir le campement ce matin, dit le président. Tôt. Vers sept heures. J'ai pensé que je pouvais prendre un petit déjeuner avec ces gens. Nous avons descendu la montagne vers Roswell. Ils ont fait vraiment du bon travail là en bas, Mel. C'est une ville. En toile. Les habitants paraissent se débrouiller assez bien. Évidemment, plus vite nous aurons les unités préfabriquées, mieux ce sera. En tout cas, il est préférable d'être là plutôt que frigorifié à Chicago. Bien sûr, il pleut. Le gouverneur me disait qu'il n'y avait jamais eu, au cours de ce siècle, des pluies pareilles.

— On s'y attendait, dit Brookman.

Le président se pencha légèrement en avant et frappa le bureau de la main pour donner du poids à ce qu'il disait.

— Quand la deuxième conférence de l'hémisphère Nord aura lieu — et il semble que cela ne saurait tarder —, il nous faudra regarder au-delà du printemps qui arrive. Et ne pas nous laisser entraîner dans des discussions sans fin sur les problèmes de cette année comme nous l'avons fait la dernière fois. Le prochain hiver me tracasse beaucoup. Il sera pire que celui-ci. Mais nous savons maintenant à quoi nous en tenir...

— On peut faire beaucoup, dit Brookman.

Il se surprit à prononcer ces mots joyeusement. Quand je viens dans ce bureau, pensa-t-il, j'en sors réconforté.

Le président se leva.

— Il va nous falloir beaucoup d'imagination. Bien plus qu'auparavant. A propos, j'ai rendez-vous avec les chefs d'état-major. Ils se préoccupent beaucoup des systèmes d'alerte missile antimissile, là-haut au Canada et en Alaska.

— Les bases n'existent plus, dit le directeur de la CIA. Pas dans le Nord en tout cas.

Le président leva la main.

— Ah! Nous en avons eu un, de système d'alerte! A l'ancienne. Dans le genre prophétique. Mais nous ne l'avons pas écouté. Et maintenant cet homme...

Il se tourna vers le directeur de la CIA.

— Je suppose qu'il n'y a absolument rien de nouveau à son sujet?

— Oh! Vous voulez parler de Stovin? Non, monsieur le président. Cet Antonov a décollé tout à fait normalement de Novosibirsk. Les contacts ont été maintenus jusqu'aux abords d'Anadyr', puis plus rien. Je suis certain que les Soviétiques nous disent la vérité à cent pour cent. Comme vous le savez, ils avaient quelques-uns des leurs dans l'appareil.

Après leur départ, le président s'assit à son bureau, se pencha en arrière dans son fauteuil et ferma les yeux. Dommage pour Stovin, pensa-t-il. Nous ne pouvons pas nous permettre d'en perdre beaucoup comme celui-là. Le prochain hiver... j'aimerais beaucoup entendre l'avis de Stovin sur le prochain hiver. Il se leva et s'approcha du miroir qui se trouvait près de la porte. Tâchons d'être impeccable aux yeux des chefs d'état-major, se dit-il en passant la main sur ses cheveux rares. J'ai l'air vieux. Je suis vieux. Peut-être est-ce pour cela que je suis encore utile.

Stovin se faisait du souci. Il était agenouillé sur une peau de daim étendue près d'un trou creusé dans la glace du petit lac gelé qui se

trouvait au-dessus du campement. Il surveillait sa ligne. A sa gauche, à environ cinq cents mètres, était accroupi sur la glace Volkov tenant un harpon. C'est vraiment étrange, se dit Stovin. Volkov qui avait montré le plus de répugnance à rester ici était celui qui s'adaptait le mieux à cette nouvelle vie — en dehors de Bisby, bien entendu. Une heure plus tôt, il avait observé le Russe en train de se servir de son couteau spécial pour faire dans la couche de glace du lac — épaisse d'un mètre environ — un trou circulaire. Les éclats avaient jailli avec une vitesse qu'Oonatouk lui-même aurait enviée. Après seulement quelques semaines d'entraînement, personne n'était aussi rapide que Volkov. Et voilà. Encore une prise. Le Russe venait de lancer le harpon dans le trou et en sortait une truite. C'était la troisième. La ligne de Stovin se mit à bouger. Il ferra et releva la ligne. Le poisson avait presque complètement avalé l'appât. C'était un gros poisson. Il jaillit du trou comme un saumon en se débattant. Il frappa la glace une fois à côté de Stovin, rebondit, sauta de nouveau en l'air, retomba et resta immobile, raide comme une forme en plâtre. Il était congelé. Des rafales de neige couraient maintenant sur la glace et frappaient Stovin au visage malgré ses fourrures. Le vent s'était de nouveau levé. Il se remit difficilement sur ses pieds et passa un fil dans les ouïes des deux truites. Volkov fit un grand geste, ramassa ses propres poissons et revint vers Stovin.

— Nous allons rentrer, je pense, dit-il. Ce vent... ce n'est pas bon.

— Je m'inquiète, dit Stovin comme ils prenaient ensemble le chemin du retour, je m'inquiète au sujet de Bisby. Ça fait maintenant trois jours qu'ils sont partis. Il nous avait dit que ça ne prendrait que deux jours.

— On ne peut pas prévoir la durée d'une expédition de chasse, dit Volkov. De toute façon, il est avec Oonatouk. Et aussi avec... Shongli.

— Bien sûr, dit Stovin.

Mais il ne se sentait pas vraiment rassuré. Munis de leurs raquettes, ils se dirigeaient lentement vers le campement. Ils passèrent devant le « lieu de destruction ». C'était là que les biens des Esquimaux morts étaient soigneusement brisés et détruits. Ainsi, l'esprit du mort n'avait aucune envie de revenir sur terre. Il n'y avait pas de signe des chiens, ni du traîneau d'Oonatouk. Ils entrèrent dans l'igloo. Même encore maintenant, après tant de semaines, l'odeur le saisissait à la gorge. Il eut un léger haut-le-cœur.

La maison était spacieuse. En plus de Diane, de lui et des Soldatov, deux familles y vivaient. Bisby et Volkov logeaient dans un autre igloo de l'autre côté du chemin toujours gardé en bon état. La nausée le

quitta rapidement. D'ici quelques minutes, il ne sentirait plus l'odeur, pas plus que Diane qui était restée dans l'igloo. Elle était assise sur le lit. Il était fait d'une sorte de plate-forme surélevée sur laquelle étaient posées des peaux de caribous. Elle fabriquait une lampe à huile. Elle releva la tête comme il entrait. Stovin aperçut ses dents blanches dans la pénombre. Malgré son inquiétude, il eut soudain envie d'elle. Diane était sale. Il était sale. Ils l'étaient comme ils ne l'avaient jamais été auparavant. Très probablement, ils avaient tous les deux des odeurs fortes. Ils ne le remarquaient même plus. Il avait laissé pousser sa barbe pour se protéger le menton et éviter ces terribles gelures cireuses. Les cheveux de Diane étaient emmêlés et sales. Et il y avait des traces d'huile de phoque sur son visage. On aurait dit une *kooner* esquimaude, blonde ; l'une des femmes des six familles faisant partie du campement.

— C'est bien, Stovin, dit-elle comme il lui tendait les poissons. Tu deviens vraiment très habile.

— Pas de nouvelles de Bisby ?

Elle fit non de la tête.

— Ça m'inquiète. Si quelque chose lui arrivait, que ferions-nous pour rentrer ?

— Pour rentrer où ?

Il la regarda.

— Rentrer aux États-Unis.

Elle éclata de rire.

— Nous sommes aux États-Unis, Stovin. D'accord, d'accord, je sais ce que tu veux dire. Ne te tourmente pas. Le printemps arrive.

— En effet, il y a davantage de lumière. Le ciel est plus coloré aussi. Bientôt, nous verrons le soleil tout entier.

— Oui, dit Diane.

— Mais, même ainsi, je ne vois pas comment nous pourrions rentrer par nous-mêmes. Les distances sont énormes. Plus de trois mille kilomètres d'ici à Seattle. Et Dieu sait ce que nous allons trouver à Seattle ! Si nous entreprenons un voyage comme celui-là, nous avons besoin de quelqu'un de compétent. Nous avons besoin de Bisby.

Diane lui prit la main et la caressa.

— Dès que le printemps sera là, Sto, des avions, venant du sud, survoleront ces territoires. Les autorités voudront savoir ce qui se passe dans ce qui était naguère l'Alaska. Et ils nous découvriront.

— Pas sûr. Il est difficile de repérer des gens même lorsqu'on les cherche.

Il la dévisagea avec curiosité.

— Tu ne te fais aucun souci à propos de notre départ ?

Elle sourit.

— J'aime être ici. Ce pourrait être pire, non ?

Il y eut un petit remue-ménage dans le passage conduisant à l'entrée de l'igloo. Les Soldatov arrivaient ensemble. Ni l'un ni l'autre n'avaient fait beaucoup de concessions à la vie esquimaude. Valentina était, de loin, la personne la plus propre de tout le campement. Malgré une absence totale de commodités, elle se lavait fréquemment des pieds à la tête, au grand étonnement des petits Esquimaux. Soldatov quant à lui avait réussi à garder ses lunettes. Il allait beaucoup mieux maintenant. Il était presque guéri. Dans les premiers jours de leur arrivée, seule la volonté de sa femme lui avait permis de survivre. Il ne pouvait pas encore aller pêcher avec les autres, cependant. Il passait son temps à écrire sur un petit calepin délabré — qui faisait partie du bagage pris à Anadyr', il y avait si longtemps — des notes dans une minuscule écriture. Il écoutait avidement, lors des longues veillées, Shongli et Oonatouk — le grand Esquimau aux fourrures argentées qu'ils avaient vu en premier — raconter d'interminables histoires, accroupis près d'une lampe à huile. Quand il se sentait en humeur de le faire, Bisby traduisait. Et Soldatov écrivait.

— J'apprends, disait-il.

Stovin savait aussi qu'il apprenait. Cependant, ce qu'il apprenait bouleversait tellement sa façon de penser que, contrairement à Diane, il souhaitait ardemment rentrer. Il y avait des gens à qui il voulait parler. La conférence de l'hémisphère Nord... vraiment un autre monde. Certes, elle devait être terminée depuis longtemps. Mais d'autres conférences vitales pour la planète devaient sûrement être organisées. Il fallait qu'il y soit.

Valentina se dirigea vers la réserve commune et en tira deux morues congelées, toutes raides. Les poissons étaient sans doute là depuis plusieurs semaines. Le tas commun était le plus efficace des congélateurs. C'était étonnant qu'ils n'aient jamais eu, ni les uns ni les autres, mal à l'estomac. Au début de leur séjour, ils avaient mangé beaucoup de phoques et de morses. Ces poissons étaient rangés le long des murs suivant leur stade de décomposition.

Deux femmes esquimaudes traînaient dans la pièce. Elles se mirent à rire et à glousser quand Stovin alla s'étendre sur le lit près de Diane. Elles échangèrent de longs coups d'œil entre elles et avec les Soldatov. Elles venaient puiser à la réserve commune. Elles choisissaient minutieusement les poissons, mordant parfois dans la chair avec leurs puissantes dents blanches. Si le poisson ne leur convenait pas, elles le rejetaient. Finalement, après avoir trouvé ce qu'elles cherchaient,

elles quittèrent la salle. Elles interpellèrent deux enfants qui se roulaient dans la neige. Elles bavardaient joyeusement. Soldatov devina les pensées de Stovin.

— Ces gens arrivent à vivre dans des endroits où, en principe, les hommes ne peuvent pas vivre. Évidemment, leur vie est courte et grossière, n'est-ce pas ?

Stovin approuva.

— Pourtant, mon cher Sto, ils sont heureux. Ils rient. Je n'ai jamais vu l'un d'entre eux frapper un enfant. Ils n'ont pratiquement aucun sens de la propriété. Comme celle des Bédouins, leur hospitalité est sans limite. L'infidélité ou l'impuissance sexuelles ne leur posent aucun problème. Ils changent de partenaire lorsqu'ils en ont envie mais l'unité familiale demeure. C'est assez remarquable.

— C'est vrai, dit Stovin. Mais ceux-ci ne sont pas les Esquimaux apprivoisés d'Anchorage ou d'Anadyr'. C'est une race sur son déclin, Gény. Elle est sur le point de disparaître. Des Esquimaux du nord de l'Arctique, qui ne savent presque rien du reste du monde, Bisby dit qu'il n'en reste que quelques centaines. Ils se considèrent comme le Peuple, comme les seuls hommes véritables.

— Ils ne se lavent pas, dit Valentina en fronçant le nez.

Elle était assise sur les peaux à côté de Diane.

— Peut-être attachons-nous une trop grande importance aux soins corporels, dit Soldatov en se tournant vers Stovin. Je n'admire pas la vie du noble sauvage. C'est un mythe. Comme vous, Sto, je suis un homme de mon époque. Pourtant, je commence à apprendre. Pour la première fois de ma vie, j'apprends. Vous aussi, je pense.

Stovin acquiesça.

— Oui. Il y aura un tas de choses à faire et à dire quand nous serons de retour. Si nous sommes jamais de retour !

— Nous serons de retour, dit Valentina, aussitôt que... Qu'est-ce que c'est ?

Un brouhaha, des rires et des cris parvenaient de l'extérieur. Un enfant esquimau entra en courant dans la pièce, faillit tomber et hurla :

— Oonatouk... Bisby... Bisby...

Tout le campement était dehors quand le traîneau de Bisby, tiré par six chiens, dont l'haleine gelait immédiatement dans les rafales de neige, s'arrêta au centre des quatre igloos. Bisby et deux Esquimaux derrière lui étaient debout sur le corps d'un grand ours blanc. Tout le monde riait, et des cris arrivaient de partout. Les trois hommes avaient le visage et les fourrures tachés de sang brun coagulé provenant de la bête. Dansant, sautant de joie, femmes et enfants

tirèrent l'ours du traîneau. Bisby couvert de neige et de sang s'avança en souriant, dépassa sans un mot l'igloo et entra chez lui. La pièce était vide. Volkov était dehors avec les autres. Bisby prit, sous la peau de caribou étendue sur son lit, la boîte de biscuits en fer-blanc qu'il avait tout au long de sa vie gardée avec lui. Il en sortit le crâne de renard et l'appuya sur son front.

— Je te remercie, Sedna, de nous avoir donné la force et la dextérité nécessaires pour tuer l'ours. Est-ce un signe ?

Ce n'était pas un signe. Bisby retourna vers le traîneau. Tout près était allongé dans la neige le corps de l'ours. Les enfants émerveillés s'approchaient pour le toucher. Soldatov le mesurait à l'aide d'une ligne. Tandis qu'Oonatouk étirait le cou, Bisby trancha la gorge de l'animal avec son coutelas et lui détacha la tête. Maintenant, l'esprit de l'animal était libre. La *kooner* d'Oonatouk plaça un bout de poisson congelé et un morceau de glace dans sa gueule. L'ours n'aurait ni faim ni soif dans l'autre monde. Puis, avec une rapidité et une habileté étonnantes, les deux femmes dépiautèrent et dépecèrent la bête. Ce soir-là, tout le campement était en fête. On mangea du ragoût d'ours dans le grand igloo contigu à celui que Stovin, Diane et les Soldatov partageaient avec la famille de Shongli. Après avoir mangé, se sentant fatigué, Stovin retourna dans son igloo. En tout cas, pensa-t-il, je ne suis pas seul. Des soupirs et des gémissements venaient d'un des tas de peaux qui servaient de lit. Shongli était là avec sa *kooner.* Ou peut-être avec la *kooner* d'Oonatouk. Ça n'avait aucune importance. Stovin s'endormit.

Dans la maison en fête, Diane et Valentina bavardèrent un certain temps à voix basse. Puis la jeune Russe alla rejoindre son mari. Diane la reconduisit à la porte. Se retournant, elle regarda autour d'elle. Volkov était parti depuis longtemps, mais Bisby et deux Esquimaux mangeaient encore. Ils dévoraient avec un air de concentration comme s'ils étaient en train d'avaler leur dernier repas. Le visage de Bisby, couvert de graisse, était tout luisant sous la lumière de la lampe à huile. Il tenait un morceau d'ours dans sa main. De temps en temps, il penchait la tête et mordait dedans. La graisse d'ours lui coulait sur le menton. Avant même d'avoir fini de mâcher la dernière bouchée, sa main retournait vers le grand plat commun pour choisir un autre bout de viande. Oonatouk — oui, c'était lui — léchait la paume de ses mains et pensivement suça ses doigts. En levant la tête, il rencontra le regard de Diane. Il sourit et donna un coup de coude à Bisby. Celui-ci, abandonnant le repas, s'avança vers Diane. Elle lui sourit, commença à parler et s'arrêta, hésitante. Bisby lui prit le poignet et la tira dans la nuit de l'Arctique. La jeune femme se débattait.

— Mais... mais... est-ce que vous êtes devenu fou ? Lâchez-moi...
Oh ! Oh !

Dans ses bras, elle ne paraissait pas plus grande qu'une enfant. La
portant, la tirant, Bisby l'entraîna dans l'igloo qu'il partageait avec
Volkov. Diane appela le Russe.

— Grigori ! Grigori !

Aucune réponse. Bisby lui apparaissait maintenant semblable à la
bête qu'il avait tué. Il lui embrassa le visage, le cou. Il sentait le
phoque et l'ours. Sa barbe était dure. Elle eut un goût de sang séché
dans la bouche. En transe, il ouvrit les fourrures, lui plaqua le dos
contre le tas de peaux qui lui servait de lit. Toute résistance était
vaincue. Elle n'avait plus envie de lutter. Les mains de Bisby
cherchaient ses seins, sans brutalité mais sans tendresse. Ses lèvres
épaisses s'écrasèrent de nouveau sur sa bouche. Elle n'arrivait que
difficilement à respirer. Il avança les genoux et lui écarta les cuisses. Il
était énorme, annihilant sa volonté. Elle n'était plus que passivité. Il
haletait. Elle riait, pleurait, suppliait, gémissait. Quand ce fut fini, il
poussa un cri de triomphe. Il demeura couché sur elle un instant en
silence puis se laissa tomber sur le côté et lui tourna le dos. Elle
tâtonna dans le noir et enfila ses vêtements au hasard. Elle retourna
dans son igloo. Des ronflements parvenaient du lit de Shongli.
Haletante, elle s'assit sur le tas de peaux, se passant la main dans les
cheveux pour les lisser. Les yeux de Stovin brillaient dans l'ombre.

— D'où viens-tu ? demanda-t-il. Non, ne me dis rien, je sais.

Dans son igloo, Bisby craqua une allumette et alluma la lampe à
huile. Il ouvrit la boîte en fer-blanc. Il leva la tête et aperçut Volkov
qui le regardait dans l'ombre de l'autre côté de la pièce. Le Russe
ferma les yeux et se détourna. Bisby prit dans la boîte une plume noire
de corbeau. Il la mit en équilibre sur le bord d'une des orbites du petit
crâne et attendit. Poussée par un souffle mystérieux la plume
lentement se mit à tourner sur son axe puis s'arrêta. L'air était
parfaitement calme. La plume indiquait le sud. Bisby hocha la tête. La
fille avait apporté un signe.

Printemps

24

Portant un harpon à une seule lame sur son épaule, Bisby avançait derrière Oonatouk et Shongli, en suivant les mouvements du terrain. Ils étaient du côté sud du passage. Ils apercevaient devant eux les eaux charriant des glaces du détroit de Norton. Au large, les glaces se disloquaient. Il faisait déjà jour. De temps en temps, à travers des nuages d'un noir d'encre, se montrait à l'horizon un pâle soleil matinal. D'autres signes annonçaient aussi l'arrivée du printemps. Tout à l'heure, avec son arc, Shongli avait tué un eider et manqué un lagopède à la queue blanche. Sur les blocs de glace, à l'abri du vent grâce au passage, étaient couchés des troupeaux de morses. Trop éloignés toutefois pour être pris en chasse. Les grands mâles, entourés de leurs femelles, étaient montés sur des blocs provenant de la débâcle. Ils dérivaient. Repus, ils digéraient les crustacés qu'ils avaient trouvés sur le fond sableux et plat du détroit. Le père de Bisby — c'est ce qu'il avait raconté à son fils en tout cas — se souvenait d'avoir vu à cette époque de l'année le détroit couvert de milliers et de milliers de morses. C'était, bien sûr, il y a très longtemps, à Ihovak. Là où, autrefois, il y en avait des milliers, il n'y en avait plus maintenant que des dizaines.

Ihovak, ce n'était pas si loin. Peut-être une cinquantaine de kilomètres vers le sud. Comment avait-on supporté l'hiver là-bas? Bisby ne pouvait pas y aller. Pas encore. Il sourit sous son capuchon. Dans un autre monde, à Anchorage, il avait dit à Stovin qu'il ne retournait pas à Ihovak parce qu'il avait honte. Ce n'était pas la vérité. Mais on pouvait mentir aux *kallunaak*. Il ne pouvait pas y aller parce que deux chamans l'avaient mis en garde. Le chaman Etoukishouk, la veille de son départ pour Cornell, et le chaman Ohoto dans cette caravane près d'Anchorage. Tous les deux lui avaient dit la même chose.

— Quand tu retourneras à Ihovak, tu y resteras.

Donc, il ne pouvait pas y retourner. Il avait un destin à accomplir. Il avait un destin ailleurs qu'à Ihovak. Sedna le lui avait dit. Elle lui avait montré beaucoup de signes. Sedna qui vivait au fond de la mer et qui avait autorité sur tout ce qui vivait, respirait, nageait. Sedna savait tout. Sedna qui l'avait guidé quand il volait, comme un grand oiseau,

273

sur le Starfighter des *kallunaak*. Et enfin Sedna l'avait ramené chez lui, parmi le Peuple. Il avait un grand destin à accomplir. Elle le lui avait promis.

Il entendit un bref appel. Shongli faisait des signes. Il s'accroupit derrière un bloc de glace sur le rivage et regarda. A environ cinquante mètres, un morse et deux femelles étaient couchés sur un bloc de glace qui montait et descendait comme un bouchon tandis que le courant l'entraînait à travers la banquise en direction du large. Bisby enleva son harpon de l'épaule. L'arme avait une tige en bois d'un mètre vingt, fixée à une autre tige en os de morse de quarante centimètres. La lame coupante comme un rasoir était aussi en os. Elle était ajustée avec une merveilleuse précision dans le manche. Après avoir lancé, il fallait immédiatement faire tourner la pointe du harpon, longue de douze centimètres, pour que la ligne ne se détache pas quand la bête se jetait à l'eau. Shongli traquait les morses. Silencieusement, avec une extraordinaire adresse, il sautait de bloc en bloc. Il choisissait avec soin les plaques sur lesquelles il pouvait retrouver immédiatement son équilibre. Lentement, il s'approchait des bêtes. Il était presque à leur portée pour lancer le harpon, quand le mâle tourna la tête et montra ses grandes canines blanches. Il poussa un cri et se laissa glisser dans l'eau. Les femelles le suivirent immédiatement. Désappointé, Shongli fit de grands gestes d'impuissance et revint vers le rivage. Les trois chasseurs, gardant entre eux une distance régulière, reprirent leur marche le long de la plage.

Un morse, ce serait parfait, pensa Bisby. La chair du morse est facile à couper et se garde bien. Une bonne nourriture pour le voyage. Demain on allait voyager... vers le sud. Sedna le lui avait fait savoir. Le vieux type, Stovin, serait content. Et peut-être la fille aussi. Le temps d'un éclair, il la revit haletant dans ses bras. Il eut de nouveau envie d'elle. Pourtant, son esprit était maintenant si loin de leur univers qu'ils lui apparaissaient comme les habitants d'une autre planète. Mais peut-être étaient-ils mêlés à son destin. De toute façon, il les emmènerait vers le sud aussi loin que sa destinée le lui permettrait. Et cela, seule Sedna pouvait le lui dire.

Sur sa droite, une grosse tête barbue avec deux énormes canines sortait de l'eau. Un instant plus tard, le morse enfonçait ses dents de presque un mètre de long dans la plaque de glace et se hissait dessus. Poussé par les courants, le bloc dérivait à environ cinq kilomètres à l'heure à travers la banquise. C'était une grande plaque qui pouvait avoir une cinquantaine de mètres de diamètre. Le morse s'était couché près d'un des bords. Rapidement, Bisby vérifia la ligne du harpon. Elle pendait librement près de la lame tranchante et glissa

facilement le long de ses mains gantées. Il n'y avait guère plus de cent cinquante mètres entre lui et le morse. Cent cinquante mètres de glace flottante. Il passa d'un bloc à l'autre en faisant attention de ne pas perdre l'équilibre, le harpon, prêt à être lancé, dans sa main droite. Le morse ne bougeait pas. De temps en temps, il agitait sa gueule et faisait voler une pluie de particules de glace. C'était un beau spécimen. Il devait peser au moins une tonne. A dix mètres, Bisby décida de ne plus attendre. Il leva la main derrière son épaule, vérifia encore une fois la ligne et lança le harpon. Il n'avait jamais aussi bien lancé. La lame frappa le bas de l'épaule gauche et s'enfonça profondément dans la graisse et dans la chair. Un flot de sang jaillit de la blessure. Avec un rugissement de fureur, le morse se jeta dans l'eau et s'enfonça dans les profondeurs. La ligne défilait à toute vitesse dans les mains gantées du chasseur. Bisby se pencha et, d'un mouvement rapide, enroula le fil autour du gros morceau de glace qu'il avait choisi comme point d'amarrage. Un tour, deux tours, trois tours. La bête revint à la surface, regarda derrière elle, la gueule grande ouverte. Elle plongea de nouveau. La ligne se détendit. La plaque de glace trembla tandis que le morse frappait sa tête contre le fond. La bête, changeant de tactique, se lança vers la haute mer. La ligne se tendit de nouveau. Ses forces étaient si grandes encore qu'il fit passer la plaque entre les autres glaces flottantes. Puis il revint en arrière. Une fois, deux fois, trois fois, il frappa les côtés de la plaque. Bisby tira son coutelas à la lame d'os. Un morse avait déjà passé la tête à travers une épaisseur de glace de quinze centimètres pour atteindre l'homme qui était en train de le tuer. Comme il pensait à ça, le morse fendit la glace en deux. La gueule aux énormes canines apparut à un mètre ou deux des pieds de Bisby. Il s'avança, le coutelas à la main, pour donner le coup de grâce. Le morse se dégagea brusquement du trou qu'il creusait. La ligne se prit dans le pied de Bisby. Celui-ci trancha le fil d'un coup sec. Une seconde trop tard. La tonne de muscles avait, en un éclair, tendu la ligne. Elle s'enfonça dans les chairs comme un fil dans du beurre. Le pied, presque entièrement sectionné, pendait. Bisby regarda sa jambe sans y croire. Il ne sentait pratiquement rien. Le moignon était en train de geler. Mais le sang chaud des artères arrivait quand même à sortir. Il se figeait immédiatement en taches rouge foncé sur la glace. Bisby s'appuya sur le coude cherchant désespérément Shongli et Oonatouk. Une nappe de brouillard s'étendait devant le rivage. Il ne pouvait plus rien voir. Avec un craquement sourd, la plaque fragilisée par les assauts de la bête, se brisa en trois morceaux. Bisby se retrouva sur le plus petit. Les courants l'emportèrent. La plaque de glace trouvait lentement son

chemin vers le large à travers la banquise. Bisby avait perdu tant de sang qu'il se sentait s'évanouir. Était-ce cela sa destinée ? Non, cela n'était pas une destinée. Ce n'était pas en tout cas une destinée qui justifiait toute cette attente. Était-ce une ironie, une plaisanterie des dieux ? Sedna avait promis... Maintenant je vais mourir, pensa-t-il. Le temps de la destruction était arrivé. S'accrochant à ce qui lui restait de force, il cassa son coutelas en deux et plaça les morceaux près de son corps. La dernière chose que sentit Bisby fut le mouvement du courant et les heurts sourds et grinçants des blocs de glace à la dérive.

Il était mort depuis plusieurs jours quand une île surgit du brouillard. Au-dessus d'elle flottaient des nuages pourpres qui s'assombrissaient au fur et à mesure que la lumière diminuait. La banquise se referma sur la glace flottante comme elle s'approchait du rivage. Bisby était de retour à Ihovak.

Ils attendirent longtemps, très longtemps. Même après qu'Oonatouk leur eut dit qu'il n'y avait plus aucun espoir. Puis, finalement, ils firent leurs préparatifs de départ. Le temps était un peu plus clément et les jours rallongeaient. Shongli les prit dans son propre traîneau tiré par ses chiens. Stovin lui avait promis le fusil que Bisby avait laissé dans l'igloo. Il restait encore quelques cartouches. Bisby n'avait plus jamais utilisé le fusil depuis qu'il était revenu vivre parmi le Peuple.

Pour des raisons différentes, ils étaient tous étrangement silencieux en quittant le petit campement. Les fouets claquèrent et les enfants coururent derrière le traîneau pendant une centaine de mètres. Au sud se trouvait leur vieux monde. Un monde dont ils ne pouvaient pas même imaginer les changements. Stovin était sombre. Diane était au centre d'un tourbillon d'émotions dont elle ne soupçonnait pas même l'existence auparavant. Une fois de plus, Volkov se faisait du souci au sujet de ce que penseraient ses supérieurs à son retour. Les moins préoccupés étaient encore les Soldatov. Valentina se tourmentait néanmoins à propos de la santé de son mari. Gény lui-même se demandait si ses forces seraient suffisantes pour supporter le voyage. Tous, pourtant, désiraient partir. Ils contournèrent le bout de la falaise et prirent la direction du sud...

Compte rendu de mission. Mission de recherche et de sauvetage du 18 avril. Base de la mission : brise-glace *USS Morley*. Départ 9 heures. Temps de vol : 92 minutes. Appareil : hélicoptère de l'US Navy. Numéro de série : A H 1890.

Les stations d'alerte missile antimissile de Nome et de Tin City au nord du cap du Prince-de-Galles ont été observées d'une hauteur de cent cinquante mètres. La SAMA de Nome, comme la ville, semble être totalement ensevelie. La SAMA de Tin City montre encore la partie supérieure des dispositifs radars mais tous les bâtiments administratifs sont ensevelis. Aucune activité humaine, aucun Esquimau n'a été observé aussi bien à Nome qu'à Tin City. Une meute importante de loups — environ deux cents têtes — a été vue près de Nome.

Au sud de Nome, dernière étape de la mission, quelques personnes avec deux traîneaux tirés par des chiens ont été repérées alors qu'elles faisaient des appels de détresse. Les conditions d'atterrissage étaient bonnes. Le groupe comprenait deux ressortissants américains et trois ressortissants soviétiques. (Voir rapport ci-joint.) Ces personnes ont été prises à bord de l'hélicoptère et conduites au brise-glace *USS Morley.* Signé : James T. Davies, commandant de l'USN.

25

Raoul Mangin, l'agronome français chargé de la petite station expérimentale située près d'Ouargla à la limite nord du Sahara, se redressa dans sa chaise pliante en toile et regarda depuis sa véranda ombragée quelque chose qui l'étonnait visiblement. Sur la pente de la ligne de crêtes qui se trouvait un peu au sud de la petite oasis qu'il avait créée ici dans ce désert, il voyait un chameau sur lequel était assise une femme, oscillant au rythme de la marche et tenant serré contre elle un petit enfant, deux enfants plus grands et devant eux un homme. Le plus surprenant de tout, le plus incroyable, c'était que l'homme portait ce qui semblait bien être le baluchon de la femme. Je n'ai jamais vu une chose pareille de ma vie, pensa Mangin. Il quitta la véranda et passa devant les parterres de fleurs qui se trouvaient au bout de la petite étendue d'herbe. Ouargla était la limite des nouvelles pluies. Au sud de la ville, c'était un autre monde. C'était le désert.

— Dieu soit avec vous, dit-il au Touareg.

— Et avec vous aussi, répondit le Touareg.

Mangin hésita.

— Vous venez de loin?

— Je suis Zayd ag-Akrud. J'arrive de Tamanrasset.

Tamanrasset? pensa Mangin. Impossible, il doit mentir. Il dévisagea l'homme. Maintenant que le voile avait été tiré pour parler, on apercevait la figure émaciée de l'homme, son nez crochu et ses yeux profondément enfoncés dans les orbites. Non, il ne mentait pas — c'était un Touareg —, il mourait de faim. L'homme ne modifierait pas pour autant sa conduite. Mangin se tourna vers la femme et les enfants. Les deux aînés étaient effroyablement maigres, mais ils survivraient. Le plus jeune se portait bien. La femme... avec des soins peut-être. Il s'adressa de nouveau à Zayd.

— Il y a combien de temps que vous étiez à Tamanrasset?

— Beaucoup de semaines. Et avant, nous étions à Lissa.

Dieu du ciel! Mais ça fait plus de mille kilomètres. Et durant tout ce temps, ils n'ont dû vivre que de ce que leur fournissait ce vieux fusil. Incroyable, fantastique. Un des plus longs voyages jamais réalisés dans le désert étant donné les circonstances. La femme, les enfants...

Mangin hésita de nouveau.

— Avez-vous faim?

Zayd ne répondit pas, mais fit un geste vers la femme et les garçons. Le Français, les larmes aux yeux, savait maintenant ce qui lui restait à faire. Il lança quelques mots rapides à son serviteur algérien qui observait, bouche bée, la scène.

— Arrange-toi pour préparer un repas tout de suite. Du lait et du pain pour les enfants pour commencer. Pas trop. Cela les rendrait malades. Pour la femme, des flocons d'avoine. Vite.

Il se tourna de nouveau vers Zayd. Il devait se conduire selon les règles.

— C'est l'heure du café...

Zayd inclina la tête.

— En prendrez-vous avec moi? Je mangerais volontiers quelque chose. Nous prendrons des fruits, un peu de pain et du café.

— Je vous suis très obligé, dit Zayd poliment.

Il montra le chameau chancelant, les couvertures déchirées, le vieux fusil soigneusement entretenu:

— Tout ce qui est à moi vous appartient.

Mangin vivait depuis dix ans dans le désert. Il savait que répondre.

— Je suis honoré de votre visite. Tout ce que je possède est à vous.

Peut-être consentirez-vous à demeurer un peu ? J'aimerais beaucoup avoir votre aide... vos conseils... au sujet de mes chevaux.

Zayd fit un léger signe de tête. Il regarda ses fils et Zénoba entrer dans la maison avec le serviteur. L'envie de manger du pain, des fruits était si forte que cela lui faisait mal.

— Que la volonté de Dieu s'accomplisse ! dit-il.

Comme elle se penchait sur son bureau dans sa chambre, à Albuquerque, Diane sentit son enfant bouger en elle. Elle en était à son quatrième mois de grossesse. Et c'était la troisième fois qu'il remuait en une semaine. C'est vraiment tôt pour donner des coups de pied, pensa-t-elle mi-triste mi-amusée. Distraitement, elle rassembla les feuilles de son rapport sur les changements dans la forme des comportements du loup. Elle se retrouva soudain en esprit dans la grotte du détroit de Béring au cours de cette nuit où, couchée près de Stovin, elle avait été heureuse et satisfaite et avait entendu le cri lointain des loups.

Leur entente sexuelle avec Stovin retrouverait-elle cette plénitude ? Pour le moment, c'était différent — pas pour elle mais pour lui. Bien sûr, ils avaient refait l'amour depuis mais quelque chose était changé. Stovin était encore blessé, bien qu'il prétendît ne pas l'être. Pourtant, ce qui s'était passé entre elle et Bisby lui apparaissait maintenant comme une sorte de fièvre, de délire, un rêve, un fantasme d'adolescente... Pour Bisby, pour la mémoire qu'elle avait de lui, elle ne ressentait rien d'autre qu'une espèce d'étonnement émerveillé et peureux. Elle était sûre qu'il n'avait rien éprouvé pour elle. Excepté quand... dans un moment de soudaine tendresse, il l'avait embrassée dans la grotte. Peut-être, à cet instant, s'était-il passé quelque chose entre eux. Mais ce n'était pas ce que l'on peut appeler de l'amour. Néanmoins, à son propre étonnement, elle s'aperçut qu'elle s'accrochait à la mémoire de ce baiser comme si elle craignait de l'oublier...

Elle avait vécu un mois ou deux dans l'âge de pierre. Et elle s'était accouplée avec un homme de l'âge de pierre. Voilà. Parce que, en dernière analyse, c'était bien ce qu'était Bisby. Un chasseur de l'âge de pierre qui avait été à Cornell et avait appris à piloter des avions à réaction. Il suffisait de l'observer dans le petit campement esquimau sur la calotte glaciaire pour s'en rendre compte. Lui et Stovin étaient séparés par des siècles... Grâce au Ciel ! Parce que personne ne peut revenir en arrière. Nous devons vivre ici et maintenant... Nous allons devoir changer, mais nous ne pouvons pas revenir en arrière. Peut-être Bisby savait-il cela ? Il s'était toujours conduit si mystérieuse-

ment. Comme un homme qui va de l'avant en sachant qu'il doit atteindre un but mais qui ne connaît pas ce but.

Elle traversa la pièce. Les différents objets qu'ils avaient emportés avec eux dans l'hélicoptère lorsqu'ils avaient été secourus par la Navy — il y avait plusieurs semaines de cela — étaient arrivés ce matin. Ils avaient enfin réussi à passer à travers toutes les formalités administratives. Il y avait là le parka qu'elle avait porté, ses gants et même le grand bâton avec lequel Valentina aiguillonnait les rennes dans le pays des Tchouktches. Un jour, se dit-elle, je retournerai en Union soviétique et je donnerai ce bâton à Valentina... où qu'elle soit. Je l'aime vraiment. Elle est totalement bonne. Je souhaite qu'elle et Gény puissent s'installer de nouveau quelque part par là et continuer leurs merveilleux travaux.

Elle fouilla parmi les objets. Là, sous le parka doublé de fourrure, se trouvait la boîte de biscuits en fer-blanc toute cabossée de Bisby. Pensivement, elle la prit. Elle faisait tellement partie de la vie la plus secrète de Bisby, il l'avait gardée avec tant de zèle, presque avec religiosité, qu'elle se sentit un peu coupable en l'ouvrant, comme si elle se plongeait dans la lecture d'un journal intime. Le couvercle s'enleva facilement. Avec un frisson elle regarda son contenu.

Un crâne de renard... une peau d'oiseau... des plumes noires... une poignée provenant d'un avion à réaction. Un livre avec une couverture brune, intitulé *le Vieux Grès rouge* par Hugh Miller. Comme la plupart des zoologistes et des géologues, elle connaissait Hugh Miller : un autodidacte du XIXe siècle. Au départ, il était tailleur de pierre. A son époque, il avait eu une influence certaine, ouvert pas mal de portes, stimulé un tas d'esprits. Elle prit le livre. Sur la page de garde avait été écrit d'une écriture ferme avec une encre qui avait jauni : « Pour Arthur Inglis Bisby avec l'estime et l'affection de son ami H. M. Le 11 décembre 1841. » Le grand-père de Bisby sans doute. C'était curieusement émouvant. Voilà le livre que le propre père de Bisby, seul avec son fils à demi-esquimau parmi une race étrangère, avait peut-être lu à son petit garçon. Il lui en avait probablement appris des passages. Elle feuilleta le livre. Il resta ouvert à une page bien précise qui avait dû être lue bien des fois car elle était marquée par une plume de corbeau, et de grands traits de crayon dans la marge attiraient l'attention sur son importance. Elle lut le passage avec curiosité :

« *Puisque toutes les espèces du passé sont mortes, la destinée des espèces actuelles est de disparaître... Nous savons aujourd'hui sans doute possible, nous, les géologues, que non seulement le monde a eu un commencement mais que ce commencement est relativement récent. De*

plus, en nous appuyant sur les expériences invariables du passé, nous savons que la race humaine, tout au moins dans sa forme actuelle, va s'éteindre. »

Si seulement elle avait su cela. Peut-être Bisby et elle parlaient-ils le même langage après tout ? Ce livre était très important pour lui, très. Mais pourquoi ? Quelle était la destination vers laquelle il semblait voyager en permanence ? « Un changement dans la forme actuelle de la race humaine » ? Et quelle sorte de destination était-ce donc ? Parce qu'en définitive, il n'avait pas réussi, le pauvre Bisby. Il reposait mainten... at quelque part dans le détroit de Béring. Un tas de changements étaient arrivés : une nouvelle géographie, de nouveaux hommes, de nouveaux chefs, mais Bisby n'en saurait jamais rien. Il n'avait pas accompli sa destinée.

En elle, l'enfant bougea de nouveau. Elle suffoqua sous la force du coup.

— Sois patient, dit-elle en souriant. Et de qui donc es-tu l'enfant, mon amour ? Celui de Stovin, celui de Bisby ?

Elle replaça le livre dans la boîte en fer-blanc et ferma le couvercle. Maintenant, de toute façon, l'enfant serait le leur. Le sien et celui de Stovin. Mais elle garderait la boîte. Un jour, d'une manière ou d'une autre, elle la donnerait à l'enfant.

— La taïga me manque, dit Valentina Soldatov en regardant par la fenêtre du nouveau pavillon.

Trois bulldozers creusaient dans la terre rouge d'Akademgorodok Deux, proche de Simféropol en Crimée.

— Il n'y a plus de taïga, dit Yevgeny Soldatov distraitement. Pas celle que nous connaissions.

Il compulsait une liasse de listages d'ordinateur. De temps à autre, il portait une remarque dans un gros registre comme on en trouvait autrefois, posé devant lui sur la table. Valentina se détourna de la fenêtre. Gény allait un peu mieux, quoiqu'il fût encore très pâle. Il avait perdu pas mal de kilos et, vu les circonstances, il n'allait pas les reprendre. Il regarda sa femme en souriant.

— Il n'y a plus de taïga, chérie, répéta-t-il. Il n'y a plus rien d'autre que la calotte glacière. C'est une tout autre Sibérie.

Elle s'avança vers lui et lui mit la main sur l'épaule.

— Oui, oui, je sais. Un jour, il y aura de nouveau une taïga. Au nord. Pas très loin d'ici. Là où il n'y avait jamais eu de taïga auparavant. Mais ça va prendre une centaine d'années avant que cette taïga ressemble à celle que nous connaissions. Je ne la verrai pas.

Il tourna la tête et embrassa la main qui reposait sur son épaule.

— Nous avons de la chance de voir... ce que nous voyons maintenant, dit-il doucement.

Il fit un geste en direction des bulldozers qui travaillaient dehors :

— Qui aurait pensé il y a seulement un an que nous reconstruirions notre ville scientifique en Crimée ? Ce n'est pas le rêve, mais c'est nettement mieux que ce que connaissent des millions de gens partout en Union soviétique. Nous sommes logés et nous n'avons pas faim. Et, par-dessus tout, ma chérie, nous avons un travail à faire. Nous sommes parmi les privilégiés.

Elle acquiesça. Sûrement Bisby, le vieil homme en lui en tout cas, n'aurait pas approuvé cette priorité nationale donnée à Akademgorodok Deux, pensa-t-elle. Elle se souvenait de la brève dispute qu'ils avaient eue au sujet de l'élitisme scientifique — il y avait longtemps, si longtemps — dans cette vieille datcha près de Novosibirsk. Elle frissonna. Pauvre Novosibirsk ! Pauvres gens ! Comme ils s'étaient battus ! Et comme finalement ils avaient été vaincus ! C'était même pire que ce qui était arrivé à Moscou et aux villes du nord.

— Qu'est-ce que c'est que ces listages ? demanda-t-elle pour chasser les villes anéanties de son esprit.

— L'activité volcanique actuelle et les prévisions pour l'avenir. Elle a augmenté. Pratiquement toute la presqu'île de Kamchatka est en éruption. Et c'est la même chose en Alaska et dans les îles Aléoutiennes. Les Américains affirment que l'éruption du Katmai est presque deux fois plus importante que celle de 1912. J'ai regardé les chiffres. En 1912, le Katmai lança mille six cents mètres cubes de roche pulvérisée dans l'atmosphère. L'effet de cet écran sur la lumière solaire... eh bien ! dans l'état actuel de nos connaissances, il n'est pas possible de l'évaluer. Notre climat est le résultat d'un certain nombre de facteurs qui s'équilibrent, rien de plus. Je crois que Stovin a raison. C'est un facteur volcanique sous-jacent qui a finalement fait pencher la balance du mauvais côté parce que nous étions dans une situation climatique instable. S'il en est ainsi, nous pouvons construire des modèles grâce aux ordinateurs. Ils nous donneront une image assez juste de ce qui va se passer, et peut-être même des indications de durée. Pour cela, nous avons besoin d'un tas d'échantillons de l'atmosphère en haute altitude. Malheureusement, c'est difficile d'obtenir de Rostov qu'on nous prête des avions.

— Rostov, aussi bien que Moscou autrefois, n'ignore pas notre importance, dit Valentina tranquillement. Ce sont les mêmes gens après tout. Dans un an, peut-être moins, Akademgorodok Deux sera totalement opérationnelle. Ils savent bien que la science est vitale.

— Oui, ils le savent. Mais ils sont tellement préoccupés par « comment » faire face à la situation qu'ils ne portent aucun intérêt au « pourquoi ».

Elle lui sourit en silence. Ce n'est guère surprenant, pensa-t-elle. Peut-être est-il trop tard pour le « pourquoi ». Peut-être seul le « comment » est-il important maintenant, et pour un bon bout de temps. Évidemment, c'est la négation de l'esprit scientifique — Gény n'acceptera jamais cela. Bisby l'aurait accepté. Ses ossements reposent quelque part là-haut dans le désert de glace. Bisby était un grand spécialiste du « comment ». Si nous sommes encore en vie ici à Deux, c'est grâce à Bisby. Les gens qui s'intéressent au « comment » vont devenir très importants — tout particulièrement dans un pays qui a déjà plusieurs millions de morts.

— Je sais qu'ils essayent de nous aider, dit Gény. Mais je n'ai jamais réussi à comprendre la manière de raisonner des officiels... Volkov, par exemple.

— Tu l'as vu récemment ?

— Oui. Il travaille dans le nouveau bâtiment du ministère des Affaires étrangères à Rostov, rue Engels, près du pont Temernitsky. Il n'a pas changé. Le gouvernement est maintenant à Rostov-sur-le-Don au lieu d'être à Moscou. Tout est sens dessus dessous. Ça ne semble en aucune sorte avoir affecté Grigori Volkov. Il s'en tient au règlement.

— Il est coriace, dit Valentina.

Soldatov éclata de rire.

— En tout cas, c'est un fameux lanceur de harpon. Je suppose que les hommes du KGB font de bons chasseurs.

Elle le regarda, surprise.

— Tu savais qu'il était du KGB ?

— C'était visible, non ? De toute façon, Bisby n'a pas manqué de m'en informer. Grigori n'est pas un mauvais type. Il est un peu naïf. Voilà !

— Je crois que c'est ce qu'il pense de toi.

Soldatov mit les listages dans une chemise orange.

— J'en aurai besoin pour la conférence de l'hémisphère Nord la semaine prochaine. C'est curieux non... que nous allions aux États-Unis maintenant, après tout ce qui nous est arrivé ?

— Pas seulement à nous, dit Valentina tranquillement.

— Je serai vraiment content de revoir Stovin, dit Soldatov. Il me manque. C'est un ami. Son intelligence est comme un tremplin. Chaque fois que je suis en contact avec elle, je fais un bond en avant...

— Évidemment, Gény Soldatov va venir, dit Brookman.

Avec Stovin à ses côtés, il traversait les bâtiments du Parlement d'État de Santa Fe qui abritaient temporairement le Congrès des États-Unis. C'était là qu'aurait lieu, dans une semaine, la seconde conférence de l'hémisphère Nord. Les électriciens travaillaient encore à l'intérieur et à l'extérieur des bâtiments, branchant les fils des petites cabines dans lesquelles les traducteurs simultanés prendraient place, installant micros et amplificateurs. Tout le périmètre bourdonnait d'activité. Les hommes des services de Sécurité des pays participants mettaient au point leurs dispositifs. Les techniciens des services de presse installaient leurs lignes de communication.

Il pleuvait toujours. Ça fait partie des changements climatiques du printemps au Nouveau-Mexique, pensa distraitement Stovin. Il jeta un coup d'œil aux ouvriers qui travaillaient dur.

— Ils ont encore beaucoup à faire, Mel !

— Ça va encore être une de ces cavalcades ! Mais je pense que le président a raison. C'est le meilleur emplacement en ce moment. A son avis, c'est plus commode ici, à Santa Fe. Il y aura du monde mais il y a de la place... enfin suffisamment de place. Remarque, ce sera une conférence relativement restreinte comparée à la dernière. Celle où tu n'étais pas. La dernière fois, nous avons eu sept cents délégués. On a beaucoup parlé mais on n'a guère pris de décisions. La situation a évolué depuis. Cette fois, puisque nous sommes encore le pays organisateur, le président a posé un certain nombre de règles. Trente pays seront représentés par des délégations de cinq personnes ayant le droit de parole, y compris le chef d'État si il ou elle veut venir. Tous les autres pays désireux d'assister à la conférence auront le statut d'observateurs. Ces derniers ne pourront prendre la parole à moins d'y être invités par le président de la conférence qui, en l'occurrence, sera le secrétaire général de l'ONU.

Stovin resta silencieux. Il semblait à peine entendre. Brookman lui jeta un coup d'œil à la dérobée comme ils traversaient la route entourant les bâtiments sur laquelle ne circulaient que quelques véhicules militaires. Stovin était maigre... naturellement. Ça ne faisait pas si longtemps qu'il avait été retrouvé par l'hélicoptère en Alaska. Brookman n'avait jamais eu de sa vie une plus grande surprise que lorsqu'on lui avait annoncé la nouvelle. Ni plus soulagé. Il posa sa main sur l'épaule de Stovin.

— La semaine prochaine, ce sera un grand moment pour toi. C'est

toi qui parleras lors de la première réunion. Un discours d'ouverture et un programme d'ensemble. Le président a insisté pour qu'il en soit ainsi. Ledbester et les Canadiens l'ont soutenu. C'est vraiment important pour toi, Sto... Une justification de ce que tu as toujours dit. Peu d'entre nous ont une chance pareille.

— En effet, dit Stovin. Mais je n'arrête pas de penser à ce qu'on trouve lorsqu'on creuse dans les grandes villes du nord. Est-ce que tu as vu les chiffres pour Chicago ce matin ? Et ceux de Winnipeg ? C'est difficile, dans ces conditions, de faire de l'autosatisfaction intellectuelle.

Brookman fit un petit signe de tête. Sa voix resta gaie et ferme.

— Je suis d'accord, Sto. C'est terrible. Mais la vie continue. Et certains vont avoir raison et d'autres vont avoir tort. Aujourd'hui comme toujours. Et c'est terriblement important en ce moment de voir juste. Plus important que jamais.

Brookman regarda en haut du boulevard mouillé et luisant qui passait près du palais du Parlement.

— Voici ton bus. Il a l'air bondé.

Il tendit la main à Stovin :

— Écoute... Ménage-toi. Tu as pas mal maigri, là-haut dans le Nord.

Stovin sourit.

— Je pensais justement la même chose de toi.

Brookman se passa la main sur le ventre.

— Ce sont ces repas chimiques. Je n'ai jamais suivi un tel régime pour ma ligne. Encore un mois et je serai un jeune homme. Et alors, messieurs, attention à vos dames.

— Je ferai attention, promit Stovin en montant dans le bus.

Mais je n'ai pas toujours fait attention, pensa-t-il, tandis que la silhouette de Brookman descendait le boulevard. Pas toujours. La pensée de Diane et de Bisby le faisait encore souffrir. Et, bientôt, il y aurait l'enfant. Il faudrait qu'il s'en arrange. Il aimait Diane et il pensait qu'elle l'aimait. C'était le début... le seul début possible. Ce serait l'enfant de Bisby, bien sûr. Tout au fond de lui, il en était sûr. Et l'enfant de Bisby, pour leur sauvegarde à tous les deux, allait devenir le sien.

26

Au milieu du brouhaha général, chacun gagna sa place dans l'hémicycle du palais du Parlement. Il y avait là plus de six cents délégués des deux sexes. Mais ils ne représentaient en fait que le cinquième des demandes qui avaient été déposées. Cent cinquante d'entre eux seulement auraient le droit de parole. Dans les cabines téléphoniques, érigées à la hâte, et sur les bancs réservés à la presse, s'entassaient les correspondants des médias du monde entier et les observateurs des pays non directement concernés par la crise.

Les trente principales délégations étaient assises sur quatre rangs en forme de croissant qui rappelaient en plus petit la disposition de la salle de conférences de l'ONU. Le président des États-Unis, en tant qu'hôte, était au centre du croissant avec ses ministres des Affaires étrangères et de l'Intérieur à sa droite, et Stovin et Brookman à sa gauche. Venaient ensuite le premier ministre de Grande-Bretagne, accompagné de Ledbester, du ministre des Affaires étrangères et de deux autres personnes ; le président de la République française, l'air grave et austère. Le président du Conseil des ministres d'Union soviétique, le visage livide derrière ses lunettes, était entouré de Soldatov et des autres membres de sa délégation. Derrière se trouvaient, côte à côte, les délégations des deux Allemagnes, avec près d'elles les délégations du Canada, du Mexique, de l'Italie, de l'Autriche, de la Suisse, de la Hollande, de la Belgique, de l'Espagne, de la Pologne, de la Tchécoslovaquie, de la Hongrie, de la Turquie, de la Yougoslavie, de la Suède, de la Norvège, de la Finlande, du Danemark, d'Israël, de l'Égypte, de l'Arabie Saoudite et de l'Iran. La délégation indienne, qu'on remarquait tout de suite à cause de la présence parmi ses membres d'une dame en sari violet, se trouvait près des membres de la délégation japonaise habillés de costumes stricts. Là-bas, tout au bout, à gauche du croissant, se trouvaient les arrivants de la dernière minute, inattendus même pour les organisateurs de la conférence : les représentants de la République populaire de Chine, quelques chercheurs conduits par le vice-premier ministre. Derrière ces délégations se tenaient les observateurs des pays de l'hémisphère Sud qui, à l'approche de l'hiver austral, se sentaient menacés. C'était une conférence organisée à la hâte. Elle n'offrait pas

à ses participants les facilités que les habitués de cette sorte de réunions étaient en droit d'attendre. Les choses n'étaient plus les mêmes et l'espace non plus. L'atmosphère était tendue, chacun se sentait terriblement pressé par le temps. L'un des délégués — parmi les plus âgés —, un Anglais qui avait fait partie de la Royal Air Force lors de la Seconde Guerre mondiale, dirait plus tard que l'ambiance générale de cette conférence ressemblait assez à celle qui règne au moment où l'on donne les dernières instructions à un équipage de bombardier avant un raid de nuit. On informe les gens de choses qu'ils doivent connaître mais qui sont très dures à entendre.

Un grand nombre de délégués, particulièrement ceux des pays scandinaves, étaient proches de l'épuisement. Les plus âgés parmi les hommes politiques portaient sur leur visage la marque des nuits sans sommeil et des journées sous tension où l'on devait prendre décision sur décision. Les hommes de science, généralement plus jeunes, tenaient entre eux des conversations animées sans nul souci des nationalités ni des vieilles alliances. Soldatov par exemple, avant que les délégués ne gagnent leur place, avait une discussion passionnée avec Ledbester, le Britannique. Stovin parlait avec un grand et maigre Suédois dont les travaux sur les volcans lui avaient acquis une réputation internationale.

Quand tout le monde fut en place, le secrétaire général de l'ONU se leva et donna immédiatement la parole au président des États-Unis. Le président du Conseil des ministres de l'URSS mit son casque pour entendre la traduction simultanée. Le discours de bienvenue du président des États-Unis était poli et sans surprise. Au bout d'un instant, le Russe repoussa son casque et s'adressa à Soldatov assis à sa droite.

— Cet homme grand là-bas, c'est bien... le professeur Stovin ?

— Oui, camarade président. Près de lui, c'est le professeur Brookman, le conseiller scientifique du président des États-Unis.

— Ah !

Soldatov regarda de nouveau vers Stovin. Il se sentit pris d'angoisse en le voyant si solitaire, si vulnérable. Quelle épreuve ! Faire son premier discours-programme devant une telle assemblée ! Le président avait fini son allocution. Stovin se leva. Soldatov était le seul parmi les délégués soviétiques à parler suffisamment bien l'anglais pour pouvoir écouter Stovin sans l'aide de la traduction. Pourtant, il brancha son casque par délicatesse pour les autres membres de la délégation. Il tâtonna un instant pour régler l'appareil. La voix de la traductrice se fit entendre, remarquablement claire.

« ... dois-je dire que les conclusions que je vous présente aujour-

d'hui ont été établies en commun avec le professeur Yevgeny Soldatov de l'Institut soviétique de climatologie... »

Le président du Conseil des ministres de l'URSS se tourna un instant vers Soldatov et lui fit un petit signe de tête. Mais Yevgeny, totalement concentré sur le discours de Stovin, ne sembla pas le remarquer.

« ... désirez sans doute entendre tout d'abord sont les limites de l'avance actuelle de la neige et les prévisions pour le prochain hiver.

« Je... nous pensons qu'il n'y a plus de raison pour que la neige s'étende encore d'une manière appréciable vers le sud, dans l'hémis-phère Nord. La situation s'est stabilisée. Pour preuve, la disparition, durant ces dernières semaines, du phénomène communément appelé le Danseur, qui était dû aux aberrations du courant en anneau. Ce phénomène était typiquement un phénomène de transition. Il mar-quait notre entrée dans la nouvelle période glaciaire. Il est improbable qu'il se reproduise. L'âge glaciaire est là. La neige ne partira plus. Je sais combien mes paroles sont terribles. Mais nous devons faire face aux conséquences de cet état de fait. Dès maintenant, nous pouvons tracer la carte des nouvelles limites de la neige. Il faut aussi nous attendre à ce qu'elle consolide ses positions au cours des prochains hivers. Des glaciers se formeront dans les régions déjà recouvertes de neige. Par exemple, au cours des prochaines années, les villes prises dans la neige le seront dans la glace. La neige va modifier considéra-blement les cartes démographiques mais aussi, en fin de compte, les cartes physiques de notre planète. En effet, la formation de nouveaux glaciers et l'immense poids de la neige sur la terre va changer le cours des fleuves et créer de nouveaux paysages... vallées et montagnes. Ces changements à venir ne seront pas toutefois un problème pour les premières générations de l'homme du nouvel âge glaciaire... »

Un murmure parcourut l'assemblée lorsque Stovin utilisa ces quatre mots pour la première fois. Derrière Brookman, le grand et maigre Suédois serra les lèvres. S'il a raison, pensa-t-il, dans très peu de temps, il n'y aura plus ni Suède, ni Norvège, ni Finlande. Peut-être le Danemark arrivera-t-il encore à se cramponner à la limite des neiges. Même les régions autour d'Uppsala et de Stockholm, où nous tenons encore, seront ensevelies lors d'un des prochains hivers. Peut-être au cours de celui qui arrive. Ça semble incroyable que je puisse rester assis ici pendant que quelqu'un avance des choses pareilles. Les pays ne peuvent pas disparaître de cette manière. Et pourtant ? Il pensa à la lumière solaire, aux chiffres de l'albédo qu'on lui avait communiqués avant qu'il ne quittât Uppsala quatre jours auparavant. C'est possible, c'est possible...

« ... question qui se pose : pour combien de temps ? Il est possible de donner à cette question une réponse étonnamment précise. Ce que nous avons devant nous c'est, à long terme, une baisse de l'activité solaire qui a déjà été observée depuis un certain nombre d'années. Ce ralentissement a fait basculer l'équilibre précaire dans lequel nous vivions depuis des millénaires. Ce déséquilibre a été fortement renforcé par l'activité volcanique intense qui a produit des écrans de poussière dans la haute atmosphère et par le fait que la lumière solaire, déjà réduite, qui atteignait la surface de la terre était réfléchie vers l'espace à cause des nouvelles étendues de neige. Ce phénomène est connu sous le nom d'albédo.

« En ce qui concerne les siècles à venir, le poids de la neige, dont j'ai déjà parlé, accentuera les tensions de l'écorce terrestre et provoquera des éruptions volcaniques. Des écrans tamiseront la lumière solaire. Donc, même en admettant que l'activité solaire reprenne dans cent ou deux cents ans, le nouvel âge glaciaire subsistera. Les volcans seront le facteur déterminant.

« Nous pensons maintenant que la condition normale de la terre est l'âge glaciaire. Nous n'en sommes sortis que lorsque de minimes changements dans le tracé de l'orbite nous ont permis de recevoir un maximum de lumière en été. Cela s'est passé il y a environ quinze mille ans, et ce fut la fin du dernier âge glaciaire. Tout ce qu'il fallait pour nous renvoyer dans une époque glaciaire, puisque les paramètres orbitaux se transformaient au cours de ces derniers siècles, était une série de petites modifications climatiques et atmosphériques. Nous avons eu ces petites transformations. Avant que le tracé de l'orbite change suffisamment pour nous ramener dans un âge plus clément, il se passera beaucoup de temps. Beaucoup de temps, en vérité. Dans un rapport que le professeur Soldatov et moi-même avions rédigé conjointement, il y a quelques semaines, notre estimation était de quarante mille ans. D'après nos derniers calculs, nous nous trompions. Il est facile d'entrer dans un âge glaciaire, il est difficile d'en sortir. Nous pensons que celui-ci durera mille siècles... cent mille ans. »

C'est stupéfiant. Presque sans signification pour la plupart d'entre nous, pensa Ledbester. Je vais devoir m'occuper d'une Grande-Bretagne qui, au nord de Birmingham, fera partie de la calotte glaciaire. Car c'est ce qui va nous arriver dans les deux années à venir. Et comment est-ce que ce sera au sud de Birmingham ? Serons-nous capables de maintenir, si près de la limite des glaces et même au-delà, une industrie, de grandes populations ? Les Russes y étaient parvenus dans l'ancienne Sibérie.

« ... cela suffit pour la théorie et pour les prévisions d'avenir. Parlons maintenant du présent. Ce que j'ai à en dire est terrible mais n'est pas sans laisser un peu d'espoir. Tout d'abord, dans de nombreux endroits de l'hémisphère Nord, des zones, des poches, se trouvant nettement au-dessus de la limite des glaces, n'ont pas été atteintes. La vie peut s'y poursuivre bien que les chutes de neige dans les environs aient pris des proportions catastrophiques. Citons Boston aux États-Unis, Stockholm en Suède, le Cheshire en Grande-Bretagne et une très grande partie du Danemark. Ces poches pourront demeurer pour quelques années. Je pense toutefois que celle qui existe dans la région de Stockholm sera réduite l'hiver prochain. Bien entendu, nous ne savons pas ce qui se passe, année après année, dans un âge glaciaire. Pourtant, il serait possible, si nous obtenions les données nécessaires, de faire des prévisions détaillées concernant des régions restreintes et bien définies. Et cela dans des délais relativement courts. De toute façon, ces poches nous aideront à nous réorganiser. Mais cette réorganisation ne pourra être que limitée. La population actuelle de l'hémisphère Nord ne peut que diminuer. Elle s'abaissera d'elle-même, quoi que nous fassions... »

Il parle des morts, pensa le président de la République française. Il y en a déjà eu beaucoup et il y en aura encore plus. En France, nous avons de la chance. Il fait froid, mais la vie est possible. Nous ne sommes pas sous la glace. Notre pays est un grand pays, et pourtant notre agriculture va souffrir. Nous aurons de la place pour les réfugiés mais nous n'aurons pas de nourriture à leur offrir. On va nous demander d'en accueillir : des Suédois, des Norvégiens. Ça va être difficile mais il faudra le faire. Bientôt, les marchandages vont commencer.

« ... en ce qui concerne l'Union soviétique, les perspectives immédiates sont terribles. Seul, le sud de la Russie, la Crimée et peut-être quelques parties du Caucase seront épargnés par les glaces. Toutefois, la technologie soviétique a montré dans le passé qu'elle était capable de créer des environnements artificiels dans lesquels l'être humain pouvait vivre, travailler et produire sous les plus terribles conditions climatiques. Nous aurons beaucoup à apprendre de l'Union soviétique.

« Mon pays, les États-Unis, peut sembler à long terme être dans une meilleure position quoique — comme la Grande-Bretagne, les pays scandinaves et l'Union soviétique — nous ayons eu à court terme un nombre impressionnant de victimes et un bouleversement radical du pays. Au nord, seule de tout le Canada, la Colombie britannique pourra garder sa population. Quant aux grands villes du

nord des États-Unis, elles sont soit déjà disparues ou disparaîtront dans les années à venir. Le climat qui régnera dans les régions situées dans la proximité immédiate de la calotte glaciaire ne sera guère différent de celui... de l'ancienne Sibérie. Nous garderons le pétrole du Texas, et le Mexique pourra nous vendre le sien... »

C'est ce que me disait Brookman hier, pensa le président des États-Unis. Que nous pouvions rester la première puissance du monde et maîtriser la construction du nouvel âge glaciaire. Le Mexique évidemment... risque d'être extrêmement important. Voudra-t-il faire partie des États-Unis ? Si nous manquons de pétrole, il faudra bien qu'il se joigne à nous.

« ... dans l'hémisphère Sud, où l'hiver arrive maintenant, la Nouvelle-Zélande va se trouver en face des situations catastrophiques que nous avons connues. Le climat de l'Australie sera marqué par des sécheresses terribles dans certaines régions et par des chutes de neige épouvantables dans d'autres. Mais c'est dans l'hémisphère Sud et spécialement en Amérique du Sud qu'un nouveau foyer de civilisation peut apparaître. Le Brésil gardera approximativement le même climat. Le siècle qui vient verra des États hautement civilisés se développer autour de l'équateur. Ils s'étendront vers le nord dans les régions où il sera possible de maintenir une vie industrielle.

« Je ne suis pas un homme politique. Et c'est peut-être aussi bien. Car dans les années à venir, les politiciens auront besoin de comprendre la science et les scientifiques auront besoin de comprendre la politique. Les deux domaines seront inextricablement mêlés dans beaucoup de pays du monde.

« En Afrique, par exemple. Les États africains tels que l'Angola, l'Ouganda, la Tanzanie, la Rhodésie auront beaucoup à offrir. Cependant, sans l'aide des grands pays qui les aidaient dans le passé — l'Amérique, l'Union soviétique et l'Europe —, ils risquent fort de tomber dans un désordre économique et politique. Il faudrait alors les rayer durant de longues années du nombre des pays capables de participer efficacement à la civilisation. C'est un danger que chacun de nous ici présent doit envisager. Il n'y a plus tellement de place sur notre planète pour que nous puissions nous offrir le luxe de la gaspiller.

« Se pourrait-il aussi que les grandes puissances des dernières décennies, qui possèdent encore des armes d'une force de destruction redoutable, se trouvent engagées dans des conflits en Amérique du Sud, ou se voient obligées de faire face au chantage des pays proches de l'équateur ?

« Se pourrait-il aussi que la Chine populaire — Stovin se tourna

vers la délégation chinoise — dont la situation difficile ne peut être que supposée, étant donné l'absence d'informations arrivant de là-bas, se pourrait-il que, poussés par les conditions climatiques, huit cent millions de Chinois cherchent à gagner des régions plus chaudes du globe ? Très bientôt, il nous faudra faire face à ces problèmes. Ils sont vitaux pour l'avenir de l'espèce humaine. Et c'est d'ailleurs avec l'avenir de l'homme que je vais conclure... »

Nous y sommes, pensa Brookman. Seul Stovin pouvait parler de ça en ce moment. Et, demain, sa réputation sera telle qu'il est possible qu'on en tienne compte. Dieu seul sait, quand on pense aux problèmes auxquels ils sont confrontés dans leur propre pays, ce que la plupart de ces gens peuvent bien avoir à faire avec ça.

« ... certains d'entre vous savent peut-être... — le président vit la bouche de Stovin se tordre dans un sourire amer — ... que j'ai eu une occasion unique, il y a quelques semaines, d'étudier l'aptitude de l'homme à vivre sur la calotte glaciaire elle-même. J'ai habité un certain temps avec une communauté esquimaude. Cette expérience m'a fait réexaminer des connaissances acceptées par presque tous les chercheurs du monde. Je vois maintenant les choses sous un jour différent.

« L'homme est un enfant de l'âge glaciaire. En termes d'évolution, la survie des plus aptes signifie que, dans de terribles conditions climatiques, l'être humain a dû apprendre à coopérer avec ses semblables pour chasser, bâtir et plus simplement pour survivre. C'est ainsi qu'il a découvert le langage, appris à construire routes et habitations. Cet homme de l'âge glaciaire — dont il ne reste que quelques descendants : les Esquimaux du Haut-Arctique — a réussi à créer une culture, basée sur la chasse, magnifique étant donné les conditions extrêmement dures dans lesquelles elle a vu le jour. Aujourd'hui encore, un Esquimau du Haut-Arctique parcourt avec ses chiens cinq à six mille kilomètres par an à pied sur des terrains où le reste des hommes penseraient ne pas pouvoir bouger.

« L'homme de l'âge glaciaire a conçu les igloos, ces merveilleuses maisons de forme circulaire faites de blocs de glace disposés les uns au-dessus des autres en spirale, où chaque bloc trouve son équilibre dans le poids du bloc voisin. Et cela, des milliers d'années avant que les Romains ne construisent le Colisée. Il a également développé magnifiquement sa mémoire et ses facultés de déduction. Un chasseur de l'âge glaciaire connaissait aussi bien son territoire qu'un professeur d'université connaît aujourd'hui son sujet. Toutes les conditions étaient remplies pour qu'une civilisation de haut niveau prenne naissance *sur la calotte glaciaire*. Et que s'est-il passé ?

« ... L'âge interglaciaire est arrivé... Quelques petits changements nous ont donné quinze mille ans de chaleur. Nous sommes devenus sédentaires, nous avons développé l'agriculture. Nous avons construit des villes et organisé des États. Nous avons amassé des richesses, levé des armées pour les défendre et établi des relations diplomatiques pour les conserver. Nous avons construit Paris, Londres, Moscou, Los Angeles. Et, finalement, nous avons fabriqué la bombe H.

« ... Nous avons développé une civilisation que j'appellerai de type romain : bains, chauffage central, utilisation de l'énergie fossile, construction de machines pour épargner le travail de l'homme. Nous avons pillé la planète pour chauffer nos maisons, pour fabriquer notre papier, pour faire marcher nos véhicules. Et lorsque nous nous tournons vers le passé, vers l'âge de pierre, nous nous félicitons des progrès que nous avons faits.

« Bien entendu, nous avons avancé. Mais nous avons avancé dans un cul-de-sac. Nous nous sommes adaptés. Nous avons construit une civilisation qui correspond à un âge interglaciaire. Maintenant, cette période est terminée et nous sommes bloqués au fond du cul-de-sac.

« Si le vieil âge glaciaire avait duré — celui qui s'est achevé il y a plus de quinze mille ans —, nous serions aujourd'hui des hommes totalement différents. Les progrès se seraient effectués à partir de l'homme dont nous pouvons encore voir de nos jours les descendants : l'Esquimau de l'âge de pierre du Haut-Arctique et les nomades du désert de l'âge de pierre. Avec la persistance de l'âge glaciaire, ils seraient devenus de super-Esquimaux ou de super-hommes du désert, parfaitement à l'aise dans des conditions mortelles pour l'homme moderne. Et, bien sûr, nous n'aurions pas de problèmes aujourd'hui.

« Quelle sorte d'homme serait-il devenu au fur et à mesure que la civilisation se serait développée ? Ne perdons pas de vue qu'il s'agissait au départ d'une civilisation fondée sur la chasse. Très certainement, la télépathie serait devenue extrêmement importante pour lui. Il aurait très probablement appris à communiquer avec les animaux. Il aurait développé tout un arsenal de perceptions ultrasensibles. Peut-être même aurait-il acquis le pouvoir de transporter des objets sans l'aide des machines, simplement avec la force de son esprit. Les pressions de l'environnement auraient créé un homme de l'âge glaciaire aussi sûrement qu'elles ont créé un homme interglaciaire.

« C'est cette période interglaciaire qui nous a trompés. Qui a induit en erreur même les animaux. Les chercheurs parmi vous qui ont lu le rapport Hilder savent que je parle des loups. Les loups aussi ont changé leur comportement durant l'époque interglaciaire pour s'atta-

quer à de plus petits animaux et tenir tête à l'homme. Ainsi les hardes sont devenues plus petites, plus mobiles, moins vulnérables. Leur organisation se modifia et ils s'engagèrent également dans un cul-de-sac. Le rapport Hilder montre qu'ils retrouvent maintenant un système d'organisation plus ancien. Ils s'adaptent en fait plus vite que nous. Les bandes sont plus importantes et l'organisation en est différente. Qui sait ce que seront les loups dans cent mille ans ? »

Brookman regarda Stovin attentivement. Il ne l'avait jamais vu si enflammé. L'assistance écoutait avec une attention soutenue. Stovin s'arrêta un instant pour boire une gorgée d'eau avant de poursuivre :

« Nous ne pouvons pas vivre uniquement autour de l'équateur et nous battre pour avoir un peu de place. Ce serait la fin de l'*Homo sapiens*. Nous avons besoin d'un nouvel *Homo sapiens*... D'un homme qui puisse vivre dans la glace. Nous pourrions l'appeler l'*Homo sapiens hibernus*. L'homme de l'hiver. Nous pouvons commencer à susciter cet homme de l'hiver dès... maintenant. »

De nouveau une légère rumeur traversa l'assemblée.

« Nous devons commencer à travailler à l'avenir à long terme de l'espèce humaine. Je me rends parfaitement compte que ceux qui parmi vous ont été touchés par la catastrophe et qui doivent faire face à la mort, à la faim et supporter des souffrances de toutes sortes, trouveront mes paroles fort éloignées de leurs préoccupations actuelles. *Mais nous ne devons plus nous laisser surprendre.* Quelle que soit notre religion si nous en avons une, quelles que soient nos convictions si nous en avons, chacun d'entre nous dans cette assemblée sait que sans un futur pour nos enfants et pour les enfants de nos enfants et pour aussi leurs enfants, l'existence humaine est dénuée de sens.

« Je propose donc qu'une proportion importante et croissante des crédits accordés à la science soit consacrée aux recherches tendant à favoriser l'avènement rapide de l'*Homo sapiens hibernus*. J'ai la permission du président des États-Unis — Stovin se tourna vers l'homme qui était assis près de lui — pour vous annoncer que nous allons, dans ce pays, mettre en place dès maintenant un Institut de l'homme de l'hiver grâce à des fonds du gouvernement fédéral. L'Institut sera implanté au Connecticut au-dessus de la limite des glaces. Il sera administré par mon ami le professeur Melvin Brookman, directeur de l'ancien Institut de technologie du Connecticut. Je travaillerai là pour le reste de mes jours.

« L'Institut sera ouvert à tous — les résultats de ses travaux et de ses recherches seront la propriété de l'humanité tout entière. Toutefois, il ne pourra fonctionner seul. Nous espérons ardemment que d'autres pays construiront des centres similaires consacrés à l'étude, à

la recherche et aux systèmes d'application. L'Union soviétique, avec son expérience inégalable des problèmes que nous devons résoudre aujourd'hui, sera un partenaire privilégié. En ce qui me concerne, je n'aurais pas de plus grand plaisir que de travailler avec mon ami Yevgeny Soldatov à qui je dois... à qui nous devons tous beaucoup. La tâche à accomplir est immense. Nous nous y attellerons immédiatement en dépit des problèmes apparemment insurmontables qui se posent à court terme. La science a ceci de curieux... aussi abstraites et tournées vers le futur qu'apparaissent ses recherches, ces dernières sont toujours en définitive très proches de l'atelier de l'usine, de l'évier de la ménagère et du champ du paysan.

« J'ai parlé devant vous durant plus d'une heure. Pour les mois qui arrivent de cette année cruciale pour l'humanité, je ne peux guère offrir de réconfort. Mais je crois fermement en l'avenir... »

La salle tout entière se leva et applaudit pendant trois minutes. Brookman serra la main de Stovin. Voilà, c'était le grand moment de Stovin. Il avait gagné. Ces hommes et ces femmes dans le désespoir avaient besoin d'un prophète. Mais combien de temps faudrait-il, se demanda Brookman, avant que l'émotion ne se dissipe et que les disputes reprennent ? Tout le monde ne pense pas comme Stovin.

Dans sa chambre de la Maison-Blanche de Santa Fe, le président se coucha très fatigué. Il ouvrit comme tous les soirs sa Bible. Le discours de Stovin était vraiment épatant. C'était pourtant le premier qu'il faisait devant une assemblée si nombreuse. Une conviction passionnée l'emporte toujours. Voyez Churchill. *Homo sapiens hibernus...,* malheureusement je suis trop vieux pour le voir. S'il arrive jamais. Il y a tellement de si... mais il y a toujours eu beaucoup de si dans l'histoire de l'homme. Tant qu'il se bat, il y a de l'espoir. Néanmoins, il n'est qu'un petit animal dans un univers sans limites. Le président baissa les yeux sur sa Bible. Elle était ouverte au livre de Job. Il mit ses lunettes et commença à lire ce que Dieu, il y a bien longtemps, avait dit aux hommes :

« *Où étais-tu quand j'ai posé les fondations*
de la terre ? »

Épilogue

Le chef de la bande se tenait près des ruines de la tour solitaire qui se dressait parmi un amas de pierres recouvertes de glace, quinze mètres au-dessus de la surface de la neige. Ses pattes antérieures prenaient appui sur la pente du repli de terrain. En dessous de lui, dans les dernières lueurs du crépuscule, six points noirs se déplaçaient à l'abri du vent en bas de l'escarpement. Des hommes...

Les yeux jaunes du loup enregistrèrent le nombre des membres du groupe. La bête fit demi-tour et, silencieusement, à pas souples, elle franchit la crête pour retrouver sa harde peu nombreuse — une quarantaine d'individus étaient couchés dans la neige, attendant. Sa queue dressée était presque parallèle au sol comme il dépassait, les uns après les autres, ses congénères pour atteindre le bout du talus. Les hommes s'étaient rapprochés et le loup pouvait les voir distinctement. Il ne modifia pas pour autant sa direction ni ne donna de signal. Il continua simplement d'avancer.

Les quarante loups le suivaient, formant une longue file qui s'étirait sur environ quatre cents mètres. De temps à autre, ils s'arrêtaient docilement tandis que le chef s'écartait un peu vers le haut pour gagner un poste d'observation. Chaque fois qu'il rejoignait les autres, sa queue retrouvait cette même position horizontale. Les loups avançaient parallèlement aux hommes à environ cinq cents mètres...

Le chef de groupe remit les jumelles dans la poche spécialement conçue pour elles de sa tunique. Il se tourna vers ses cinq compagnons et leur fit signe d'avancer. Tous les membres du groupe étaient vêtus de fourrures. Le chef et les trois femmes avaient des fusils, les deux autres hommes tiraient un petit traîneau.

— Est-ce qu'ils chassent ? demanda la jeune femme qui se trouvait près du chef.

— Non, dit-il, ils observent. Ils ne tenteront rien. Ils savent trop ce qui leur arrive quand ils essaient.

La main gantée de la jeune femme se posa sur le bras de l'homme.

— Est-ce que nous ne devrions pas... eh bien ! leur donner un petit avertissement ? dit-elle en tapotant son fusil.

— Non. C'est contre le règlement de l'Institut. A moins qu'ils n'attaquent. Et ils n'attaqueront pas. Nous sommes une mission

Alpha et nous en abattrons trente avant qu'ils n'aient pu faire cent mètres. Les loups savent qu'un groupe de six est toujours une mission Alpha et ce qui les attend s'ils nous attaquent. Ils nous surveillent, mais ils nous laisseront tranquille.

— Peut-être devrions-nous établir un campement, dit l'un des hommes qui tiraient le traîneau. C'est plus facile de les avoir à l'œil depuis un campement.

— Non, dit le chef. Nous devons encore faire quinze kilomètres aujourd'hui pour remplir notre mission. Ce n'est pas une petite bande de loups qui va nous arrêter.

Les six hommes continuèrent d'avancer vers le nord. La tour qui était, autrefois, celle des grands magasins Sears de Chicago s'effaça dans la nuit. Quatre cents mètres sous la neige se trouvait cette ville ensevelie depuis presque trente ans. Cet immense tombeau ne serait pas ouvert avant cent mille ans.

J'espère que j'ai raison, pensa le chef de groupe, comme il regardait sur sa droite la file de loups qui continuait de progresser prudemment. En tout cas, c'est ce qu'aurait fait mon père.

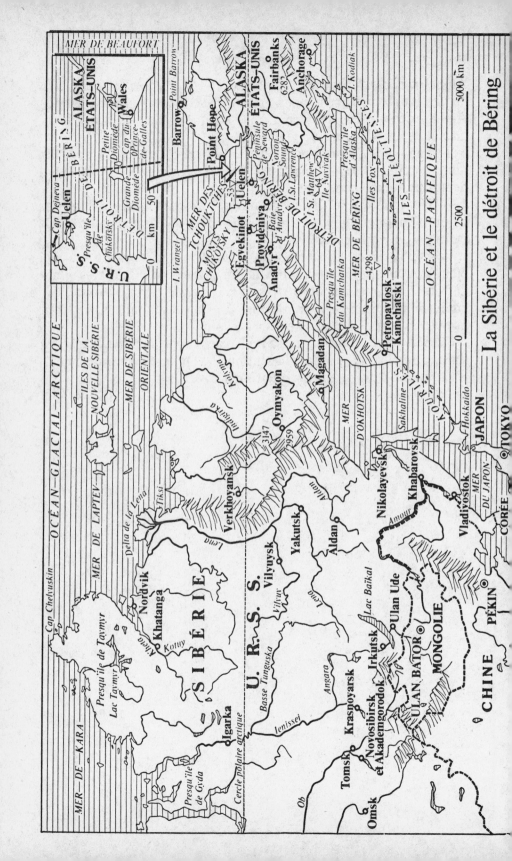

La Sibérie et le détroit de Béring

Imprimé aux Etats-Unis, 1982